Champion Classiques
Série « Moyen Âge »
créée par Emmanuèle Baumgartner et Laurence Harf-Lancner
sous la direction de Laurence Harf-Lancner

LE JEU D'ADAM

Dernières parutions dans la collection
Champion Classiques

Série « Moyen Âge »
Éditions bilingues

22. CHRÉTIEN DE TROYES (?), *Guillaume d'Angleterre*, publié, traduit, présenté et annoté par Christine Ferlampin-Acher.
23. *Aspremont*, chanson de geste du XIIe siècle. Présentation, édition et traduction par François Suard d'après le manuscrit 25529 de la BNF.
24. JEAN RENART, *Le Roman de la Rose ou De Guillaume de Dole*. Traduction, présentation et notes de Jean Dufournet, avec le texte édité par Félix Lecoy.
25. *Le Roman de Thèbes*. Édition bilingue. Publication, traduction, présentation et notes par Aimé Petit.
26. JAKEMÉS, *Le Roman du châtelain de Coucy et de la Dame de Fayel*. Édition bilingue. Publication, traduction, présentation et notes par Catherine Gaullier-Bougassas.
27. RICHARD DE FOURNIVAL, *Le* Bestiaire d'Amour *et la* Response du Bestiaire. Édition bilingue. Publication, traduction, présentation et notes par Gabriel Bianciotto.
28. CHARLES D'ORLÉANS, *Le Livre d'Amis. Poésies à la cour de Blois*. Édition bilingue. Publication, traduction, présentation et notes par Virginie Minet-Mahy et Jean-Claude Mühlethaler.
29. RENAUT, *Galeran de Bretagne*. Édition bilingue. Publication, traduction, présentation et notes par Jean Dufournet.
30. HUON LE ROI, *Le Vair Palefroi*. Édition bilingue. Publication, traduction, présentation et notes par Jean Dufournet.
31. *La Prise d'Orange. Chanson de geste (fin XIIe - début XIIIe siècle)*. Édition bilingue. Texte établi, traduction, présentation et notes par Claude Lachet.
32. *Lais bretons (XIIe-XIIIe siècles) : Marie de France et ses contemporains*. Édition bilingue établie, traduite, présentée et annotée par Nathalie Koble et Mireille Séguy.
33. *La Chanson d'Antioche*. Chanson de geste du dernier quart du XIIe siècle. Nouvelle édition, traduction, présentation et notes par Bernard Guidot.
34. *Le Jeu d'Adam*. Édition bilingue, établie, traduite, présentée et annotée par Véronique Dominguez.

Découvrez tous les titres de la collection sur notre site
www.honorechampion.com

LE JEU D'ADAM

Édition bilingue,
établie, traduite, présentée et annotée
par Véronique DOMINGUEZ

CHAMPION CLASSIQUES
HONORÉ CHAMPION
PARIS – 2012

Véronique Dominguez est maître de conférences en langue et littérature médiévales à l'Université de Nantes. Ses travaux portent sur le théâtre du Moyen Âge et sur sa réception à l'époque contemporaine.

www.honorechampion.com

ISBN 978-2-7453-2327-9 ISSN 1636-9386

AVANT-PROPOS

POURQUOI À NOUVEAU LE *JEU D'ADAM*?

Appelé *Jeu d'Adam*, *Mystère d'Adam*, ou *Ordo Representacionis Ade*, selon sa formule inaugurale dans le manuscrit coté 927 au *Catalogue* de Dorange[1] et aujourd'hui conservé à la Bibliothèque municipale de Tours, le texte exploré dans ces pages est un de ceux qui ont très souvent retenu l'attention des médiévistes en général, et des spécialistes du théâtre en particulier. Considérable, le nombre de ses éditions et de ses commentaires s'explique parce que le *Jeu d'Adam* a suscité la taxinomie autant qu'il continue à lui échapper[2]. Ainsi, ce texte qui mêle le latin à la langue vernaculaire, a pu être considéré comme la première pièce de théâtre, en France comme en Angleterre[3]. Partant, il est apparu comme le témoin de la transition entre le drame liturgique latin et une «profanation» dans laquelle le théâtre chercherait son origine, se libérant en même temps du carcan de l'Église et des formes dramatiques obsolètes qui

---

[1] A. J. Dorange, *Catalogue descriptif et raisonné des manuscrits de la Bibliothèque de Tours*, Tours, 1875, p. 409.

[2] Voir Leif Sletsjöe, «Histoire d'un texte. Les vicissitudes qu'a connues le "Mystère d'Adam" (1854-1963)», *Studia Neophilologica* XXXVII, 1965, p. 11-39.

[3] Pour Léon Palustre, c'est «le plus ancien ouvrage dramatique de la langue française», *Adam, mystère du XIIe siècle: texte critique accompagné d'une traduction*, Paris, Dumoulin, 1877, p. vi, et pour Henri Chamard, «le premier en date de nos mystères», dans *Le Mystère d'Adam, drame religieux du XIIe siècle*, texte du manuscrit de Tours et traduction nouvelle, Paris, Colin, 1925, p. vii; pour Maria Dominica Legge, c'est «the first play», dans «The Significance of Anglo-Norman», *Inaugural Lecture* 38, november 26th, Edinburgh, 1968, p. 7.

auraient accompagné ce dernier[1]. La pièce a même été rangée dans une catégorie singulière, dont elle serait la première sinon la seule représentante: le drame semi-liturgique[2]. Dans un premier temps, c'est l'écart entre le rôle que lui donne l'histoire du théâtre et l'énigme de ce texte au manuscrit unique, humble et malmené, qui a suscité notre intérêt pour le *Jeu*. Comment lui accorder le statut de monument, si celui de document, du moins dans le dialecte éditorial, ne faisait aucun doute?

Parmi les nombreuses éditions, complètes ou fragmentaires, du *Jeu d'Adam*, celle de Willem Noomen fait autorité[3]. Elle repose sur une étude précise et argumentée des sources liturgiques propres à chaque moment du *Jeu*[4]. Cette étude a donné lieu à la reproduction dans l'édition d'une version des *incipit* de répons et des leçons liturgiques autour desquels les parties du *Jeu* en langue vernaculaire se déploient. Mais l'édition Noomen n'est pas la plus récente. Après Carl Odenkirchen[5], Wolfgang van Emden a proposé en 1996 une édition et une traduction anglaise du texte copié entre les folios 20 et 40 du manuscrit de

[1] La perspective évolutionniste qui mène du religieux au profane et du drame liturgique à la place publique a été illustrée notamment par E. K. Chambers, *The Mediaeval Stage*, Oxford, Clarendon Press, 1903, 2 volumes, spéc. volume 2, p. 68-105, et par Karl Young, *The Drama of Medieval Church*, Oxford, Clarendon Press, 1933, 2 volumes, spéc. vol. 2, p. 421-426.

[2] Marius Sepet, *Les Prophètes du Christ*, Paris, Didier, 1878, p. 147 et *alia*; Gustave Cohen, *Histoire de la mise en scène dans le théâtre religieux français du moyen âge*, nouvelle édition, revue et augmentée, Paris, Champion (1906), édition revue et augmentée (1926), 1951, p. 9-10. Cohen reconnaît cette catégorie comme «un peu arbitraire», et il l'étend à tous les «premiers essais de drame religieux français, [lequel est] défini d'abord par l'emploi de notre langue, ensuite par le développement du décor hors de l'église, enfin et surtout par les dates (seconde moitié du XIIe et XIIIe siècle entier)», dans *Le théâtre en France au Moyen Âge. I. Le théâtre religieux*, Paris, Rieder, 1928, citation p. 23.

[3] *Le Jeu d'Adam (Ordo representacionis Ade)*, Paris, Champion, «Classiques français du Moyen Age» n° 99, 1971.

[4] Willem Noomen, «Le *Jeu d'Adam*. Étude descriptive et analytique», *Romania* 89, 1968, p. 145-193.

[5] *The Play of Adam (Ordo representationis Ade)*, the original text reviewed, with introduction, notes and an English translation, par Carl J. Odenkirchen, Brookline et Leuden, Classical Folia Editions, «Medieval Classics: Texts and Studies» n° 5, 1976.

Tours[1]. L'un de nos objectifs a été de tenir compte en même temps des travaux français et anglo-saxons sur le *Jeu* et des hypothèses qui en sont issues, afin d'essayer de saisir le *Jeu d'Adam* dans ses divers contextes, depuis celui de son manuscrit jusqu'aux cadres ou lieux que la recherche lui a dessinés.

Plusieurs travaux majeurs en ont cherché le sens théologique et moral[2], mais aussi social et historique[3]. Mais depuis ceux de Noomen, les travaux les plus récents ont surtout resserré les liens entre le *Jeu d'Adam* et le milieu, technique et humain, qui a probablement conçu ce texte : celui de la liturgie médiévale[4]. Rejoignant cette perspective, nous donnerons au texte étudié le titre, liturgique, qu'il porte dans son manuscrit,

---

[1] *Jeu d'Adam*, édition et traduction anglaise par Wolfgang van Emden, British Rencesvals Publications, 1, Edinburgh, 1996.

[2] Voir William C. Calin, « Structural and doctrinal Unity in the *Jeu d'Adam* », *Neophilologus* 46, 1962, p. 249-254 ; Jean-Charles Payen, « Idéologie et théâtralité dans le *Jeu d'Adam* », *Études Anglaises* XXV/1 1972, p. 19-29 ; Tony Hunt, « The Unity of the Play of Adam (*Ordo representacionis Adae*) », *Romania* 96, 1975, p. 368-388, et p. 497-527 ; Maurice Accarie, « La légitimation de la société féodale dans le *Jeu d'Adam* », *Mélanges de langue et de littérature du moyen-âge au XXe siècle offerts à Jeanne Lods*, Collection de l'Ecole Normale de Jeunes Filles 10, Paris, 1978, p. 1-10 ; *Idem*, « Théologie et morale dans le *Jeu d'Adam* » *Revue des Langues Romanes* 83, 1978, p. 123-147 ; Jean-Pierre Bordier, « Le fils et le fruit. Le *Jeu d'Adam* entre la théologie et le mythe », *The Theatre in the Middle Ages*, Leuwen, 1985, p. 84-102.

[3] Per Nykrog, « *Le Jeu d'Adam* : une interprétation », *Mosaïc* VIII/4, 1975, p. 7-16 ; Wendy Morgan, « "Who was then the Gentleman ?" Social, Historical and Linguistic Codes in the *Mystère d'Adam* », *Studies in Philology* 79, printemps 1982, p. 101-121 ; David Parker, « The two Texts of the *Jeu d'Adam* : Latin, Anglo-Norman, and the clerical Message to the Aristocracy », *Medieval Perspectives* 9, 1994, p. 125-134 ; E. J. Mickel, « Faith, Memory, Treason and Justice in the *Ordo Representacionis Ade* (*Jeu d'Adam*) », *Romania* t. 112, 1991, p. 129-154 ; Kathleen Blumreich-Moore, « Original Sin as Treason in Act 1 of the *Mystère d'Adam* », *Philological Quarterly* 72, 1993, p. 125-141.

[4] Catherine Dunn, *The Gallican Saint's Life and the late Roman dramatic Tradition*, Washington, The Catholic University of America Press, 1989 ; Margot Fassler, *Gothic Song : Victorine Sequences and Augustinian Reform in Twelfth Century Paris*, Cambridge, Cambridge University Press, 1993 ; *eadem*, « Representations of Time in *Ordo Representacionis Ade* », *Contexts : Style and Value in Medieval Art and Literature*, *Yale French Studies*, numéro spécial, Daniel Poirion et Nancy Freeman Regalado éd., 1991, p. 97-113 ; Steven Justice, « The Authority of Ritual in the *Jeu d'Adam* », *Speculum* 62/4, 1987, p. 851-864.

et le *Jeu d'Adam* sera pour nous *Ordo Representacionis Ade*, ou *Ordo Ade*[1].

Cependant, ces travaux récents se préoccupent moins que la génération critique précédente de la réception de l'*Ordo Ade*, car plus encore que la composition du texte, celle-ci leur semble échapper au témoin manuscrit du *Jeu*. Délicate, peut-être sans réponse, la question de la réception de l'*Ordo* ne peut cependant pas être évincée, que ce terme désigne le lecteur du manuscrit, pour son éventuelle mise en scène, ou le public de cette dernière. De manière générale, les conditions de production des manuscrits médiévaux ne laissent guère de place à une confection sans commande ni horizon déterminés. Surtout, cet horizon est manifestement au cœur d'un texte à l'incessante dimension prescriptive. Commune à l'*Ordo Ade* et à l'office de la Résurrection qui le précède dans le manuscrit, cette dimension est présente dans ce texte sous la forme de didascalies latines au subjonctif présent ou au futur.

Il nous a donc semblé nécessaire de tenir compte à part égale de ces deux aspects : le milieu qui a composé l'*Ordo*, et les destinataires éventuels de cette composition. Mais nous avons cherché à les considérer ensemble, en nous interrogeant sur le ou les usages de ce texte. À la notion d'usage répond celle d'acteurs, que sont indifféremment les compositeurs, les copistes, les lecteurs, les metteurs en scène et les interprètes potentiels de ce texte, chanteurs ou comédiens. L'usage du texte, c'est alors sa production à tous les niveaux, entre conception, copie et lecture, cette dernière pouvant aller jusqu'à une performance qui a elle aussi mobilisé une partie importante de la critique sur le *Jeu d'Adam*[2].

---

[1] Pour une définition du terme *Ordo*, voir Cyrille Vogel, *Introduction aux sources de l'histoire du culte chrétien au moyen âge*, *Studi Medievali* 4, 1963, p. 435-569, spéc. p. 435 : « Au sens liturgique, l'on désigne par *ordo* une description des rites sacrés, un directoire ou guide à l'usage du célébrant et de ses ministres, où sont exposées dans le détail l'ordonnance des différentes cérémonies cultuelles et la manière de les accomplir ». Ajout en note 1 p. 435 : « Au sens propre, *ordo* équivaut à l'ensemble des rubriques, c'est-à-dire des notices explicatives accompagnant un formulaire sacré, actuellement intercalées dans les livres liturgiques (en caractères rouges pour les distinguer du formulaire euchologique). »

[2] Voir Grace Frank, « The Genesis and Staging of the *Jeu d'Adam* », *PMLA* LIX, mars 1944, p. 7-17 ; Michel Mathieu, « La mise en scène du *Mystère d'Adam* », *Marche Romane* 16, 1966, p. 47-56 ; Willem Noomen, « Le *Jeu d'Adam*.

C'est peut-être dans ce dernier aspect que résidaient à la fois l'enjeu et le risque d'une édition nouvelle de ce texte. Car le fait que l'une des finalités possibles de la modalité injonctive de l'*Ordo Ade* soit une mise en espace, en corps et en voix constitue une caractéristique du texte aussi majeure que problématique. En effet, si certaines règles ou coutumiers ont conservé le diagramme de mises en scène très anciennes de la liturgie, dont la *Regularis Concordia* composée en 987 par Ethelwold est l'exemple le plus connu[1], nous n'avons aucun témoignage extérieur à l'*Ordo Representacionis Ade* qui certifie son exécution « par personnages », pour reprendre l'expression consacrée dans les manuscrits et les imprimés qui lui sont postérieurs de trois siècles. La question devenait alors la suivante : dans quelle mesure une enquête sur l'usage de l'*Ordo Representacionis Ade* pouvait-elle confirmer ou infirmer sa destination à la performance, à l'époque où il fut composé et à celle où il fut copié ? Et quelles avaient pu être les modalités de cette performance ?

Ces questions ne pouvaient être posées qu'en présence de l'unique témoin manuscrit dans lequel le texte a été enregistré. Grâce au CD-Rom fabriqué à notre intention par la bibliothèque de Tours[2], nous avons pu examiner à loisir le manuscrit BM

Étude descriptive… », spéc. « Note sur la représentation », p. 190-193 ; Maurice Accarie, « La mise en scène du *Jeu d'Adam* », *Mélanges de langue et de littérature française offerts à Pierre Jonin*, *Senefiance* 7, 1979, p. 1-12 ; Bruce A. McConachie, « The Staging of the *Mystère d'Adam* », *Theatre Survey* 20, n° 1, mai 1979, p. 27-42.

[1] Texte édité par Chambers, *The Mediaeval Stage*, vol. 2, p. 306-311. Pour un exemple de régulation des gestes plus proche en date de l'*Ordo Ade*, voir le *De Institutione Novitiorum* de Hugues de Saint-Victor (vers 1140), voir Jean-Claude Schmitt, *La raison des gestes dans l'Occident médiéval*, Paris, Gallimard, 1990, p. 172-205.

[2] La Bibliothèque de Tours étant en travaux depuis 2009, nous n'avons pas pu consulter directement un manuscrit par ailleurs très endommagé par les diverses opérations qu'il a subies du XVIIIe siècle à aujourd'hui (voir Geneviève Hasenohr, « Philologie romane. Programme de l'année 2001-2 : le *Jeu d'Adam*, les jeudis de 16h à 18h », *Livret-Annuaire de l'EPHE* 17, 2001-2002, p. 169 ; Leif Sletsjöe, « Histoire d'un texte », p. 11). Aussi, nous adressons nos plus chaleureux remerciements à Michèle Prévost, conservatrice en chef des fonds patrimoniaux de la Bibliothèque municipale de Tours, pour nous avoir permis grâce aux deux versions du manuscrit reproduites sur le CD-Rom la *ruminatio* de l'énigmatique 927.

Tours 927, à la fois sur une copie scannée en 2010 et sur le microfilm réalisé avant la restauration du manuscrit en 1962. Nous avons ainsi été en mesure de réfléchir à nouveau à quelques aspects de ce manuscrit qui ont souvent mobilisé la critique éditoriale. Et il nous est apparu que certains d'entre eux trouvaient une résolution possible dans un ensemble d'usages de l'*Ordo Representacionis Ade*, qui relèvent d'une performance élargie, entre lecture, mise en musique, en voix et en geste.

Une telle conception de la performance permet de ne pas décider *a priori* de la composition du manuscrit dans le temps : l'élaboration du BM Tours 927 peut avoir été postérieure à la lecture ou à la mise en scène du texte, comme elle peut en tracer le programme. Elle permet aussi de ne pas imaginer la résolution des injonctions du manuscrit dans le seul jeu « par personnages ». Répondant avant tout aux conceptions modernes de la mise en scène, ce mode de jeu occulte peut-être la compréhension de ce texte comme d'un espace aussi bien mental que physique, où se représente le mythe fondateur de l'Occident chrétien : la création, le péché originel et ses suites, jusqu'à la promesse de la rédemption. Représenter, *re-praesentare* : s'il vient comme *ordo* de la liturgie et du rite[1], le titre évoque la redite et la réactualisation, mais sans en préciser le mode. C'est donc le mode précis de cette redite, entre rite et performance, qu'il s'est agi de comprendre, et qui a guidé notre introduction. Dans une première partie, nous avons effectué une approche synthétique des travaux précédents sur l'*Ordo Ade*, afin de justifier l'intérêt de l'étude de ce texte selon l'usage que son enregistrement manuscrit peut laisser percevoir. Dans un second temps, nous avons étudié cet usage comme performance, lue ou jouée. À partir des particularités de son enregistrement manuscrit, nous proposons une interprétation du texte comme support d'une action dramatique complexe, dont nous détaillons les principaux aspects du fonctionnement.

C'est aussi la notion de performance qui nous a conduite à un choix éditorial différent de celui de Willem Noomen. Celui-ci, après bien d'autres, a arrêté son édition du *Jeu d'Adam* au

---

[1] Voir Noomen, « Le *Jeu d'Adam*. Étude descriptive... », p. 147.

folio 40 du manuscrit de Tours[1]. Cela n'avait été ni le choix des premiers éditeurs du texte, ni celui de Paul Aebischer, dernier éditeur du texte en France avant Noomen[2]. Comme eux, nous avons poursuivi la transcription et l'analyse du manuscrit jusqu'au texte appelé le *Dit des Quinze signes,* dont une version a été copiée entre les folios 40 et 46v° du BM Tours 927. Célèbre au Moyen Age, ce texte a souvent été copié ; lorsqu'il a été édité, c'était la plupart du temps avec le *Jeu d'Adam*[3]. Nous espérons avoir dégagé dans notre commentaire quelques éléments qui permettent de considérer la version du *Dit* enregistrée dans le BM Tours 927 comme un moment possible de la performance dont ce manuscrit a pu faire l'objet.

En outre, nous proposons une traduction de l'ensemble qui pour nous constitue l'*Ordo representacionis Ade* dans ce manuscrit. Si plusieurs traductions anglaises belles et scrupuleuses ont été réalisées[4], c'est la première fois depuis celle de Léon Palustre en 1877[5] qu'une traduction française du texte copié entre les folios 20 à 46v° est donnée. Celle d'Henri Chamard ne concernait

---

[1] Il s'en explique brièvement dans son compte rendu très critique de l'édition Aebischer, *Revue Belge de Philologie et d'Histoire* 44, 1966/1-2, p. 240-2.

[2] *Le mystère d'Adam (Ordo representacionis Ade).* Texte complet du manuscrit de Tours publié avec une introduction, des notes et un glossaire par Paul Aebischer, Genève, Droz, « Textes Littéraires Français » n° 99, 1963.

[3] Dans les éditions de Luzarche, Palustre, Grass (1891) et Aebischer. Il n'a que rarement été édité de façon indépendante du *Jeu* : d'après le ms 354 de la bibliothèque de Berne par Conrad Hofmann, dans *Gelehrte Anzeigne, hgg. von Mitgliedern der kgl. Bayerischen Akademie der Wissenschaft*, vol. L, 1860, cols. 349-351 ; par Erik von Kraemer, sous le titre *Les Quinze signes du Jugement Dernier*, poème anonyme de la fin du XIIe ou du début du XIIIe siècle publié d'après tous les manuscrits connus, avec introduction, notes et glossaire, Helsinki, Helsingfors, 1966. Voir aussi Reine Mantou, *Les Quinze signes du Jugement Dernier, poème du XIIe siècle*, Mémoires et publications de la Société des sciences des arts et des lettres du Hainaut, vol. 80/2, 1966, Mons, L. Losseau, 1966.

[4] Lynette Muir, « Adam : a Twelfth Century Play translated from the Norman French with an introduction and notes », *Proceedings of the Leeds Philological and Literary Society*, Literary and History section 13/5, 1970, p. 153-204 ; David Bevington, *The Service for representing Adam (Ordo representationis Adae)*, traduction anglaise, dans *Medieval Drama*, Boston, Houghton Mifflin, 1975, p. 78-121 ; Van Emden, 1996.

[5] Référence note 3.

que sa première partie, qui, des folios 20 à 31, présente la Création, la Faute et son châtiment, tout comme la transposition scénique composée par Gustave Cohen en 1935 pour les Théophiliens[1].

En transcrivant et en traduisant ce texte, il nous est apparu que sa compréhension reposait sur la possibilité de présenter et de représenter le sacré sur les modes conjoints du rite et de la *mimesis*, c'est-à-dire de la liturgie et de formes voulant susciter le plaisir esthétique. Entre le XIIe et le XIIIe siècle, comment, pour qui et pour quoi a-t-on pu faire confiance aux *media* sensibles, dans une œuvre dont la teneur liturgique et la visée spirituelle ne sauraient être mises en doute ? Nous espérons ainsi faire partager la fascination que, comme nos prédécesseurs, nous avons ressentie pour cette version médiévale du péché originel et de ses suites, et pour l'anthropologie du sensible et de la performance que selon nous elle laisse entrevoir. L'*Ordo Representacionis Ade* peut-il encore résonner pour nous, comme la fête qu'il fut pour ceux qui ont jugé bon d'en enregistrer le souvenir ?

[1] Et publiée sous le titre *Le Jeu d'Adam et Ève*, Paris, Delagrave, 1936.

INTRODUCTION

I

DES SOURCES AUX USAGES

Banalités de l'*Ordo Ade*

L'*Ordo Representacionis Ade* est-il un texte original, à l'époque de sa conception comme de sa copie ? Aucun des éléments qu'il contient n'est en lui-même inconnu, et bien des rapprochements avec d'autres œuvres contemporaines ou postérieures peuvent être effectués, notamment du point de vue de la fable et de ses sources.

La fable et ses analogues

Constituatur paradisus loco : dans le jardin des délices, trois protagonistes prennent place : Adam, Ève et la Figure. Ayant présenté Ève à Adam et Adam à Ève (v. 8-47), et précisé les liens de leur trio (v. 48-79), la Figure installe ses créatures au Paradis (v. 80-87). Elle leur en explique l'usage et les interdits, qu'ils promettent de respecter (v. 88-111). Le Diable s'approche, il tente par deux fois d'en détourner Adam (v. 112-203). Mais c'est Ève qu'il réussit à convaincre de goûter le fruit défendu, et d'en donner à Adam (v. 204-275). Après une conversation des époux, l'acte fatal a lieu (v. 276-313). Adam éprouve son infortune (v. 314-385). Malgré la colère et la malédiction de la Figure (v. 386-489) qui les chasse du Paradis (v. 490-517), entre querelles et lamentations, Adam et Ève espèrent la rédemption (v. 518-588). Second moment : après avoir rappelé à Caïn le péché de leurs parents et ses conséquences pour eux, Abel tente une première fois de convaincre son frère d'honorer Dieu avec lui (v. 589-620). De mauvaise grâce, Caïn consent au sacrifice (v. 621-664). Mais après que Dieu a refusé ses offrandes et accepté celles d'Abel, Caïn fomente sa vengeance, et il tue son frère, non sans lui avoir exposé les raisons de son acte (v. 665-720). Il reçoit pour ce crime la malédiction divine (v. 721-742). Troisième moment: Abraham, Moïse, Aaron, David, Salomon, Balaam, Daniel, Abaccuc, Jhérémie, Ysaïe, et Nabuchodonosor défilent et monologuent (v. 743-874). Méditant ou non sur leur propre exemple, ils annoncent la venue du Christ. L'enchaînement de ces monologues est interrompu par un dialogue parlé entre Ysaïe et *quidam de sinagoga* (v. 875-914), et par un dialogue chanté entre Nabuchodonosor et *tres ministri* (av. 929). L'ensemble des monologues est suivi d'une version du *Dit des Quinze signes* (v. 943-1302).

Au moment où le texte copié dans le BM Tours 927 a été composé, c'est-à-dire durant le XIIe siècle[1], les éléments principaux de cette fable ne présentent guère d'originalité. En outre, pour preuve de leur notoriété dans l'écriture dramatique, on en trouve plusieurs versions dramatiques trois ou quatre siècles plus tard, en France[2] et en Angleterre. En France, la Création, le péché originel, et le premier fratricide apparaissent dans la Passion bourguignonne de *Semur*[3]. Ces éléments occupent également le prologue de la Passion la plus récrite, celle de

---

[1] «A la fin du XIIe siècle», selon Alfred Jeanroy dans «Le Théâtre religieux en langue française jusqu'à la fin du XIVe siècle», extrait de l'*Histoire littéraire de la France* 39, 1959, p. 2. Fondée en particulier sur la qualité des rimes, l'étude linguistique de Grass (1928, p. XXXVII-LXXV), demeure le socle d'une datation du texte au milieu du XIIe siècle. Celle-ci est reprise par Maria Dominica Legge dans *Anglo-Norman Literature and its Background*, Oxford, Clarendon Press, 1963, qui propose «about 1140», p. 312, puis par Paul Aebischer, *Le Mystère d'Adam*, p. 19. Enfin, elle est située entre 1146 et 1174 d'après les éditions existantes par M. F. Vaughan, «The Prophets of the Anglo-Norman *Adam*», *Traditio* 39, 1983, p. 81-114, note 1 p. 81.

[2] Sur les trois versions françaises évoquées et leurs liens avec celle de l'*Ordo Ade*, voir Larry S. Crist, «La chute de l'homme sur la scène dans la France du XIIe et du XVe siècle», *Romania* 99, 1978, p. 207-219.

[3] Édition de Lynette Muir et Peter T. Durbin, University of Leeds, Center for medieval studies, 1981 ; Création, tentation, péché, v. 457-795 ; Abel et Caïn, v. 796-892.

Gréban[1], dont la première Journée s'ouvre en outre sur les lamentations des Pères au Limbe, entrecoupées de prophéties[2]. En 1542, malgré l'interdiction du Parlement, les Parisiens assistent à une nouvelle version des mêmes faits avec le *Mystère du Vieil Testament*[3]. Et en Angleterre, les quatre cycles de Chester, d'York, de Wakefield et le *Ludus Coventriae* offrent des épisodes de la même histoire, entre narration et représentation «par personnages»[4]. Cependant, même si ces textes, parce qu'ils forment avec lui un écho thématique, semblent désigner l'*Ordo Ade* comme le socle d'une véritable tradition dramatique franco-anglaise, on ne saurait prendre comme support pour l'étudier ou comme indice de son statut à l'époque de sa composition des textes qui lui sont postérieurs de trois ou quatre siècles.

De la même façon, on a pu souligner le parallèle entre l'*Ordo Ade* et quelques programmes iconographiques proches en date, voire en lieu pour le premier, de l'endroit où il a pu être composé : la frise des prophètes de Notre-Dame-La-Grande à

---

[1] *Le Mystère de la Passion d'Arnoul Gréban*, édition critique par Omer Jodogne, Gembloux/Duculot; Création, tentation, péché, v. 321-721 ; épisode d'Abel et Caïn, v. 722-1079.

[2] *Ibidem*, v. 1725-2055.

[3] Edition James de Rothschild, Paris, Didot, 1878-1891, 6 tomes. Tome 1, entre les v. 690 à 1882, la création d'Adam et Ève, leur péché et leur expulsion du Paradis sont mêlés à la création des anges et au procès de paradis. Puis les v. 1883-3223 évoquent le meurtre d'Abel par Caïn comme une action pour prendre le pouvoir. Caïn est déjà allié avec Enoch, et les deux frères sont évoqués avec leurs épouses et sœurs Calmana et Delbora. Les prophètes apparaissent ensuite, au gré de séquences qui font le récit «par personnages» de leurs aventures dans l'Ancien Testament. Si la structure narrative de ces aventures est plus foisonnante que celle de l'*Ordo Ade*, la dimension herméneutique en est aussi moins fouillée. Pour une édition et un commentaire plus récents de la première section, voir Barbara Craig, *La* Creacion*, la* Transgression *and l'*Expulsion *of the Mistere du Viel Testament*, University of Kansas publications, Humanistic Studies 37, 1964, 114 p.

[4] Chambers, *The Mediaeval Stage*, vol. II, p. 125, appendice T p. 321 pour une table des épisodes dans les quatre cycles, et appendice X p. 416 pour le détail des manuscrits du *Ludus Coventriae*, le plus proche de la fable de l'*Ordo Ade*. Pour une réflexion récente sur ces cycles, voir Tony Corbett, *The Laity, the Church and Mystery Plays. A Drama of Belonging*, Dublin/Portland, Four Courts Press, 2009, spéc. p. 11-16 pour la mise au point historiographique.

Poitiers[1], et l'Ève de la cathédrale Saint-Lazare d'Autun[2]. Nonobstant le caractère aléatoire des rapprochements effectués, certaines caractéristiques propres aux œuvres iconographiques, comme la condensation temporelle de leur narrativité[3], les séparent cependant *a priori* du texte. Par conséquent, si l'analogie entre l'*Ordo Ade* et des témoins contemporains ou ultérieurs, dramatiques ou iconographiques, est possible, nous ne la pratiquerons qu'en conservant à l'esprit l'écart même qui définit ce procédé ; et nous retiendrons avant tout la banalité de cette fable en Europe entre le XIIe et le XVIe siècles.

La richesse sans fond des sources

De fait, le texte vernaculaire de l'*Ordo Ade* est à l'évidence une récriture, de la Bible d'abord, mais aussi de ses exégèses patristiques ou médiévales les plus fréquentes[4]. Il est difficile de ne pas reconnaître dans les 742 premiers vers de ce texte les traits principaux de *Genèse* 2, 7 à 3,17, de la Création à l'expulsion du Paradis, et 4, 1-15 pour l'épisode de Caïn et Abel. Cependant, certains aspects de la version qu'en propose l'*Ordo Ade* ont pu surprendre, parmi lesquels se distinguent les deux scènes où le

---

[1] Voir Jacques Chailley, « Du drame liturgique aux prophètes de Notre-Dame de la Grande », *Mélanges offerts à René Crozet*, éd. Pierre Gallais et Yves-Jean Riou, Poitiers, 1966, 2 tomes, tome 2, p. 835-841. Dans *Anglo-Norman Literature and its Background*, Legge remarquait elle aussi la fréquence de ce thème dans les porches et façades du Poitou et non en Angleterre, avec cette curieuse conclusion : « This rarity is an argument for the Anglo-Norman origin of the play [...] : the frozen drama of the sculpture would make the performance of the play unnecessary », p. 315.

[2] Voir Joseph Streignart, « L'Ève de la cathédrale Saint-Lazare d'Autun et le *Jeu d'Adam et Ève* », *Études Classiques* 18, 1950, p. 452-456 ; O. K. Werckmeister, « The lintel fragment representing Eve from Saint Lazare, Autun », *Journal of the Warburg and Courtauld Institutes* 35, 1972, p. 1-30.

[3] Appelée « telescopic habit of Genesis iconography », *ibidem*, p. 24.

[4] Voir Gilbert Dahan, « L'interprétation de l'Ancien Testament dans les drames religieux (XIe-XIIIe siècles), *Romania* 100, 1979, p. 71-103, selon qui « une étude détaillée des commentaires des chapitres 2 et 3 de la Genèse montrerait que les thèmes les plus fréquemment développés sont précisément ceux que nous retrouvons dans l'*Ordo Adae* », note 2 p. 77.

Diable cherche à tenter Adam sans être reconnu de lui et qui posent la question de son apparence, le caractère de la première femme, les prêches incessants d'Abel ou l'ironie de Caïn. Maintes fois menée[1], la quête des sources de l'*Ordo Ade* permet-elle de déjouer ces surprises ?

En 1965, Rosemary Woolf a proposé comme source pour l'épisode de la Faute selon l'*Ordo Ade* une version de la Bible en vieux saxon, appelée *Genesis B* ou *Later Genesis*[2]. Adam y est abordé le premier, le tentateur lui offrant l'apparence qui est la sienne pour une partie de la tradition occidentale : et c'est avec l'ange de lumière qu'Adam converserait sans prendre garde, reconnaissant finalement sa malice à ses propos plutôt qu'à son visage : « Fui tei de ci, tu es Sathan !/ Mal conseil dones [...] », v. 195-6. Concernant l'apparence du Diable, les conclusions de R. Woolf ont été précédées puis relayées par des analogies iconographiques, notamment avec le psautier de saint Alban[3]. Concernant la personnalité d'Ève, elles ont aussi lancé, volontairement ou non, une série d'interprétations féministes[4] qui arrachent l'Ève de l'*Ordo* aux carcans victoriens puis à la misogynie traditionnellement rattachée au Moyen Âge, et notamment à ses

[1] Sur les aspects cités, voir les synthèses de Paul Studer, *Le Mystère d'Adam, Le Mystère d'Adam : an Anglo-Norman Drama of the Twelfth Century*, Manchester, Manchester University Press, 1918, p. xi-xix, et de Lynette R. Muir, *Liturgy and Drama in the Anglo-Norman Adam*, Oxford, Blackwell, 1973, spéc. p. 18-22.

[2] Rosemary Woolf, « The Fall of Man in *Genesis B* and the *Mystère d'Adam* », *Studies in Old English Literature in Honor of Arthur G. Brodeur*, Stanley B. Greenfield ed., University Microfilms Inc., London, Ann Arbor, 1965, p. 187-199.

[3] Otto Pächt, *The St. Alban's Psalter*, Londres, 1960.

[4] Woolf évoquait un « héroïsme du péché » [nous traduisons], p. 197. Voir Thérèse B. Lynn, « Pour une réhabilitation d'Ève », *French Review* xlviii, 1975, p. 871-877, qui critique la correction philologique d'Auerbach selon laquelle Ève est inférieure à son époux. Moins prudente, Emilie Kostoroski-Kadish, dans « 'Féminisme' in the *Jeu d'Adam* », *Kentucky Romance Quarterly* 22, 1975, p. 209-221, analyse l'Ève du *Jeu* comme l'ancêtre d'un féminisme contemporain, avec un anachronisme que n'a pas manqué de souligner Maurice Accarie dans « Féminisme et antiféminisme dans le *Jeu d'Adam* », *Le Moyen Age* 87, 1981, p. 207-226.

milieux religieux. Enfin, dans la mesure où cette version de la Bible semble avoir surtout circulé en Angleterre, la démonstration de Mme Woolf a permis de cautionner l'origine insulaire de la première version du *Jeu*, thèse dont Lynette Muir a été le dernier défenseur en date[1].

Cependant, si nulle part ailleurs que dans *Genesis B* on ne trouve les dialogues entre Adam et le Diable avant la Faute[2], la représentation du séducteur sous deux figures distinctes (*Diabolus* et *serpens artificiose compositus*) mais aussi certains éléments de l'*Ordo Ade* pour nous saillants, trouvent un autre modèle possible dans un texte ayant circulé dans tout l'Occident chrétien, et donc aussi bien en France qu'en Angleterre : la *Vie grecque d'Adam et Ève*[3]. Dans cet apocryphe d'origine juive, dont les épisodes se déroulent après le péché originel, et font intervenir les premiers hommes aux prises avec le Diable, Ève fait à ses descendants ce récit de la Faute, au chevet d'Adam à l'agonie :

> « Le Diable parla ainsi au serpent : « Viens donc vers moi. [...] Ne crains pas ; sers-moi d'enveloppe et je prononcerai par ta bouche des paroles pour les tromper ».
> Aussitôt le serpent se suspendit aux murs du Paradis. Lorsque les anges de Dieu montèrent adorer, Satan survint sous l'apparence d'un ange [...] Je me penchai par-dessus le mur et le vis semblable à un ange [...] ».

Rosemary Woolf et Lynette Muir[4] l'ont déjà noté : la double apparence du Diable de l'*Ordo* trouve aussi bien sa source ici que

---

[1] *Liturgy and Drama*, p. 20.

[2] Crist, « La chute de l'homme sur la scène... », p. 209.

[3] Pour une synthèse sur l'arborescence de la *Vie grecque*, voir Marcel Nagel, *La Vie grecque d'Adam et Ève. Apocalypse de Moïse*, thèse, Strasbourg, 1972, Lille, service de reproduction des thèses, 1974, 2 tomes. Voir aussi Daniel Bertrand, *La Vie grecque d'Adam et Ève*, Paris, Maisonneuve, 1987, « L'Adam chrétien », p. 61-5 et la synthèse synchronisée de toutes les versions en Orient et en Occident, *A Synopsis of the books of Adam and Eve*, Second revised edition, Gary A. Anderson & Michael A. Stone, Scholars Press, Atlanta, Georgia, 1999.

[4] *Liturgy and Drama*, note 42 p. 132.

dans *Genesis B*. Mais ce détail de la *Vie Grecque* est loin d'être le seul à éclairer l'*Ordo Ade*[1] :

> «[le Diable] me dit: "Que fais-tu dans le Paradis"? Je lui répondis: Dieu nous y a placés pour le garder et pour en manger les fruits. Le Diable reprit par la bouche du serpent; vous faites bien, mais vous ne mangez pas toutes les plantes. Je lui répondis: Si, nous mangeons de toutes, à l'exception d'une seule qui est au milieu du Paradis, et dont Dieu nous a défendu de manger, car autrement nous mourrions.
> Alors le serpent me dit: "Sur la vie de Dieu, je m'afflige à votre sujet, car je ne veux pas vous laisser dans l'ignorance. Allons, mange donc et prends conscience de la valeur de l'arbre". Je lui répondis: "Je crains que Dieu ne s'irrite contre moi, ainsi qu'il nous l'a dit". Il me dit: "Ne crains pas: dès que tu mangeras, tes yeux s'ouvriront et tu seras comme un dieu, connaissant le bien et le mal. Sachant que vous seriez semblables à lui, Dieu vous a jalousés et a dit: 'Vous n'en mangerez pas'. Quant à toi, fie-toi à la plante et tu verras une grande gloire"».

Les explications d'Ève et ses craintes semblent l'écho des échanges entre Adam et le Diable (v. 132-151), et les révélations du Diable, celui des informations que ce dernier donne à Adam comme à Ève sur le fruit défendu (v. 160-168, 187-193, 242-267). Comme dans l'*Ordo Ade*, le type de serment pratiqué entre Ève et le Diable donne matière à discussion (v. 214-219), et ce dernier obtient dans les deux cas qu'Ève donne du fruit à son mari (v. 262-273):

> «Il circula un peu, se tourna vers moi et dit: "Je me suis ravisé et je ne t'en donnerai pas à manger si tu ne me jures pas d'en donner aussi à ton mari". Je lui répondis: "Je ne connais pas de serment par lequel te jurer, mais ce que je sais, je te le dis: par le trône du Maître, par les Chérubins et par l'Arbre de vie, j'en donnerai aussi à mon mari"»[2].

---

[1] Voir quelques autres rapprochements suggérés par Willem Noomen dans «Le *Jeu d'Adam*. Étude descriptive...», p. 172-5.

[2] D. Bertrand, *La Vie grecque d'Adam et Ève*, extraits des p. 81-84.

Enfin, la fragmentation du paradis de la *Vie Grecque* en deux espaces, attribués respectivement à Ève ou Adam, semble éclairer quelques passages de l'*Ordo*[1] :

> « Lorsque nous gardions le Paradis, chacun de nous gardait le domaine que Dieu lui avait attribué ; pour ma part, je gardais dans mon lot le Sud et l'Ouest. Le Diable se rendit dans le lot d'Adam, où étaient les animaux mâles ; car Dieu avait réparti tous les animaux, il avait donné tous les mâles à votre père et m'avait donné toutes les femelles[2]. »

Cependant, tous les éléments de ce texte sont loin de trouver un écho dans l'*Ordo Ade*. Ainsi, dans la *Vie grecque*, le Diable entre au paradis par la porte qu'Ève lui ouvre, alors que l'accès au Paradis de l'*Ordo* lui demeure interdit :

> « Il me dit : Es-tu Ève ? Je lui répondis : Oui.
> Mais je craignis de prendre du fruit. Il me dit : Suis-moi donc et je t'en donnerai.
> J'ouvris, il entra dans le Paradis et passa devant moi ».

Surtout, à l'instar de l'inversion des locuteurs ou des événements, les différences entre la *Vie Grecque* et l'*Ordo* suggèrent que bien des parallèles avec d'autres textes, comme la *Vita Adae et Evae* latine[3], la *Pénitence d'Adam* arménienne[4], ou le sermon *Grant mal fist Adam*[5], sont également possibles. Ainsi, la *Vita*

---

[1] V. 127-8, et v. 239-240. Pour une lecture de ces indications dans le cadre de la performance, voir *infra*.

[2] *La Vie grecque*, p. 81.

[3] Voir *Vie Latine d'Adam et Ève* (familles rhénanes), J. P. Pettorelli, *Bulletin du Cange* 59, 2001, p. 5-73 et *Bulletin du Cange* 60, 2002, p. 170-233.

[4] Voir Michael A. Stone, *The Penitence of Adam*, Louvain, Peeters, 1981.

[5] Voir l'édition de Walther Suchier, dans *Zwei altfranzösische reimpredigten*, Halle, Max Niemeyer Verlag, p. 19-120. Voir en écho aux v. 321, 355 : « Par icel mangier/ dunt de sa moillier/ le conseil crei », strophe 7, p. 68-69 ; en écho aux v. 23 et 99, pour désigner le paradis, en l'occurrence céleste, « Deus, quels dous manages ! », strophe 89 ou 96, p. 86-7 ; enfin, en écho à la séquence d'Abel et Caïn, qui réfléchissent à leurs liens avec le péché de leurs parents, voir la strophe 29/30, p. 74-5, « Dunc puis jeo prover/e raisun mostrer/qu'il sunt mi parent/quant d'un sol lignage/sunt e fol e sage/e povre et manent ».

latine contient comme la *Vie Grecque* l'allusion aux diverses parties du paradis[1]. En outre, la *Pénitence* et la *Vita* présentent une autre rencontre entre le séducteur et Ève, quoique cette dernière n'identifie pas le malin parce qu'il a pris le visage d'un ange[2] ; enfin, comme dans l'*Ordo Ade* (v. 276-291), ce qui irrite alors Adam, c'est de voir Ève en compagnie du Diable : « *Cum autem vidisset eam Adam et diabolum cum ea, exclamavit cum fletu dicens ; Eva, Eva,... quomodo iterum seducta es ab adversario nostro, per quem alienati sumus de habitatione paradisi et laetitia spirituali ?* »[3].

Mais alors, l'apparence du *Diabolus* et la forme véritable du paradis de l'*Ordo* conservent leur mystère. Car quelle conception du paradis a été retenue par le rédacteur de l'*Ordo*, et par ses lecteurs ou ses metteurs en scène ? À l'époque où le *Jeu* est composé, la différence entre paradis terrestre et céleste est établie, mais les confusions restent possibles, et entretenues, peut-être, par des textes comme le nôtre[4]. Et après tout, c'est depuis Paul II, *Cor* 11-14, que le tentateur se déguise. Dès lors, rien ne permet d'affirmer que le *Diabolus* de l'*Ordo* soit un ravissant ange de lumière, comme dans la tradition orientale illustrée par un Basile le Grand, ni qu'il soit laid, comme le défendait Nicolas de Lyre dans ses *Postilles*, ni même qu'il soit homme ou femme. Dans la tradition, l'image du séducteur est polymorphe : aimable séducteur, horrible serpent, femme *ut ait Beda* pour Pierre le Mangeur[5], sphynge terrible ou merveilleuse ?

---

[1] « *Dominus autem partitus erat mihi paradisum et matri vestrae et dedit mihi dominus partem orientis, quae contra aquilonem, et matri vestrae partem austri et occidentis* », *Bulletin du Cange* 60, 2002, p. 187.

[2] « *Tunc iratus Sathanas transfiguravit se in claritatem angeli et abiit ad Tigris flumen ad Evam et invenit eam flentem* », *Bulletin du Cange* 59, 2001, p. 47.

[3] *Ibidem*, p. 49.

[4] Sur les confusions doctrinales et les représentations des séparations entre paradis terrestre et céleste, voir Corin Braga, *Le Paradis interdit. La quête manquée de l'Eden oriental*, Paris, l'Harmattan, 2004, p. 91-107.

[5] Sur la postérité de cette lecture du *Comestor*, voir Henry Ansgar Kelly, « The Metamorphosis of the Eden Serpent during the Middle Ages and Renaissance », *Viator* II, 1971, p. 301-327.

Alors que les *Chester Plays* évoquent sans ambiguïté cette dernière tradition[1], dans l'*Ordo Ade* rien ne dit qu'Ève ait écouté un être à tête de femme. Le propos du séducteur à la « blanche et fieblette créature » ressortit de la courtoisie. On supposera donc, mais sans certitude, que le *Diabolus* de l'*Ordo* prenait pour son lecteur ou son metteur en scène médiéval l'apparence d'un homme.

Ultime point aux sources problématiques : la version de Caïn et Abel proposée par l'*Ordo* peut résonner étrangement pour le contemporain[2]. Doit-elle conduire à prendre parti pour Caïn de façon anachronique[3] ? Les leçons assenées par Abel à son aîné s'apparentent aux sermons sur la *caritas* fréquents au XIIe siècle, et qui en font une figure du Christ[4]. Quant à la « frérocité » de Caïn qui le conduit jusqu'au crime, elle n'est pas spécifique au personnage de l'*Ordo*, tous siècles confondus[5]. Enfin, si le sang qui crie est devenu dans la *Passion* de Mons le personnage de « l'enfant ou secret représentant le sang d'Abel complaindant »[6], le texte de l'*Ordo Ade* en reste très probablement au stade de l'image rhétorique : « Jo sai bien tu l'as occis. / Son sanc en fait a moi clamor, / Al ciel me vint ja la rumor », (v. 730-2).

Par conséquent, que ce soit pour la configuration du paradis, la forme du Diable ou le caractère de la première femme et de ses fils ennemis, il semble difficile de trouver à l'*Ordo Ade* une source qui soit unique, ou exploitée de façon singulière. Tout au

---

[1] *Ibidem*, p. 326.

[2] Legge, *Anglo-Norman Literature and its Background*, p. 319.

[3] Nous pensons aux émissions de radio du jeune Dario Fo, qui rencontrèrent un franc succès après-guerre en Italie avec des récits et des imitations du dialogue biblique entre les deux frères où Fo prenait parti pour Caïn. Voir Antonio Scuderi, « Subverting religious Authority : Dario Fo and Folk Laughter », *Text and Performance Quarterly* 16/3, 1996, p. 216-232.

[4] Dahan, « L'interprétation de l'Ancien Testament dans les drames religieux... », spéc. p. 82-83.

[5] Voir son usage romanesque contemporain par J. B. Pontalis, *Frère du précédent*, Paris, Gallimard, 2006.

[6] Joué par « le filz dudist Gerosme », lequel joue Abel, dans Gustave Cohen, *Le Livre de conduite du Régisseur et le compte des dépenses pour le Mystère de la Passion jouée à Mons en 1501*, Paris/Strasbourg, Istra/Champion, 1925, p. LXXXIX.

plus peut-on éprouver un relatif optimisme à chercher ces sources, tant chaque détail du texte semble pouvoir trouver un précédent. Cette impression est confirmée par l'emprunt textuel qui constitue la source majeure de l'*Ordo* : la liturgie.

Les emprunts liturgiques

Fidèle à son titre, le *Jeu* reprend et amplifie deux types de matière liturgique : les leçons, « extraits des ouvrages [saints] lus à haute voix et sur un ton particulier pendant les offices », et les répons, « mode particulier du chant [où] une seule voix chantait d'abord chaque verset, qui était ensuite repris et répété par le chœur tout entier »[1]. En 1878, Marius Sepet a identifié la source liturgique des deux premières parties du *Jeu* : c'est « l'office de la Septuagésime »[2]. Il fournit ainsi à l'*Ordo Ade* un lien avec cette période austère, cruciale dans la préparation de Pâques. Les travaux suivants ont précisé les livres utilisés pour la récriture de cet office. En 1965, Hardison propose le *Liber Responsalis* de Grégoire le Grand (IXe s.) comme source des deux premières sections du *Jeu*[3]. Cette hypothèse rencontre le travail de Willem Noomen, qui en 1965 a effectué le parallèle entre les répons du bréviaire romain et ceux du *Liber Responsalis*[4]. En 1973, Lynette Muir propose une analyse détaillée[5] et un tableau synthétique de divers bréviaires romains, utilisés en France et en Angleterre du XIIe au XVe siècles[6], et dont le *Jeu* a pu récrire les répons.

---

[1] *Les Prophètes du Christ*, p. 103.

[2] *Ibidem*, p. 88.

[3] Osborne Bennett Hardison, *Christian Rite and Christian Drama in the Middle Ages. Essays in the Origin and Early History of Modern Drama,* Baltimore, John Hopkins Press, 1965, p. 259-260. La note 17 p. 260 détaille les neuf répons empruntés par l'*Ordo Ade* à Grégoire, d'après le texte de la *Patrologie Latine* de Migne, livre LXXVIII, cols. 748-749.

[4] « Le *Jeu d'Adam*. Étude descriptive... », p. 150-152. W. Noomen, qui signale reprendre dans ces pages son article publié en 1965 dans *Omagiu lui Alexandru Rosetti* ne semble pas avoir connu le livre de Hardison.

[5] Muir, *Liturgy and Drama*, p. 6-18.

[6] *Ibidem*, p. 173-176.

Sexagésime ou Septuagésime? Hardison, Noomen et Muir rappellent la souplesse d'un calendrier qui permettait de lire le Pentateuque dès la première période. Cette souplesse du calendrier rejoint la variété des bréviaires possibles pour renforcer la banalité et la diversité des sources liturgiques qui ont pu être utilisées pour les 742 premiers vers de l'*Ordo*.

Legatur in choro lectio: *Vos, inquam, convenio, Judei*: avec cette formule, la série de scènes qui s'ouvre au vers 743 et au folio 35 après la condamnation de Caïn se présente sans ambiguïté comme la récriture d'un sermon où par la voix de son lecteur, divers prophètes de l'Ancien Testament, accompagnés de figures païennes comme Nabuchodonosor et la Sibylle, sont appelés à témoigner de la prochaine venue du Sauveur[1]. Attribué à saint Augustin jusqu'à ce que les Bénédictins le déclarent apocryphe au XVIIIe siècle, le sermon *Contra Judaeos, Paganos et Arianos* qu'on doit en réalité à Quodvulteus, est au moyen âge bien plus fameux encore que les répons du bréviaire romain. Sa structure dialogique, où Augustin apostrophe un à un les prophètes, l'a rendu particulièrement apte à l'adaptation dramatique, ce dont témoignent les autres drames liturgiques dont il constitue le canevas, du XIe au XIV siècle, à Saint-Martial, à Laon et à Rouen — ce dernier texte étant également appelé la *Procession de l'Ane*[2]. En quoi le Défilé des prophètes du manuscrit de Tours est-il différent de celui des *Ordines* qui le précèdent ou le suivent? Maints travaux ont mis au jour les variations entre ce sermon et ses récritures[3], car le nombre et le nom des prophètes varie d'un drame liturgique à l'autre, mais aussi par rapport au texte d'un sermon. Ainsi, dans ce dernier, ni Abraham,

---

[1] PL t. lxii, col. 1123-6. Une version de ce sermon est donnée par Marius Sepet dans *Les Prophètes du Christ*, p. 2-8.

[2] Ces textes sont édités par Karl Young, dans *The Drama of the Medieval Church*, II (*Limoges*, p. 138-142; *Laon*, p. 145-150; *Rouen*, p. 154-165).

[3] Harding Craig, «The Origin of the Old Testament Plays», *Modern Philology* 10, 1912-1913, p. 1-15; M. F. Vaughan, «The Prophets of the Anglo-Norman *Adam*», *Traditio* 39, 1983, p. 81-114; pour une synthèse, voir Lynette Muir, *Liturgy and Drama*, p. 6-14; sur la version iconographique de ces variations, voir Emile Mâle, *L'Art religieux du XIIe siècle en France. Étude sur les origines de l'iconographie chrétienne*, Paris, Colin, 1922, 1998, p. 121-150.

ni Salomon, ni Aaron ni Balaam ne figurent; et si ces deux derniers prophètes se trouvent dans d'autres *Ordines Prophetarum*, les deux premiers ne se trouvent que dans l'*Ordo Ade*.

Enfin, c'est une enquête de nature typologique qui a jusqu'à présent éclairé de la manière la plus efficace la construction de la fable et des personnages de l'*Ordo*. Elle est corollaire à l'étude des sources liturgiques, dont elle constitue en quelque sorte le commentaire. Elle a notamment permis à Tony Hunt[1] de souligner les équivalences entre l'*Adam Novus* et le Christ, d'interpréter le meurtre d'Abel comme préfiguration de la Passion et donc, de donner à l'ensemble formé par le Défilé des prophètes et les deux sections précédentes une cohérence christologique, selon laquelle l'*Ordo Ade* a pour but la méditation sur la rédemption, où la venue du Christ annoncée par les prophètes rachète les pécheurs représentés par les figures successives d'Adam, de Caïn, et de chacun des prophètes.

L'*Ordo Ade*, un apocryphe : à la recherche d'un usage

Au bout du compte, percevoir dans l'*Ordo Ade* un texte banal, aux sources aussi remaniées que rebattues, conduit à une question de méthode : faut-il encore une enquête sur les sources de ce texte ? Lancée pour déterminer le lieu de composition d'un éventuel texte *princeps*, ou pour éclairer la singularité des choix effectués par sa copie, cette enquête n'obtient pas de réponse. Par ailleurs, si l'enquête typologique éclaire un aspect fondamental de l'*Ordo*, elle en fait le reflet d'une pratique d'écriture et de pensée incontournable au moyen âge, plutôt qu'elle n'en souligne les particularités. Ce texte a été composé par un ou des esprits qui portaient manifestement intérêt aux questions métaphysiques, institutionnelles et morales de leur temps. Mais si ces esprits ne désignent pas clairement leur appartenance idéologique, c'est peut-être parce qu'ils ne se sont pas donné pour objectif de refléter dans ce texte une école de pensée.

---

[1] Tony Hunt, « The Unity of the Play of Adam (*Ordo representacionis Adae*) », *Romania* 96, 1975, p. 368-388, et p. 497-527.

L'*Ordo Ade* se présente donc comme un apocryphe, selon la définition que la recherche récente donne à cette notion pour la christologie paléochrétienne, « en le lavant de tout soupçon de fausseté, de gnose dualiste ou d'hérésie, [et] en voyant en lui l'apport spécifique de courants parfois marginaux »[1]. *Variatio* formelle sur un contenu au précédent toujours identifiable, l'*Ordo Ade* du BM Tours 927 n'invente qu'une chose : une composition, en deux temps, fondée sur l'usage tout aussi fréquent de deux séries de textes par la liturgie du XIIe siècle. Ce qui n'est ni fréquent ni habituel, c'est de récrire côte à côte Grégoire, puis un Défilé de prophètes. Dès lors, quel usage peut se trouver satisfait par une telle composition ?

Mystères de sa composition

En effet, c'est seulement s'il est considéré comme un ensemble que l'*Ordo Ade* n'a pas d'équivalent, au XIIe comme au XIIIe siècle. Aucune version écrite aussi développée d'un ensemble où se succèdent la Création, la Faute, l'histoire d'Abel et Caïn et le Défilé des prophètes n'a été retrouvée, qu'elle prenne une forme narrative ou dialoguée. Mais de quel ensemble s'agit-il ? Après les répons dialogués d'Adam et Ève, de leurs premiers fils, puis les prophéties de la rédemption, la Sibylle prenait-elle la parole, et pourquoi ? Les débats autour de l'intégration du *Dit des Quinze signes* à l'*Ordo Ade* sont emblématiques de la réflexion sur la composition de ce texte et sur son éventuelle unité. Cette réflexion, qui a constitué une grande partie de son histoire, doit cependant être relancée dans le cadre d'une interrogation sur l'usage de l'*Ordo Ade*. Doit-on considérer les folios 20 à 46 du BM Tours 927 comme une juxtaposition sans signification ? Ou bien peut-on encore leur chercher, à défaut d'une unité, une raison ?

---

[1] François Boespflug, « L'Art chrétien constitue-t-il (ou a-t-il constitué) un évangile apocryphe de plus ? », dans *Les Apocryphes chrétiens des premiers siècles. Mémoire et traditions*, François-Marie Human et Jacques-Noël Pérès, Paris, Desclée de Brouwer, 2009, p. 121-148, cit. p. 137.

Marius Sepet et les Anglais

À maints égards pionnier pour l'étude de l'*Ordo Ade*, *Les Prophètes du Christ*[1] offre sur sa composition une thèse depuis longtemps remise en question[2]. Marius Sepet reste pourtant l'un des seuls à avoir essayé de penser ensemble les folios 20 à 46 du BM Tours 927. Après avoir présenté les principaux drames liturgiques adaptés du sermon de saint Augustin : l'*Ordo* de Saint Martial de Limoges et celui de Rouen[3], et signalé dans ces adaptations du sermon pseudo-augustinien la naissance d'une tradition, Sepet fait de l'*Ordo Prophetarum* du *Jeu d'Adam* le point de départ de ce texte. S'y seraient ajoutés les épisodes d'Adam et Ève et d'Abel et Caïn, en vertu du caractère prophétique d'Adam et d'Abel, lequel leur aurait naturellement donné une place auprès d'Abraham et des autres prophètes. L'amplification de leurs rôles en scènes dialoguées trouverait son modèle dans des scènes comme celles de Nabuchodonosor ou de l'ânesse de Balaam, contenues dans l'*Ordo* de Rouen.

En 1913, Harding Craig propose une thèse alternative[4]. Remarquant avec Sepet et bien d'autres l'identité et le nombre aléatoires des prophètes dans les *Ordines* de France, d'Angleterre et d'Allemagne, Craig réduit leur dénominateur commun : l'annonce de la Nativité, à un thème qui, de même que l'histoire de chaque prophète, trouve sa place dans la plupart des *lectiones* précédant Pâques, de la Quadrigésime à la Septuagésime[5]. De cette analyse découle une thèse souvent reprise[6] : la pièce ne serait pas achevée, et l'*Ordo Ade* ferait partie d'un cycle, celui des Jeux de Pâques. Son lien à la Septuagésime, qui précède cette

---

[1] Paris, Didier, 1878, et spéc. « Drames juxtaposés : le *Drame d'Adam* », p. 81-147.

[2] Young, *The Drama of the Medieval Church*, vol. II, p. 171 ; Studer, *Le Mystère d'Adam*, p. xix ; Frank, « The Genesis and Staging… », p. 7.

[3] Celui de Rouen est postérieur à l'*Ordo Ade*, et celui de Laon n'avait pas encore été retrouvé.

[4] Harding Craig, « The Origin of the Old Testament Plays », *Modern Philology* 10, 1912-1913, p. 1-15.

[5] *Ibidem*, p. 12-13.

[6] Pour une synthèse, voir Frank, « The Genesis and Staging… », p. 10.

fête, s'en trouverait renforcé, et la thèse de Sepet, pour qui le *Mystère d'Adam* relevait d'une liturgie extraordinaire plutôt liée aux fastes de Noël, définitivement abandonnée. Si elles réfutent l'idée trop téléologique de l'intégration du *Jeu d'Adam* à un cycle, Maria Dominica Legge et Lynette Muir en plaçaient elles aussi l'exécution avant Pâques, et elles lui supposaient une fin mimée, qui correspond à cette période du calendrier liturgique : la Descente aux enfers, une scène devenue incontournable dans les *Passions* en moyen français[1].

Mais l'évolutionnisme du théâtre médiéval a définitivement été remis en question, de sorte que ni la perspective du cycle inachevé de ses détracteurs, ni le projet de Sepet, qui souhaitait établir « comment un sermon ayant pour sujet la Nativité du Christ, et qui formait, dans un grand nombre de diocèses, au moyen âge, une des leçons de Noël, s'est transformé en mystère liturgique, en mystère semi-liturgique dans l'église et hors de l'église, et se retrouve enfin, partie intégrante, dans le grand cycle dramatique du quinzième siècle »[2], ne peuvent être reçus. Il demeure que l'hypothèse de Sepet d'une composition du manuscrit du *Jeu d'Adam* comme assimilation, désagrégation et juxtaposition de fragments semble encore pouvoir retenir l'attention. Parce qu'elle respecte à la fois l'altérité et les correspondances possibles des personnages et des fables rassemblés entre les folios 20 à 46 du BM Tours 927, cette hypothèse met en valeur un modèle de composition fréquent pour les recueils de textes liturgiques, selon lequel les divers moments de l'*Ordo Ade* forment sinon une unité et un tout achevés, du moins une suite plausible aux yeux de celui qui a composé le manuscrit[3]. À titre d'exemple, ne trouve-t-on pas un autre manuscrit un peu plus ancien : le BnF, lat. 1139, où le *Sponsus*, texte également bilingue et dialogué, est copié avant un *Ordo Prophetarum* dont il

---

[1] Muir, *Liturgy and Drama*, p. 14-15 ; Legge, *Anglo-Norman Literature*, p. 315.

[2] *Les Prophètes du Christ*, p. 2.

[3] Voir Andrew L. King, « The *Ordo Prophetarum* of the *Jeu d'Adam* : Construction and Completeness », *Medium Aevum* 53, 1984, p. 49-58 ; et Vaughan, « The Prophets of the Anglo-Norman *Adam* », spéc. p. 93-4.

pourrait former le prologue[1] ? Reste à trouver à ce modèle de « composition additive »[2] un autre horizon que celui d'ancêtre des mystères cycliques du XVe siècle. En quoi cet horizon peut-il être l'usage de ce manuscrit au moment où il a été composé ?

Le *Dit des Quinze signes* : un problème dans la composition de l'*Ordo*

Au cœur du débat sur l'inachèvement de l'*Ordo Ade* et sur son unité, se trouve la version du texte copié du folio 40v au folio 46. Inventé en France à la fin du XIIe siècle, et souvent copié en Angleterre[3], la *Prophétie* ou *Dit des Quinze signes* est un texte célèbre au moyen âge. Moral et anagogique, au sens exégétique de ces termes, il expose les conséquences funestes du péché originel avant la parousie : viciée, la nature humaine peut tenter de s'amender, mais elle doit s'attendre aux quinze catastrophes dont ce monologue se fait le complaisant écho. La littérature apocalyptique est un domaine cher à la performance des jongleurs, comme le rappelle l'adresse redoublée de notre version du *Dit* à un public de *seignors*[4] dans le manuscrit de l'*Ordo Ade*, dans le répertoire de jongleurs où il a pu être copié[5], ou encore dans les textes qui parfois l'entourent, fabliaux ou romans[6]. Dans le BM Tours 927, comment comprendre sa présence ?

Qu'il soit copié à la suite du Défilé des prophètes n'a pas donné lieu à un véritable commentaire de la part des premiers

---

[1] Voir Jacques Chailley, « Le drame liturgique médiéval à Saint-Martial de Limoges », *Revue d'Histoire du Théâtre* 7/2, 1955, p. 127-144, spéc. p. 143.

[2] Noomen, « Le *Jeu d'Adam*. Étude descriptive… », p. 189.

[3] Paul Meyer, « Notice sur un manuscrit bourguignon », *Romania* VI, 1877, p. 1-39, p. 22-6 sur la tradition manuscrite du *Dit des Quinze signes*.

[4] « Oiez, seignor, communément / Dunt nostre seignor nus reprent », v. 943-4 ; « Seignors, vendreit il vus a gré/ A oïr la fin de cest mond ? », v. 984-5.

[5] Le BnF fr 837, où entre les folios 112 à 115, il est précédé et suivi de deux compositions poétiques profanes : le *De Narcisus* et *La Chastelaine de Saint Gille*. Voir Henri Omont, *Fabliaux, dits et contes en vers français du XIIIe siècle*, fac-similé du manuscrit français 837 de la Bibliothèque Nationale (1932), Genève, Slatkine reprints, p. 214-231.

[6] Comme le *Fabliau de la Coille Noire*, qui le suit dans le manuscrit 354 de Berne.

éditeurs de ce texte dans ce manuscrit. Lorsqu'il décrit ce dernier, Léopold Delisle note, imperturbable: « Des fols 20 à 47. Le Drame d'Adam »[1]. Pour Petit de Julleville, « [cette œuvre] se terminait même par un sermon qui est en vers français comme la pièce ». Le même rappelle que « l'usage de mêler au drame un sermon se prolongea jusqu'au XIVe siècle »; mais il ajoute qu'« écrit en vers, [ce sermon] fait partie intégrante du drame, avec lequel il n'a d'ailleurs nul rapport » ! Pour contradictoires qu'elles soient, les remarques de Petit de Julleville indiquent le statut du manuscrit tourangeau pour ses premiers éditeurs. Celui-ci regroupe des textes appartenant à une même catégorie: la poésie pieuse. Et à ce titre, ni Luzarche, ni Palustre, ni Grass dans son édition de 1891[2], n'ont trouvé de raison pour arrêter leur édition avant la grande rupture de ton et de main du folio 47, sans pour autant justifier plus précisément leur geste.

En revanche, l'érudition a montré la possibilité d'une suture entre le *Dit* et l'*Ordo Ade*. Au plan liturgique, après Marius Sepet[3], Robert Marichal a rappelé que la prophétie de la Sibylle, dont le manuscrit de Tours livre une version très étendue, était la conclusion attendue du sermon pseudo-augustinien[4]. Au plan historique, Paul Aebischer a fourni à la Sibylle de l'*Ordo Ade* un entourage historique et culturel, en signalant des textes mais aussi des performances analogues de la Sibylle comme clôtures de Défilés de prophètes, au Moyen Âge et après lui[5].

---

[1] « Note sur le manuscrit de Tours renfermant des drames liturgiques et des légendes pieuses en vers français », *Romania*, t. II, 1873, p. 91-95.

[2] Comme pour Petit de Julleville, selon Grass, « Das Adamsspiel und die Fünfzehn Zeichen haben inhaltlich nichts miteinander gemein, jenes ist eine dramatische Handlung, [...], dieses ist ein gar nicht dramatisch gestaltetes Gedicht. Weitere Gründe führt A. Ebert (a. a. O.) an », 1891, p. 142.

[3] Dans *Les Prophètes du Christ*, p. 8 note 1, Sepet défend le choix éditorial de Luzarche contre les critiques qui lui ont été adressées par Suchier et Tobler.

[4] *Livret-Annuaire de l'EPHE*, 1969-70, p. 379. Voir aussi la mise au point de Maurice Accarie dans *Le théâtre sacré de la fin du moyen âge*, 1979, note 109 p. 43.

[5] Paul Aebischer consacre deux de ses *Neuf études sur le théâtre médiéval* (Genève, Droz, 1972), au chant de la Sibylle à Majorque et en Sardaigne. Laudatif, le compte rendu de Jacques Chocheyras sur cet ouvrage (*Romania* 95, 1974, p. 569-572) porte presque uniquement sur la démonstration par Aebischer

L'idée d'une séparation entre les deux textes a en fait surgi du compte rendu d'Adolf Ebert sur l'édition de Luzarche[1]. En décelant une rupture formelle entre le très long monologue de la Sibylle et les monologues successifs, et plus brefs, des prophètes, Ebert propose une définition du texte dramatique qui restreint celui-ci à la présence de didascalies et de dialogues, et dont Karl Young est le théoricien le plus accompli[2]. Grass s'incline : en 1907 puis en 1928, il réédite *Adam* sans sa Sibylle, ce qui est un moindre dommage, car en toute rigueur, la critique d'Ebert aurait pu le conduire à supprimer aussi presque tout le Défilé des prophètes ! Mais il s'en tient à une remarque formelle : parce qu'il s'ouvre sans didascalie pour préciser le nom de son locuteur, le *Dit des Quinze signes* se démarque d'une pratique qui serait globalement observée par l'*Ordo Ade*[3].

Esthétiques et formels, ces arguments pour l'exclusion du *Dit* de l'*Ordo* ont été relayés par un argument idéologique. De la Création aux prophéties, le *Jeu* relèverait d'une christologie triomphante pour Noomen ou Hunt[4], incompatible avec la sombre évocation des fins dernières par la Sibylle. À cette rupture tonale et spirituelle, Maurice Accarie a répondu avec brio, en proposant la pensée pélagienne comme inspiration de l'ensemble du *Jeu*[5]. Au pessimisme pélagien se sont ajoutées les recherches de Steven Justice sur l'extension de la période de pénitence en France avant le IVᵉ concile du Latran, et sur la

---

de la Sibylle comme « dernier vestige du drame liturgique » et du Défilé des prophètes en Europe. Pour le versant musical du chant de la Sibylle, indépendant ou conclusion du Défilé, voir Solange Corbin, « Le *Cantus Sibyllae*, origine et premiers textes », *Revue de Musicologie* 31, 1952, p. 1-10.

[1] Adolf Ebert, *Göttingische gelehrte Anzeigen* 25-26, tome 1, 1856, p. 241-252.

[2] Voir *The Drama of the Medieval Church*, vol. 1, spéc. p. 79-111.

[3] Or, bien d'autres répliques sont prononcées sans être introduites par une didascalie. Voir *infra*, p. 97-104.

[4] Voir note 1 p. 29.

[5] « L'unité du *Mystère d'Adam* », *Mélanges de langue et de littérature médiévales offerts à Pierre Le Gentil*, Paris, SEDES, 1973, p. 1-12 ; « Théologie et morale dans le *Jeu d'Adam* » *Revue des Langues Romanes* 83, 1978, p. 123-147.

dureté de son interprétation liturgique : « *Et exuet sollempnes vestes, et induet vestes pauperes consutas foliis ficus, et maximum simulans dolorem incipiens lamentacionem suam* », av. 314, le changement de vêtements d'Adam ferait écho aux gestes pénitentiels du mercredi des Cendres, où la liturgie mettait en scène l'expulsion publique des pécheurs de l'église[1]. Des cruels châtiments infligés aux premiers hommes aux sombres évocations des prophètes puis de la Sibylle, le *Jeu d'Adam* s'inscrirait donc dans une préparation ascétique aux fêtes de Pâques, qui invite le pécheur chrétien à une réforme nécessaire.

Enfin, le manuscrit lui-même ne porterait-il pas la trace d'une rupture entre *Ordo* et *Dit*? Car non seulement le texte de la Sibylle n'est pas précédé de didascalie, mais il est copié en haut d'une nouvelle page[2]. Codicologique, ce dernier argument est particulièrement discutable, car s'il arrive que le passage d'un folio à l'autre réponde à son contenu[3], cette correspondance n'est pas systématique[4]. Par ailleurs, le fait qu'il manque trois lignes de texte à la réplique de Nabuchodonosor à la fin du folio 40 relève certes de l'exception entre les folios 20 et 46. Mais plutôt

---

[1] Steven Justice, « The Authority of Ritual in the *Jeu d'Adam* », *Speculum* 62/4, 1987, p. 851-864, intègre le *Dit* à cette logique globale de l'*Ordo Ade* (note 42 p. 863). Pour une synthèse sur les rites de la pénitence chrétienne et la gestuelle qui leur est associée, voir Salvatore Paterno, *The Liturgical Context of Early European Drama*, *Scripta Humanistica* 56, Potomac, 1989, spéc. p. 72-82.

[2] Pour Omer Jodogne, Aebischer « aurait dû relever que les Quinze Signes commençaient à un début de page, au fol. 40 v°. Une même main, négligeant le titre, a copié sur une nouvelle page une œuvre absolument indépendante », « Recherches sur les débuts du théâtre religieux en France », *Cahiers de Civilisation médiévale* 8, 1965, p. 1-24, citation p. 24.

[3] *Quo commesto cognoscet statim peccatum suum* : le folio 25 s'achève sur la prise de conscience du péché, mais c'est en haut du folio 25v°, et après avoir pris la pose du pénitent, dans une didascalie de 5 lignes, qu'Adam commence sa lamentation sur la faute. Au folio 29, les premiers hommes sont chassés de paradis, mais c'est en haut du folio 29v°, et après une didascalie de 4 lignes, que l'ange est installé à sa porte. Enfin, après une didascalie copiée sur 15 lignes, Abraham ouvre le Défilé des prophètes après deux dernières lignes d'indication, en haut du folio 35v°.

[4] Voir les tirades ou les dialogues coupés entre les folios 27 et 29v°, 32 et 33v°, 37 et 37v°, ou 38 à 40.

que d'indiquer la nature conclusive de cette réplique[1], ce blanc exceptionnel dans le manuscrit pourrait tout aussi bien correspondre à une didascalie que le copiste n'aurait pas ajoutée, alors que le bas des folios est dans un tiers des cas[2] occupé par ce type de texte, notamment aux moments forts de l'action. *Mutatis mutandis*, au plan codicologique, le seul élément fourni par le manuscrit est controversé, et concerne la ou les « mains » qui pourraient avoir copié non seulement l'*Ordo* et le *Dit*, mais aussi les 19 folios qui les précèdent[3]. Il reste que quel que soit le nombre de copistes ayant officié entre les folios 1 à 46v° du BM 927, leur travail a été effectué au premier tiers ou au milieu du XIIIe siècle. Globale, la date de la copie prend alors le pas sur celle de la composition respective des deux textes ; et le *Dit* a beau être d'invention postérieure au *Jeu*, ce n'est plus un argument pour l'en séparer[4].

Cependant, comme pour les sources, faut-il à tout prix et sur tous les plans chercher une unité à *Adam* ? Il est difficile d'ignorer que l'espoir et la joie ne vibrent pas à chacun des 943 premiers vers de l'*Ordo,* ou que le *Dit* relève d'une rhétorique de l'outrance qui met à distance la noirceur des catastrophes

---

[1] Voir Van Emden, *Jeu d'Adam*, p. vi-vii.

[2] Entre les folios 20 à 40, exactement 12 fois sur 41, soit aux folios 20, 21v°, 25, 26v°, 28, 29, 29v°, 31, 33, 35, 35v°, 38.

[3] Pour Paul Aebischer, p. 14, un troisième copiste serait responsable de l'*Epître Farcie*. G. Hasenohr évoque aussi un troisième « copiste ou modèle », *Livret-Annuaire de l'EPHE* 18, 2002-2003, p. 159. Dans « The Appearance of Early Vernacular Plays : forms, functions, and the future of medieval theater », *Speculum* 77, 2002, p. 778-831, p. 803 note 92, Carol Symes propose sans plus d'explication que le troisième copiste soit responsable du seul *Dit des Quinze signes*. Voir aussi Karl Grass, pour qui « Die Fünfzehn Zeichen sind auch selbständig in andern Handschriften zu finden », 1891, p. 142. À l'examen du manuscrit, il nous semble difficile de trancher sur la question de l'écriture à proprement parler, entre autres parce que l'encre du *Dit* est plus pâle. Celle-ci pourrait donc être différente de celle qui a été utilisée pour les folios qui précèdent, ce qui pourrait seulement indiquer que le *Dit* n'a pas été copié au même moment que ces derniers…

[4] Sur la datation relative du *Dit* et du *Jeu*, voir P. Aebischer, « Une allusion des *Quinze signes du Jugement* à l'épisode du Jeu de la Quintaine du *Girart de Viane* primitif », *Mélanges Delbouille*, Gembloux, Duculot, 1964, tome II, p. 1-19, spéc. p. 8-9.

évoquées. Et l'on peut se demander si la quête d'une unité, d'idée ou de ton, ne relève pas d'une conception anachronique de la méditation spirituelle, laquelle serait mise en danger par la variété des tons du texte liturgique devant la susciter. Pourtant, cette variété n'est guère contournable, du moins dans le texte du BM Tours 927. À tout prendre, elle constitue même un fort dénominateur commun des textes rassemblés entre les folios 20 et le folio 46v.

Par conséquent, l'arrêt de l'édition de l'*Ordo Ade* au folio 40 du BM Tours 927 relève d'une décision que la source liturgique du texte ainsi que son histoire viennent contredire. Par ailleurs, si les démonstrations de son unité idéologique demeurent convaincantes, l'édition du morceau formé par les folios 20 à 46 ne trouve guère sa justification dans une unité de ton qu'un premier examen infirme. Nonobstant son ironie, nous rejoignons donc Félix Lecoy, pour qui l'édition Aebischer, en englobant le *Dit des Quinze signes*, avait malgré ses nombreux défauts « le mérite de rendre compte d'un état de fait (celui de la copie) que l'on a peut-être un peu trop tendance à expliquer paresseusement par une “inattention” (Grass, p. xiv), c'est-à-dire par une erreur grossière, assez peu vraisemblable »[1]. Mais pour nous, éditer ensemble les folios 20 à 46, c'est adopter une démarche où l'idéologie ne fait pas l'économie de la pratique : dans quelle mesure cet ensemble à la tonalité disparate témoigne-t-il d'un usage singulier des textes liturgiques entre le XIIe et le XIIIe siècle, si difficile qu'en soit la perception pour un esprit contemporain ?

L'impossible calendrier

D'hier à aujourd'hui, la principale conséquence des désaccords sur la composition et l'unité de l'*Ordo Ade* relève en effet de la pratique : il est impossible d'imaginer la récitation de ces textes ensemble dans le calendrier liturgique. Il est évident que le

---

[1] Félix Lecoy, « Compte rendu de l'édition Aebischer », *Romania* 84, 1963, p. 274-279, citation p. 275.

sermon *Contra Judaeos* que les *Ordines prophetarum* récrivent est toujours récité à Noël[1], ce qu'avait choisi Sepet. Il est tout aussi évident que les répons de Grégoire n'étaient jamais récités à cette occasion mais plutôt pour la Septuagésime, ce que préférait Frank. Cependant, comme l'ont montré Vaughan et Justice, cette période pénitentielle pouvait mener du carême à la Passion, sans parler des fêtes mariales de l'Annonciation, que Vaughan et Fassler ont récemment données au *Jeu d'Adam* pour point d'ancrage[2].

Mais alors, pourquoi cet enregistrement conjoint ? S'il fait sens, le regroupement de textes proposé par le BM Tours 927 se situe sur un plan qui n'est pas celui du calendrier liturgique *stricto sensu*, ni de son augmentation visuelle et sonore par un drame liturgique unique, exactement adapté à la messe du moment. À moins de lui supposer un caractère aléatoire surprenant au XIIIe siècle, cette succession de plusieurs textes religieux connus mais disparates a toutefois été considérée comme une façon de méditer le mythe chrétien suffisamment forte et efficace pour être enregistrée par écrit. Dès lors, si leur performance successive semble hautement improbable selon le calendrier liturgique, à quel usage leur succession dans le manuscrit a-t-elle pu correspondre ? La copie conjointe de textes aussi éloignés selon le même calendrier répond peut-être à une logique qui n'est pas celle de la liturgie mais de leur enregistrement par écrit, lequel n'est pas nécessairement destiné à un usage conjoint. Pour éclairer à la fois cette copie conjointe et ses éventuels usages, on se propose donc d'étudier plus précisément les folios 20 à 46v° dans leur entourage manuscrit.

---

[1] Young, *The Drama of the Medieval Church*, vol. 2, p. 131, et son classement du chapitre XXI, « The Procession of Prophets » parmi les « Plays associated with the Nativity, vol. 2, p. 125-171 ; Paul Zumthor, *La Lettre et la Voix. De la « Littérature » médiévale*, Paris, Seuil, 1987, p. 86.

[2] Vaughan a souligné les liens entre les prophètes ajoutés par l'*Ordo* au sermon de Quodvulteus et les sermons sur l'Annonciation d'Honorius d'Autun, de Bernard de Clairvaux ou de Fulbert de Chartres, « The Prophets of the Anglo-Norman *Adam* », spéc. p. 90-101 ; voir aussi Margot Fassler, « Representations of Time in *Ordo Representacionis Ade* », *Contexts : Style and value in Medieval Art and Literature, Yale French Studies*, numéro spécial, Daniel Poirion et Nancy Freeman Regalado (éd.), 1991, p. 97-113, spéc. p. 109-113.

UN TEXTE DANS UN MANUSCRIT

Après l'*Ordo*

Le manuscrit BM Tours 927 a souvent été décrit, avec beaucoup de soin, et avant la réfection qui l'a beaucoup endommagé, notamment dans ses marges supérieures et latérales[1]. Pour Victor Luzarche, qui rédige au XIXe siècle le catalogue des manuscrits de Tours, le manuscrit se présente comme « un in-octavo de forme carrée, écrit sur un papier de coton, probablement d'origine orientale »[2], dont Léopold Delisle précise vingt ans plus tard les dimensions : c'est un document « de 229 feuillets, mesurant 145x105 mm »[3]. Au plan du contenu, les folios 1 à 8 contiennent un Office de Pâques. Du folio 8v° au folio 20 ont été copiés 36 chants et hymnes. Des folios 20 à 46v°, on lit *l'Ordo Representacionis Ade* ; des folios 47 à 60, la *Vie de Saint Georges* par Wace ; du folio 61 à 109, une *Vie de Notre-Dame* signée du même auteur[4] ; des folios 109 à 184, la *Vie de Saint Grégoire* ; des folios 185 à 204, les *Distiques de Caton* traduits en français par Adam de Suel ; des folios 205 à 216, une *Vie de Sainte Marguerite* par Wace ; enfin, des folios 217 à 229, le *Miracle de Sardenai*. Le folio 229v° est constitué des quatre premières strophes de l'*Epître farcie de Saint Etienne*[5].

Ce manuscrit est la réunion factice de deux morceaux de taille et de date distincts. Le second est de loin le plus long. Composé de 183 feuillets, il commence au folio 47, et est lui-

---

[1] Geneviève Hasenohr, *Livret-Annuaire de l'EPHE* 17, 2001-2, p. 169.

[2] *Adam, drame anglo-normand du XIIe siècle*, p. v.

[3] Léopold Delisle, « Note sur le manuscrit de Tours... » ; pour une autre description très précise, voir Wolfgang van Emden, p. v-vi, pour qui les pages mesurent cependant 148x107 mm...

[4] Voir Palustre, *La Vie de la Vierge Marie* de Maistre Wace, suivie de la *Vie de Saint Georges*, du même trouvère, Tours, Bouserez, 1859.

[5] Pour une description soignée des éditions de ces textes, voir Paul Studer, *Le Mystère d'Adam*, p. xxix-xxxii, et Paul Aebischer, p. 11-13. Pour l'édition plus récente d'un texte du BM 927, voir Wace, *La Vie de Sainte Marguerite, avec introduction et glossaire*, par Hans-Erich Keller, et commentaire des enluminures du manuscrit Troyes 1905 par Alison Stones, Tübingen, Max Niemeyer, 1990.

même composé de plusieurs *libelli*, œuvres pieuses attribuées au prolifique auteur du *Brut*, à un clerc, ou à Gautier de Coinci. Ces attributions s'ajoutent à quelques traits graphiques, comme le net changement de copiste à partir du folio 47[1], et peut-être au folio 229v°[2], pour autoriser à dissocier l'étude de la première et de la seconde partie du BM Tours 927. La confection d'un manuscrit unique avec deux morceaux aussi distincts reflète « les pratiques d'un temps où le manuscrit a cessé d'exister en tant que tel »[3], et à ce titre, Luzarche fut assurément téméraire d'imaginer la première représentation de l'*Ordo Ade* sous l'égide des contemporains de Wace ou de Coinci, pour son seul voisinage avec des textes qui sont attribués à ces derniers[4] ! Il reste que des folios 47 à 229, le nouveau copiste dispose toujours le texte en allant à la ligne à chaque vers, selon le format mis en place entre le XIIe et le XIIIe siècle pour la littérature en langue vernaculaire[5] – un format auquel le copiste de l'*Ordo Ade* s'est lui aussi conformé, mais seulement à partir du folio 25v°. Pour quel usage le XVIIIe siècle a-t-il réuni ces textes médiévaux ? La question relève d'une étude de la réception des textes médiévaux selon une histoire longue, celle de l'enregistrement des textes et celle des pratiques dramatiques françaises[6]. Sans la perdre totalement de vue, on ne s'y livrera pas ici.

---

[1] Voir Paul Aebischer, p. 14.

[2] Sur l'identification, consensuelle, d'un deuxième copiste à partir du folio 47, et d'un troisième copiste pour l'*Epître*, voir Aebischer, p. 14 et G. Hasenohr, *Livret-Annuaire de l'EPHE* 18, 2002-2003, p. 159.

[3] Geneviève Hasenohr, *Livret-Annuaire de l'EPHE* 17, 2001-2002, p. 170.

[4] Victor Luzarche, 1854, p. lxviii.

[5] Sur le passage de la copie des vers en continu à la copie des vers ligne à ligne, voir *Mise en page et mise en texte du livre manuscrit*, Henri-Jean Martin et Jean Vezin (dir.), Paris, Editions du Cercle de la Librairie-Promodis, 1990, spéc. p. 165-8 pour la poésie lyrique, p. 231-238 pour les modèles monastiques, et p. 245-52 pour les romans en vers. Globalement, « sorti du domaine anglonormand et passé le XIIIe siècle – et peut-être même le milieu du siècle… –, la pratique de la copie des vers à longues lignes semble n'être qu'une survivance épisodique, exceptionnelle dans les exemplaires de luxe,… un peu mieux attestée dans les manuscrits à écriture cursive », p. 236.

[6] Le BM Tours 927, format de poche pour un jongleur médiéval ? Le rapprochement des textes liturgiques de la première partie et des *Vies* didactiques et édifiantes pourrait alors relever d'un mode commun : la performance, dont le

1-46v° : quelle unité ?

La musique, dénominateur commun

Le bloc formé par les folios 1 à 46 réunit deux sortes de textes : deux *Ordines*, et des chants latins.

Premier *Ordo*[1], la *Résurrection* ou office de Pâques occupe les huit premiers folios du manuscrit[2]. Elle peut être rapprochée de l'*Ordo Representacionis Ade,* parce que c'est un texte dialogué, qui contient des didascalies, et qui est constitué du développement versifié de tropes liturgiques. En revanche, la *Résurrection* se distingue de l'*Ordo* par sa brièveté, par sa langue, entièrement latine, et par certains aspects de son enregistrement. Ainsi, les répliques y sont notées sous des portées de musique à quatre lignes « suivant la méthode de Gui d'Arezzo »[3] : comme le texte liturgique dont elles procèdent, elles sont manifestement chantées, alors qu'aucune portée de musique ne figure dans l'*Ordo Ade*, dont les dialogues semblent par comparaison destinés à être lus ou dits, l'accompagnement musical n'intervenant que comme scansion au moment des répons. De plus, les répliques de la *Résurrection* sont fréquemment interrompues voire remplacées par des paragraphes serrés en prose latine : les didascalies[4]. Celles-ci indiquent soit les gestes

---

rassemblement dans le même manuscrit serait un témoignage. Pour une hypothèse analogue, voir notre « Aucassin et Nicolette » dans les *Pères du théâtre médiéval,* Rennes, PUR, 2010, p. 214-229.

[1] Même s'il n'en porte pas le nom dans le manuscrit : les lignes supérieures de la première page sont abîmées.

[2] Pour une édition du texte et de la musique (avec le choix du chant grégorien), voir Edmond de Coussemaker, *Drames liturgiques du Moyen Age : texte et musique* (1860), Genève, Slatkine Reprints, 1975, p. 37. p. 21-48. Pour le texte seul, voir Victor Luzarche, *Office de Pâques ou de la Résurrection, accompagné de la notation musicale et suivi d'hymnes et de séquences inédites*, Paris, Jacques Bouserez, 1856, p. 1-26, et Karl Young, *The Drama of the Medieval Church*, vol. 1, p. 438-450.

[3] Luzarche, *Office de Pâques*, p. xiv.

[4] Au folio 8v°, le nombre de ces paragraphes se multiplie : les didascalies suggèrent l'agitation de plusieurs groupes d'acteurs pour célébrer la découverte du tombeau vide.

et les déplacements des protagonistes, soit le nom du ou des personnages prenant la parole. Contrairement à ce que montrent les éditions de Luzarche et de Coussemaker, qui ajoutent au manuscrit des didascalies justifiées au-dessus et au milieu de la réplique qu'elles introduisent, pour les trois *Marie*, *Jhesu*, le *Mercator* ou les *Discipuli*, les didascalies de la *Résurrection* ne ressemblent donc pas à celles d'un texte de théâtre d'aujourd'hui. Aucun système particulier n'a été retenu dans ce premier texte du BM Tours 927 pour désigner le nom des personnages prenant la parole, alors que le choix de ce système a manifestement été l'un des soucis majeurs du copiste de l'*Ordo Ade.* Ainsi, la plupart du temps, chaque didascalie indiquant un nom est sur l'ensemble des folios 20 à 40 réduite à une initiale. Des folios 20 à 25v°, comme l'étaient les noms des locuteurs dans les didascalies de la *Résurrection*, cette initiale est intégrée aux répliques copiées en continu[1]. Mais à partir du folio 27, l'initiale est notée à la droite du texte, au-dessus de la réplique qu'elle annonce, et en continuité avec le dernier vers prononcé par le locuteur précédent.

Les textes copiés entre le bas du folio 8v° et la moitié du folio 20 sont des hymnes et des rondeaux latins, dont la plupart participe de la vogue parisienne de l'école de Pérotin[2]. Absentes, les didascalies trouvent un équivalent dans la modalité injonctive de certaines pièces[3], et dans la destination à la danse de ces « rondes de clercs »[4] au rythme savant, à la versification variée. La notation des portées de musique s'y poursuit, pour ne cesser

---

[1] Cette notation condensée est reprise au bas du folio 32, pour les échanges rapides entre Abel et Caïn.

[2] Pour une description de l'ensemble de ces pièces, voir Robert Marichal, *Livret Annuaire de l'EPHE* 1969-1970, p. 375-6. Elles ont été éditées par Victor Luzarche, *Office de Pâques... suivi d'hymnes et de séquences inédites*, p. 28-70. Yvonne Rokseth en a publié les rondeaux sous le titre *Danses Cléricales du XIIIe siècle*, Publications de la Faculté des Lettres de Strasbourg, fascicule 106, *Mélanges* 1945, « Études Historiques », Paris, 1947, p. 93-126.

[3] *Processit in stipite, /Omnes gentes plaudite !/Processit in stipite/Nostra Resurrectio*, Luzarche, *Office de Pâques...*, p. 48-49.

[4] Rokseth, *Danses Cléricales*, p. 94.

qu'avec l'*Ordo Ade*, où l'indice musical ne demeure qu'avec la fréquente didascalie *chorus cantet* ouvrant chacun des sept répons qui scandent les deux premières sections.

Le dénominateur commun des folios 1 à 46 du BM Tours 927, c'est donc la musique. Choral ou individuel, le chant y est réparti en voix, et probablement accompagné de gestes, entre caroles des rondeaux et action « par personnages ». Traversé de plaisante harmonie, le manuscrit dans son ensemble pourrait participer au plan historique de l'autorisation accordée à la liturgie gallicane par la liturgie romane pour adapter des contenus bibliques de façon moins austère[1]. Au plan technique, l'enregistrement musical pourrait constituer l'un des modèles formels de celui de l'*Ordo* : celui de la copie conjointe de textes appartenant à différents moments du calendrier liturgique. C'est en tout cas celui des rondeaux qui précèdent l'*Ordo Ade*, et qui ont été composés pour Pâques, Noël, la Pentecôte, voire pour des « fêtes de printemps dont il serait difficile de préciser la date de célébration »[2]. Enfin, la prégnance de la musique liturgique dans les 46 premiers folios du Tours BM 927 autorise à penser que le ou les compositeurs de l'*Ordo Ade* étaient des clercs musiciens, dont Bernard Itier (1163-1225), le célèbre bibliothécaire et chanteur de l'abbaye de Saint Martial de Limoges, demeure le dernier et le plus séduisant modèle[3].

Musique et latin

Si le copiste du manuscrit fut avant tout musicien, n'a-t-il pas pu être plus habile à la copie des mélodies qu'à celle du latin ? Celui des didascalies de l'*Ordo* mais aussi de la *Résurrection* a

[1] Voir Catherine Dunn, « French Medievalists and the Saint's Play. A problem for American Scholarship », *Medievalia et Humanistica*, New Series, n° 6, 1975, p. 51-62.

[2] Rokseth, *Danses Cléricales*, p. 107.

[3] C'est l'hypothèse de Charles T. Downey, « *Ad Imaginem Suam* : Regional Chants Variants and the Origins of the *Jeu d'Adam* », *Comparative Drama* 36, 2002-2003, p. 359-390, spéc. p. 388-9. Pour une présentation récente de la vie et de l'œuvre de Bernard Itier, voir Jean-Loup Lemaître, *Bernard Itier : Chronique*, texte établi, traduit et commenté, Paris, les Belles Lettres, 1998.

pu être qualifié de barbare[1]. Cependant, de la *Résurrection* à l'*Ordo Ade*, ses écarts nous renseignent avant tout sur un état du latin médiéval et sur les aménagements qu'il fait du latin classique[2]. Surtout, la didascalie est un texte utilitaire, qui permet avant tout l'exécution mentale ou concrète de l'action qu'elle accompagne, et le copiste pourrait y avoir moins cherché la gloire que l'efficacité. Cette dernière est aussi le but d'un autre procédé d'enregistrement propre aux chants liturgiques dans les manuscrits circulant dans les milieux monastiques, et pratiqué dans le BM Tours 927 : seul l'*incipit* de leur texte y est donné. Ce procédé confirme l'usage du manuscrit BM Tours 927 par un tel milieu, capable de restituer à partir de l'*incipit* le texte et la mélodie parce qu'il en a le fréquent usage. Mais ne peut-on aussi considérer l'imperfection du latin des didascalies comme le revers de cette pratique elliptique ? Parce qu'elles demandent, contrairement aux *incipit,* des phrases entières, à la syntaxe parfois complexe, les didascalies latines pourraient être fautives dans le BM Tours 927 aussi parce que leur contenu n'était pour le musicien qui s'est chargé de les copier ni familier, ni essentiel à l'usage auquel elles étaient destinées.

Une copie d'amateur ?

Dernière caractéristique matérielle de cet ensemble de feuillets : la notation de la musique et du texte latin voisine avec une copie du texte en langue vernaculaire qui a pu être qualifiée d'amateur, notamment en raison de la modification du type d'enregistrement du texte intervenu au folio 25v°[3]. La pratique

---

[1] « Nous avertissons le lecteur, une fois pour toutes, que nous n'apporterons aucun changement aux mots et aux tournures souvent barbares de la latinité de cette mise en scène », Luzarche, *Adam, drame anglo-normand*, p. xlvi-xlvii ; voir aussi *idem*, *Office de Pâques*, p. xviii-xix.

[2] Voir Pascale Bourgain, *Le Latin médiéval*, avec la collaboration de Marie-Clotilde Hubert, Turnhout, Brepols, 2005. Pour le détail des particularités du latin médiéval, voir les notes de l'édition.

[3] Sur le rapport entre amateurisme et mise en page incertaine dans le manuscrit, voir Michael Clanchy, *From Memory to Written Record: England, 1066-1307*, Londres, Arnold, 1979, p. 103 et suiv. ; et Symes, « The Appearance of Early Vernacular Texts... », p. 804.

d'une copie du texte versifié vers sous vers s'est mise en place au tournant des XIIe et XIIIe siècles, notamment pour les textes en anglo-normand. Elle correspond plutôt aux textes profanes. Est-ce la raison pour laquelle le copiste l'adopte précisément au moment où Adam goûte le fruit, et bascule dans la Faute ? Séduisante mais sans preuve, cette hypothèse a au moins l'avantage de souligner que c'est surtout pour l'ensemble des folios 20 à 46 que la copie semble à maints égards expérimentale. Ainsi, si Robert Marichal a pu discerner dans cet ensemble deux « mains »[1], une principale, et l'autre responsable de quelques corrections minimes, nous avons noté à plusieurs reprises de la part du copiste principal lui-même un changement de couleur dans l'encre, et des biffures très nombreuses. Si certaines de ces corrections semblent relever de la volonté, normative, de reconstituer un vers fautif[2], d'autres reflètent des hésitations moins explicables, auxquelles l'usage des textes de l'*Ordo* pourra en partie répondre. Qu'il soit correction ou innovation, ce travail du scribe porte essentiellement sur le texte en langue vernaculaire : à quoi et à qui ce dernier est-il destiné ?

Un objet dans l'« espace Plantagenêt »

Un texte anglo-normand

Que le français de l'*Ordo Representacionis Ade* soit de l'anglo-normand, voilà qui ne fait aujourd'hui guère de doute. À l'heure de l'*Anglo-Norman Dictionary* et des grammaires recensant les particularités de ce moment historique de la langue française, les diatribes d'un Littré, et son refus de considérer le *Jeu d'Adam* comme l'un de ses témoins, n'ont de sens que dans le contexte d'une littérature nationale, qui au XIXe siècle finissant cherche ses origines dans la suprématie de son ancienne langue[3].

---

[1] Marichal, *Livret-Annuaire de l'EPHE* 1969-70, p. 377-8.

[2] Voir les vers 162, 185, 386.

[3] Emile Littré, *Histoire de la langue française. Études sur l'origine, l'étymologie, la grammaire, les dialectes, la versification et les lettres au Moyen Âge*, Paris, Didier, 5e édition, 1869, 2 tomes, tome 2, « Étude sur Adam, mystère », p. 56-90.

Ainsi, comment attribuer la rime « criator/dur »[1] à autre chose qu'à l'anglo-normand, de même que la syncope du « e » prétonique dans les futurs de l'indicatif, où « frai » est mis pour « ferai », la terminaison de la P4 en « —um » sans s, ou encore la graphie « e » mise pour une réduction précoce de la diphtongue « ei » et qui donne « veer » pour « veir » ou « veoir », « oberai » pour « obeirai » [2] ? Or, l'exhibition d'une écriture ou d'un parler anglo-normands souligne, à l'époque où le manuscrit est composé, la classe sociale aisée de l'auteur et son ambition littéraire. Ainsi, l'insulaire Clémence de Barking, qui dans la *Vie d'Edouard le confesseur* (composée entre 1163 et 1189) s'excuse de pratiquer gauchement le normand, ne le fait plus dans sa *Vie de Sainte Catherine*, plus tardive[3]. Du XIIe au XIIIe siècle, qui parle, qui lit l'anglo-normand, et où ? Née des suites de la bataille de Hastings, cette langue est d'abord un moyen de communication, entre insulaires et continentaux. Un siècle plus tard, elle demeure cette langue de communication, notamment au sein du monastère[4]. Mais pratiquer l'anglo-normand est aussi devenu le signe d'une aisance sociale, venue de l'origine pour l'Eglise et les aristocrates, acquise grâce au récent développement des villes et du commerce pour la bourgeoisie émergente[5]. Que l'*Ordo Ade*, soit composé en anglo-normand, langue pratique et signe de pouvoir, souligne ainsi son appartenance à un formidable moment d'éclosion et de diffusion de la littérature en langue

---

[1] Legge, *Anglo-Norman Literature*, p. 313 ; Ian Short, *Manual of Anglo-Norman*, Londres, Anglo-Norman Text Society, 2007, p. 56-59.

[2] Pour une synthèse de ces phénomènes morphologiques et phonétiques dans le *Jeu d'Adam*, voir Studer, *Le Mystère d'Adam*, p. xxxv-li.

[3] Voir *The Life of St Catherine* by Clemence of Barking, édition de William MacBain, Oxford, Blackwell, 1964, p. xxv.

[4] Ian Short, « Patrons and Polyglots : French Literature in XIIth century England », *Anglo-Norman Studies. XIV Proceedings of the Battle Conference*, 1991, p. 229-249, spéc. p. 236.

[5] Sur l'usage de l'anglo-normand dans les manuels de voyageurs, voir Legge, « The Significance of Anglo-Norman », *Inaugural Lecture* n° 38, p. 7 et suiv. Sur « le français langue seconde en Angleterre », voir aussi Serge Lusignan, *Parler vulgairement. Les intellectuels et la langue française au XIIIe et au XIVe siècle*, Paris, Vrin, 1986, p. 97-111.

française. Emblématisé par la cour d'Henri II, ce moment continue bien après celle-ci, et il suscite la production de textes dans un espace qui s'étend de l'Angleterre au sud de l'Aquitaine : l'empire, ou espace Plantagenêt[1].

Il reste que l'anglo-normand peut aussi être considéré comme une forme particulière de la langue d'oïl[2]. Signalée par l'une de ses éminentes spécialistes, Mildred Pope, son instabilité a pu être préparée par les analogies entre les dialectes normand et anglais[3]. En outre, certains signes linguistiques de l'*Ordo Ade* lui échappent. Relevant de la *scripta* occitane[4], ils ont été attribués à l'origine méridionale du copiste, et reliés à l'histoire mouvementée du manuscrit. Celui-ci n'est tourangeau que depuis le XVIIIe siècle. Comme le montre le chiffre 237 à l'intérieur de sa couverture, et l'indication *Majoris monasterii congregationis Sancti Mauri 1716*, il a été acheté par les moines bénédictins de Marmoutier en 1716, et déposé en 1792 dans la Bibliothèque communale de Tours[5]. Auparavant, il a appartenu à la famille de Créquy, qui habitait le château de Sault en Provence. Le lien du manuscrit avec le Sud de la France a été notamment justifié par la nature de son support : le papier, d'origine hispano-arabe, dont le BM Tours 927 serait le premier en date à faire usage en France[6]. Ajoutés aux quelques éléments de la *scripta* occitane, et à la langue occitane de l'*Epître Farcie* de Saint Etienne copiée sur son ultime verso, ces éléments ont conduit plusieurs critiques à supposer un copiste originaire de Provence[7].

---

[1] Pour la définition et les contours géographiques et politiques très problématiques de la région s'étendant de l'Ecosse à la Gascogne, voir Martin Aurell, *L'Empire des Plantagenêt*, 1154-1224, Paris, Perrin, 2003, spéc. p. 9-12.

[2] David Trotter, « L'anglo-normand : variété insulaire ou variété isolée ? », *Médiévales* 45, automne 2003, p. 43-54.

[3] Legge, « The Rise and Fall of Anglo-Norman Literature », *Mosaïc* VIII/4, 1975, p. 1-6.

[4] Celle d'un « Frenchman of the South » pour Paul Studer, voir sa synthèse d'exemples dans *Le Mystère d'Adam*, p. xxxiv-xxxv.

[5] Voir Aebischer, *Le Mystère d'Adam*, p. 15-18.

[6] Henri Gachet, *Six siècles d'histoire du papier*, dans *Courrier Graphique*, 14 avril 1938, p. 6.

[7] Aebischer, *Le Mystère d'Adam*, p. 18.

Géographie ou chronologie ?

Didascalies : l'hypothèse d'une composition ultérieure

Cependant, les travaux récents menés sous la direction de Geneviève Hasenohr à l'EPHE sur le *Jeu d'Adam*[1] sont parvenus à une autre façon d'interpréter la diversité des formes linguistiques de l'*Ordo Ade*. D'abord, ces travaux font converger deux éléments. Le papier n'est pas seulement le support du manuscrit ; il pourrait aussi être le matériau du *librum* d'Ysaïe (av. 875), rejoint par l'accessoire brandi par Jérémie, *ferens rotulum chartae* (av. 875). Unique dans les *Ordines Prophetarum*, la mention d'accessoires fabriqués dans une matière[2] qui n'est pas utilisée en France du Nord ni en Angleterre au XIIe siècle « soulève la question de la genèse des didascalies et de leur rapport au texte originel »[3]. La déduction qui découle de cette observation est que les didascalies ont pu être ajoutées par le copiste du XIIIe siècle à un texte en langue vernaculaire, dont les traits de langue et de versification continuent de situer la composition au XIIe siècle. L'*Ordo Ade* aurait donc été d'abord une *farciture* constituée de chants liturgiques latins développés en langue vernaculaire, mais sans didascalies.

Ensuite, l'usage de signes diacritiques propres à l'espace Plantagenêt et la mise au jour d'un modèle du « Sud-Ouest Aquitain de langue d'oïl »[4] pour la version complète de l'*Epître farcie* dont le manuscrit tourangeau ne donne que quelques strophes « plaide[nt] pour un [*Jeu d'Adam*] originaire de l'Ouest (au sens large),... recopié, à plusieurs reprises sans doute, par des clercs d'origine insulaire..., puis en dernier lieu par un clerc poitevin, aunisien ou saintongeais familier de la *scripta* occitane »[5]. Ainsi, l'origine insulaire de la composition du texte

---

[1] Hasenohr, *Livret-Annuaire de l'EPHE* 17, 2001-2, p. 169-172 et *Livret-Annuaire de l'EPHE* 18, 2002-3, p. 158-159.

[2] Pour l'éventuelle traduction de *rotulum chartae* par « papier », voir Glossaire.

[3] *Livret-Annuaire* 17, p. 171.

[4] *Livret-Annuaire* 18, p. 159.

[5] *Ibidem*, p. 158.

en langue vernaculaire reste possible, mais moins probable que sa composition sur le continent. Et s'il demeure difficile d'affirmer aussi précisément que Luzarche que l'*Ordo Ade* aurait été composé « dans une abbaye des bords de Loire », au plan linguistique, la copie de BM Tours 927 n'aurait donc pas été effectuée en Provence mais dans la partie Ouest de l'espace Plantagenêt – qui pour des raisons historiques, a pu pratiquer comme dans les folios 20 à 46 une langue d'oïl mâtinée de diverses origines.

Réels ou imaginaires, les voyages du manuscrit BM Tours 927 révélés par ce feuilletage linguistique sont d'une importance considérable pour l'étude de l'*Ordo Ade*. D'abord, ils invitent à relativiser l'importance de la date et du lieu de sa version *princeps*, au bénéfice de l'endroit et du moment où sa version complète fut établie. Ensuite, l'idée d'une *farciture* à laquelle on aurait ajouté des didascalies suggère le vif intérêt suscité par celle-ci, au-delà de son lieu de composition initial et au siècle suivant. Si les pratiques recensées par la *Regularis Concordia* étaient nées en partie du désir de Saint-Ethelwold de rivaliser avec les drames liturgiques de Fleury-sur-Loire[1], ne peut-on supposer qu'un désir analogue a suscité la composition des folios 1 à 46 du BM Tours 927 ? Brouillant la patrie d'origine du texte au bénéfice de sa patrie d'adoption, berceau de sa copie, ces éléments ne disent cependant rien de l'usage précis auquel cette copie était destinée, que ce soit sous sa forme initiale ou augmentée. Ajoutées au texte dialogué, les didascalies témoignent-elles d'un type de performance fréquent à l'Ouest de l'espace Plantagenêt, que le copiste aurait adapté aux dialogues de l'*Ordo* ? Ou reflètent-elles au contraire une invention du copiste, et forment-elles *in fine* avec ces dialogues un ensemble expérimental, nouveau – autrement dit, un texte *princeps* ? Cette dernière hypothèse expliquerait qu'une des didascalies n'ait pas été copiée au bas du folio 40, entre la performance de Nabuchodonosor et celle de la Sibylle… Manuscrit expérimental ou

[1] Théodore Gérold, *La musique au moyen âge*, Paris (1932), Champion, 1983, p. 59.

témoin de pratiques rebattues, avec son petit format in-8, le BM Tours 927 était probablement destiné à circuler aisément[1] dans l'espace Plantagenêt. S'ils nous restent opaques, les indices de performance qu'il contient devaient être perçus sans difficulté dans l'ensemble de la zone géographique concernée.

Dit*: l'ajout de la pénitence*

Autre conséquence des travaux précédents : ils renouvellent et renforcent l'hypothèse d'une composition en plusieurs temps. Partant, dans quelle mesure la copie d'une version du *Dit des Quinze signes* à la suite du dialogue et du Défilé trouve-t-elle sa place dans ce feuilletage chronologique ? Les différences linguistiques qui séparent les 942 premiers vers de l'*Ordo* de ceux du *Dit* ont été établies de longue date[2]. Cependant, si l'élaboration des folios 20 à 46v° tels que nous les lisons aujourd'hui n'a pas obéi d'emblée à une composition d'ensemble, cela n'implique pas qu'elle n'ait répondu à aucun dessein. Bien au contraire, une comparaison de la version du *Dit* copiée dans le Tours BM 927 avec les versions de ce texte recensées par Erich van Kraemer montre que certaines de ses variantes le relient à l'aspect liturgique et idéologique considéré comme majeur par les travaux les plus récents sur le *Jeu* : l'invitation à la pénitence.

Tout d'abord, la Sibylle du *Dit des Quinze signes* copié dans le BM Tours 927 exhibe un jeu constant avec les *auctoritates* présidant à son discours. Ayant évité le patronage de saint Jérôme, elle le remplace par une longue évocation de prophètes : « Ço nos reconte Jheremie, / Zorobabel e Ysaïe, / e Aaron et Moysés, / e toit li altre prophète aprés. / De Babiloine Daniel, / Si l'aferme Jezechiel... », v. 994-999. Cependant, la tradition du *Dit* ne justifie pas le choix de ces prophètes, pas plus qu'un éventuel écho avec les textes qui le précèdent dans l'*Ordo*, car ni Ezéchiel

---

[1] Sur la circulation des textes liturgiques, voir Grace Frank, *The Medieval French Drama,* Oxford, Clarendon Press, 1954, p. 66-73.

[2] Voir Grass, 1891, p. 142-171 ; rappelé par Aebischer, *Le Mystère d'Adam*, p. 23 ; et Accarie, *Le théâtre sacré...*, 1979, note 109 p. 43.

ni Zorobabel ne font partie du Défilé tourangeau. Puis au v. 1137, «Moysés» est à nouveau cité, mais comme caution aussi approximative que plausible du huitième signe, un analogue du Déluge. Le jeu avec les *auctoritates* se poursuit avec l'affirmation «Jo en trai en garant Augustin», v. 1152, lequel aurait annoncé la «fin» du signe suivant. Cependant, la parole des fleuves à qui Dieu aurait donné «juvableté», v. 1157, est aussi singulière qu'introuvable dans les textes de l'évêque d'Hippone, à commencer par celui de la *Cité de Dieu*, où la Sibylle Erythrée prophétise. Enfin, «Ço nos aferme saint Grigoire / Et li nobles clers saint Yerome», v. 1166-7: la double caution patristique dont la Sibylle tourangelle se dote est unique, et distincte des *auctoritates* dont se prévalent six autres manuscrits du *Dit*, tandis que les autres en font totalement l'économie.

En accumulant des *auctoritates* bibliques et patristiques difficilement vérifiables voire nettement décalées, le copiste du manuscrit tourangeau donne à son texte une singularité qui l'éloigne de la seule édification[1]. Cette récriture est confirmée par l'utilisation d'images propres à cette version du *Dit*, ou retenues par elle alors qu'elles sont omises dans d'autres manuscrits. Ainsi, la nuance sanglante de l'«aspre rosee» du premier signe, v. 1014, tue par seize versions du *Dit* quoique venue de la *terra sudescet* d'Augustin et travaillée chez le Pseudo-Bède, Damien ou le *Comestor*[2], est ravivée par la lune teintée de terre du quatrième signe, «e en color semblable a sanc», v. 1074, qu'un seul manuscrit retient avec le BM 927. Ce dernier est le seul à filer la personnification des montagnes du deuxième signe, «come grant lermes espandant», v. 1034. Enfin, quatre manuscrits omettent l'image des arbres inversés, «A mont tornerunt lor racines, / Contre terre serrunt les cymes», v. 1117-1118, et deux, celle des cris de la terre, «E si porra la terr[e] oïr, / Braire molt anguisosement, / E criera: "Rois Deus, jo fent!"», v. 1173-6.

---

[1] Sur les liens de la prédication et de la littérature romanes, voir Michel Zink, *La prédication en langue romane avant 1300*, Paris, Champion, 1976, p. 365-388.

[2] Voir Erik Von Kraemer, *Les Quinze signes du Jugement Dernier*, poème anonyme, p. 96.

Mais à ces «références gratuites fréquentes dans l'opuscule, qui pour ainsi dire appartiennent à son style»[1], les modifications apportées par le copiste de l'*Ordo* donnent aussi une cohérence, où l'édification le dispute à une recherche poétique somme toute limitée. En effet, dans ce jeu concerté avec la tradition, celui-ci a effectué quelques variantes qui rejoignent la méditation sur la pénitence menée dans les 20 premiers feuillets de l'*Ordo*.

«Que damne deu coriscesom», v. 976 : tandis que les autres manuscrits convoquent à cet endroit des images de guerre ou de félonie, le Tours BM 927 est seul à mettre l'accent sur la colère divine suscitée par le comportement des hommes. Celle-ci est soulignée dans le tour grammatical de «E Deux est a eaus corocié», v. 1059, qui au lieu de la tournure la plus courante, «et a Dieu se sont courrecié», fournit à la colère divine un sujet actif et incarné. C'est la colère du «jugeor», v. 1098, préféré au «juïse» ou au «jugement» de la plupart des manuscrits. Ces modifications, qui prennent tout leur sens comme prolongements des éclats de la Figure pendant les sections précédentes, pourraient aussi avoir conduit au choix d'un terme sinon énigmatique, le «reals» du vers 1025, «Li premiers jors iert tot reals». Conservée, la leçon «reals» répondrait au «rois Deu omnipotent», v. 1018, avec une force accrue si cet adjectif résonne encore de la condamnation d'Adam, d'Ève ou de Caïn. Et c'est dans la continuité de ce courroux, à nouveau souligné par un «iré», v. 1060, présent dans seulement deux manuscrits en sus de celui de l'*Ordo*, qu'intervient la modification la plus significative de cette version du *Dit* :

Por nient merci li crieront
Quant tant pecchié fet ont.
Penitence covendroit fere
Celui qui a Deux voldra plaire 1064
Et as povres doner del lor
E Jhesum preer chescon jor
Que a la mort ussent paraïs :
Iço fet bien preer tot dis. 1068

[1] *Ibidem*, p. 30.

Unique dans l'histoire du *Dit des Quinze signes*, cette interpolation de huit vers appelle comme le reste du *Jeu* à la pénitence. Elle entre en résonance avec les conseils d'Abel pour les offrandes (v. 597-602, v. 627-8, v. 710) « a dampne Deu por lui plaisir », v. 628, v. 707-8, v. 711, ou avec l'espoir du Paradis, leitmotiv des trois sections, d'Adam aux Prophètes. Pour finir, l'exhortation « et devroit amender sa vie », v. 1225, omise dans trois manuscrits, et l'ajout « Qui peccheor avront esté/ Trestoz les jors del lor eé », v. 1085-6, propre au BM 927, complètent une méditation sur la pénitence propre au manuscrit tourangeau, où cette dernière repose sur le spectacle du péché.

Pour correspondre aux états les plus anciens de ce texte[1], l'intégration du *Dit de la Sibylle* à une méditation sur la pénitence n'est nulle part ailleurs menée de manière aussi explicite ou continue. Le copiste semble donc avoir à la fois respecté la tradition de l'*Ordo*, qui ne fait pas l'économie de son *Dit* prophétique, et adapté précisément cette tradition aux textes qui le précèdent dans son manuscrit. Augmenté de variantes uniques, ou retenues pour leur cohérence avec la notion de pénitence, l'ajout des vers 1061-1068 constitue donc un élément important en faveur d'une copie du *Dit des Quinze signes* conçue de manière consciente et réfléchie comme une suite des textes précédents.

Le bilinguisme et les publics de l'*Ordo*

Qu'il comprenne ou non le *Dit des Quinze signes*, à quels publics l'*Ordo Ade* était-il destiné ? Si la composition du manuscrit est le fait d'un ou de plusieurs clercs, peut-être musiciens, ceux-ci destinent la musique liturgique et les didascalies latines à être déchiffrées par leurs pairs, rompus à ce déchiffrage. En revanche, la composition très étendue des parties en langue vernaculaire a très souvent conduit à penser que la représentation de l'*Ordo* avait pu avoir la société laïque plutôt que le milieu

---

[1] William W. Heist, *The Fifteen Signs before Doomsday*, East Lansing, Michigan State College Press, 1952, p. 35.

monastique pour principal destinataire. L'usage de la langue vernaculaire pratiqué par le BM Tours 927 en général, et par l'*Ordo Ade* en particulier, confirme-t-il cette hypothèse ?

Le vernaculaire sous contrôle

L'*Ordo Representacionis Ade* n'est pas le premier texte à combiner latin et langue vernaculaire. Profane, l'aube de Fleury du Xe siècle en est un témoignage aussi ancien que singulier en langue romane[1], car c'est surtout dans la littérature religieuse que l'on trouve le bilinguisme roman/latin, selon deux modes : l'insertion du latin dans un texte français[2], et « l'introduction de parties romanes, en manière d'interpolation ou de trope, dans un texte latin (en principe liturgique) préexistant »[3]. Le BM Tours 927 a l'avantage de présenter un autre exemple très achevé de composition bilingue, l'*épître farcie de Saint Etienne*, où l'équilibre entre versets des *Actes* et commentaire en provençal est parfait. Un tel équilibre ne caractérise pas les dialogues bilingues du *Sponsus*, texte antérieur à l'*Ordo Ade*, ni les refrains romans contemporains célébrant la résurrection du Lazare dans les *Planctus* de Marie et de Marthe. Dans ces textes bilingues d'origine liturgique, l'usage du roman reste trop sporadique pour qu'on puisse lui attribuer une vertu didactique, qui serait celle de l'exégèse. Après Karl Young, Paul Zumthor a ainsi pu attribuer à ces intrications du latin et de la langue vernaculaire une valeur avant tout esthétique et ornementale, plus poétique que didactique[4].

Pour étudier le bilinguisme dans l'*Ordo Ade*, il convient de dissocier le Défilé des prophètes des parties dialoguées qui le précèdent. Dans le Défilé, chaque monologue reprend, traduit et

---

[1] Plus récents, les *Shrewsbury Fragments*, équivalent bilingue en latin et en anglais, regroupent des textes liturgiques. Voir Karl Young, *The Drama of the Medieval Church*, vol. 2, p. 514-523.

[2] Voir L. P. Thomas, « Les farcitures latines de la *Passion du Christ* de Clermont », *Mélanges Boisacq*, Bruxelles, 1938, tome 1, p. 303-316.

[3] Paul Zumthor, « Un problème d'esthétique médiévale : l'utilisation poétique du bilinguisme », *Le Moyen Age* 66/4, 1960, p. 561-594, définition p. 562.

[4] *Ibidem*, p. 323-4.

glose sous une forme rimée un passage des Ecritures. Seule la prophétie latine d'Aaron est rimée (av. 773). Parce qu'il est proche de la versification du texte en anglo-normand, ce quatrain d'octosyllabes à rimes plates devait-il être prononcé en cas de performance ? La question demeure en suspens. À l'inverse, les citations des Ecritures qui ouvrent chaque monologue pourraient ne pas avoir été dites, puisque comme les didascalies, elles ne sont pas versifiées. Dans les deux cas, l'*Ordo Ade* offre avec ces citations latines suivies de leur extension sous forme de monologue une variation formelle au rythme régulier, créé par la succession, que ce soit celle du latin et de sa glose ou celle des prophètes qui s'avancent. Sur ce rythme, le Défilé des prophètes du BM Tours 927 s'offre comme un morceau de poésie didactique efficace, répétitif et incantatoire, dont participent à cet égard les interventions d'Ysaïe et de Nabuchodonosor, en dépit de leurs dialogues avec *quidam de sinagoga* ou les *tres ministri*.

En revanche, si dans les dialogues précédant le Défilé le texte des répons est en partie repris dans les vers en anglo-normand, c'est dans un ordre et sur un *tempo* beaucoup moins systématiques. En effet, l'extension du texte latin varie de façon considérable. Surtout, il a été copié avant ou après sa reprise dans le dialogue en anglo-normand, de sorte qu'il est parfois difficile d'envisager si ce dernier le glose, ou s'il est le premier à proposer un élément susceptible de faire progresser l'action. Ainsi, le premier répons *Formavit igitur Dominus* est copié avant le début de l'action : cependant, ne pouvait-il constituer l'accompagnement du mime de la création du monde, puis du premier homme et de la première femme ? Ou au contraire, suffit-il à évoquer cette scène difficile, le langage se substituant à la délicate question de sa représentation, fût-ce par le subtil écho théologique de la *tunica rubea* d'Adam[1] ? Dans les deux cas, le texte anglo-normand, qui succède au répons latin, reprend son contenu, mais en y ajoutant une première interdiction : « Ne moi devez ja mais mover guere », v. 5, ainsi que la présentation d'Ève

[1] John M. Steadman, « Adam's *Tunica Rubea* : Vestiary Symbolism in the Anglo-Norman Adam », *Modern Language Notes* 72, mai-décembre 1957, p. 497-499.

à Adam suivie de leur mariage. Le répons suivant, *Tulit ergo Dominus*, intervient au beau milieu de l'installation au paradis, ap. 87, alors qu'il en constitue l'annonce. Et c'est en langue vernaculaire, sans le préalable du répons latin, que s'est effectué l'octroi du paradis, v. 80-87, après celui du libre-arbitre, v. 48-79. Dernier élément ajouté au répons par le *Jeu* : « Ne voil que isses, ici feras manage », v. 99, un interdit moins attendu que celui du fruit défendu, v. 100-103, lequel est introduit au préalable par le répons *Dixit Dominus ad Adam*, ap 100. Ce dernier est donc le seul des trois premiers répons à observer l'ordre et la forme du texte latin suivi d'une glose mot à mot en langue vernaculaire. Les trois répons précédents sont soit doublés par l'action, soit accompagnés de détails neufs, donnés avant ou après eux. Puis le latin se tait, durant un long passage de 112 vers, occupé par la séduction du Diable, la faute originelle et les lamentations d'Adam. Lorsque le *Dum Deambularet* intervient, c'est pour être suivi d'une traduction, mais celle-ci est vite enrichie de la malédiction et de la colère de Dieu. Ces éléments sont ensuite repris par le cinquième répons, *In sudore vultus*, puis par le *Ecce Adam quasi unum*, sur lequel se termine la première séquence de l'*Ordo Ade*. Enfin, le *Ubi est Abel Frater tuus* intervient après le long moment en langue vernaculaire qui constitue l'essentiel de la deuxième section, et avant sa glose, brève mais fidèle à son contenu (v. 721-742), de sorte que c'est l'ensemble de cette section qui résonne comme une illustration du répons, dont le sens est condensé dans l'ultime vers de sa glose : « Griés en serra ta penitance », v. 742.

Certes, l'ensemble des v. 1 à 742 laisse résonner la langue parlée aux côtés du latin. Cependant, même lorsque les passages en langue vernaculaire sont étendus, le dispositif global du *Jeu* ne leur accorde qu'une valeur relative, et une autonomie limitée[1]. Ainsi, ce qu'on remarque dans la disposition respective des répons et des dialogues, c'est moins une glose de la liturgie par l'anglo-normand que la clôture du texte vernaculaire par le texte

[1] Pour un avis contraire, voir Noomen, *Le Jeu d'Adam*, 1971, p. 8-9 ; et « Le *Jeu d'Adam*. Étude descriptive... », p. 159-163.

latin. Après les longues séquences du péché originel et du meurtre d'Abel, c'est le latin qui vient éclairer le vernaculaire, dont les inventions semblent amoindries. L'ordre des langues répond alors aux représentations mentales et culturelles qui leur sont respectivement attachées. Si pour nous c'est le latin qui demeure étranger, pour une oreille médiévale, c'était probablement le développement des tropes en langue vernaculaire à l'intérieur du chant latin qui produisait un décalage, sans que chacun ait nécessairement compris ce latin, même parmi les clercs. « [As] the language of potential error, of ignorance, [...] of duplicity »[1], la langue vernaculaire des répliques fait violence à la liturgie. Celle-ci a alors pour fonction de l'encadrer – d'étouffer le « cri » social et individuel de sujets infortunés, que ce bilinguisme permettrait d'entendre aujourd'hui encore[2] ? Avec le bilinguisme du *Jeu*, il est moins question de faire l'exégèse du texte latin que de souligner grâce à ce dernier les errances des parties en langue vernaculaire, développées pour mieux être remises dans le droit chemin. Au demeurant, l'unité formée par les folios 1 à 46v° est également celle du latin, largement majoritaire, puisque l'Office de Pâques et les chants liturgiques sont entièrement composés dans cette langue. Assurément didactique, mais sur un mode qui est moins celui de l'incantation que de la rupture, par qui cet effet pouvait-il être perçu ?

La féodalité et les publics laïcs de l'Ordo

En 1981, Maurice Accarie[3] et Georges Duby[4] donnaient au *Jeu d'Adam* un public d'aristocrates, après Lynette Muir, pour qui *Adam* aurait pu être composé par des clercs, mais pour être joué à la cour d'Henri II et d'Aliénor d'Aquitaine[5]. Cette destination laïque expliquerait deux aspects majeurs du *Jeu* : la

---

[1] Justice, « The Authority of Ritual... », p. 855.

[2] Yvonne Régis-Cazal, « La parole de l'autre », *Médiévales* 9, 1985, p. 19-34, spéc. p. 32.

[3] « Féminisme et antiféminisme... », p. 224.

[4] *Le chevalier, la femme et le prêtre*, Paris, 1981, p. 225-9.

[5] *Liturgy and Drama*, p. 119-120.

référence féodale, qui de manière évidente structure les relations entre les personnages du *Jeu*; et certains bouleversements institutionnels et culturels du monde féodal, dont l'*Ordo* se ferait le relais.

De fait, depuis Kenneth Urwin[1] et Wendy Morgan[2], l'importance cruciale de la référence à la féodalité fournit une grille de lecture cohérente de l'*Ordo* dans sa globalité.

La première et la plus fréquente image féodale exploitée par l'*Ordo* est assurément celle de la guerre, qui fonde la relation pacifique puis houleuse entre Dieu et ses créatures. À l'origine théologique, celle-ci renvoie à la révolte des anges contre Dieu, rapidement rappelée par Adam: «Il volst traïr ja son seignor/ E so poser al des halzor», v. 288-9, mais aussi à la Descente du Christ aux enfers, scène à laquelle maints passages de l'*Ordo* font allusion[3]. L'image de Dieu correspondante est alors celle du seigneur «fort et poëtifs», v. 788, possesseur du monde comme d'un «[...] chastel, n'iert pas vilains», v. 760. À la tête d'une puissante armée, «cil iert sire de tote tere, / cil fera pais, destruira guere», v. 787-88, «Les son feel bien conduira, / ses enemis tost confundera», v. 823-4, «Li sire del host vos semont», v. 839. Cette guerre qui l'oppose aux «felons», v. 826, 866, 997, 1000, est reprise dans le Dit de la Sibylle, et développée dans un emprunt à la *Chanson de Roland*, v. 965-7. Enfin, la guerre entre Dieu et ses créatures fournit un réseau d'images cohérent pour présenter l'interdit et sa transgression. «Ne moi devez ja mais mover guere», v. 5: c'est parce qu'ils ne respectent pas cet ordre que la Figure condamne Ève, «Tost me començas de guerreer: / Poi tenis mes comandemens», v. 439-440, puis Caïn: «Es tu ja entré en revel? / Tu as comencié vers moi estrif», v. 722-3. Et c'est aussi comme une «guere», v. 619, que Caïn présente son différend à son frère, de sorte qu'on a pu interpréter la deuxième section du *Jeu d'Adam* soit comme la revendication légitime

---

[1] «The *Mystère d'Adam*: two Problems», *Modern Language Review* 34, 1939, p. 70-72.

[2] «"Who was then the Gentleman?" Social, Historical and Linguistic Codes in the *Mystère d'Adam*», *Studies in Philology* 79, printemps 1982, p. 101-121.

[3] Scène analysée *infra*, deuxième partie.

d'un vassal lésé par un autre auprès de son seigneur[1], soit au contraire comme la justification de cette hiérarchie sociale et divine fondamentalement inégale[2].

De fait, c'est également en tant que contexte historique que la féodalité éclaire d'un jour précis quelques moments de l'*Ordo*. Après les avoir entendus de la Figure, Adam se plie aux lois du pacte féodal, « Jugiez doit estre a loi de traïtor / Que si parjure e traïst son seignor », v. 110-111, avec un empressement qui lui vaut d'être qualifié de « frans », v. 223, et c'est à plaisir qu'il convoque l'image de la trahison, comme spectre, v. 198, 203, 279, 280, 287-8, puis comme sujet de lamentation, sous les formes variées du « mesfait » et du « mesfaire ». De plus, le « droiz de mariage », v. 37, énoncé par la Figure dans les premières scènes de l'*Ordo*, pourrait illustrer la récente mainmise de l'Eglise sur l'organisation et la législation de ce sacrement. Enfin, le fonctionnement du procès évoqué par Adam, selon lequel un plaignant peut demander à ses voisins de prêter serment pour défendre ses intérêts, correspond aux pratiques de la « compurgation » en vogue dans l'Europe féodale[3].

Cependant, ce pacte n'est-il pas fondé sur la paradoxale « hiérarchie d'égaux »[4] d'emblée rappelée par Ève ; et n'équivaut-il pas à être simple « provender », v. 175, ou « jardenier », de Dieu, v. 181, c'est-à-dire son esclave, auquel le seul respect de règles strictes assure la subsistance ? On a pu récemment dégager de l'*Ordo* une lecture critique des règles féodales, que ces

---

[1] Voir E. J. Mickel, « Faith, Memory, Treason and Justice in the *Ordo Representacionis Ade* (*Jeu d'Adam*) », *Romania* 112, 1991, p. 129-154.

[2] Voir William C. Calin, « Cain and Abel in the 'Mystère d'Adam' », *The Modern Language Review* 58, 1963, p. 172-176 ; Joseph Morsel, « Dieu, l'homme, la femme et le pouvoir : les fondements de l'ordre social d'après le *Jeu d'Adam* », dans *Retour aux sources. Textes, études et documents d'histoire médiévale offerts à Michel Parisse*, Monique Goullet *et alii* (dir.), Paris, Picard, 2004, p. 537-549.

[3] Carl Odenkirchen, *The Play of Adam (Ordo representationis Ade)*, Brookline & Leuden, Classical Folia Editions, 1976, p. 28.

[4] Selon l'expression de Jacques Le Goff, « Le rituel symbolique de la vassalité », dans *Pour un autre moyen âge. Temps, travail et culture en Occident*, Paris, Gallimard, 1977, p. 349-420, p. 383.

moqueries du Diable pourraient mettre au jour, en finissant par porter leurs fruits. Là encore, la Faute est exprimée avec le paradigme récurrent du « mesfaire » et du « mesfait », qui rythme les tirades d'Adam puis d'Ève, v. 338, 342, 348, 421, 460, 464, 559, 561, 562, 579, 581, 586, c'est-à-dire, comme la trahison du pacte féodal qui doit unir le seigneur et ses vassaux.

Surtout, ce pacte qu'il a accepté, et qui lui garantit le « chasement », v. 106, n'apporte-t-il pas une subsistance dont en tant que paysan il semble avoir besoin ? La vision d'Adam comme « vilains » a suscité certaines des interprétations les plus célèbres de l'*Ordo*, selon lesquelles ses réactions seraient la transposition littéraire de la « réalité » féodale. Ainsi, n'est-ce pas la perspective d'une aisance matérielle, qui sous la forme du « pru »[1], v. 129, réjouit l'Adam de l'*Ordo*, et éclaire les remarques matérialistes de l'opulent Caïn, comptant ses bêtes et refusant de perdre son bien : « De dis ne remaindront que noef ! / Icist conseil ne vealt un oef ! », v. 660-1 ? « Unches ne fis tant mal marchié », v. 326 : traduisant la Faute en termes matériels, l'Adam de l'*Ordo* confirme à maints égards la construction de ce texte autour des codes et conventions de la société féodale. Et de manière générale, l'usage de la féodalité comme élément structurant de l'action et des personnages de l'*Ordo Ade* ne fait aucun doute. Ce qui fait en revanche débat, c'est la raison, et la finalité pour lesquelles ces principes ont été convoqués dans le cadre de ce texte. Ajoutées à l'usage de l'anglo-normand, ces images venues de la société féodale suffisent-elles à donner à l'*Ordo Ade* un public avant tout laïque ? Certes, avec une « loi de mariage », édictée par le Dieu de l'*Ordo* sous une forme des plus restrictives, les clercs copistes de l'*Ordo Ade* ont pu s'affronter avec l'aristocratie, et lui rappeler que le mariage est devenu un sacrement sur lequel l'Eglise a désormais tout pouvoir[2]. À l'inverse, la représentation du péché comme analogue de la transgression du code féodal pourrait aussi refléter le consensus des classes

---

[1] Morgan, « "Who was then… », spéc. p. 108.

[2] *Ibidem*, p. 201-221 ; pour l'intégration de ce changement de statut dans les textes littéraires, voir Christopher N. L. Brooke, *The Medieval Idea of Marriage*, Oxford University Press, 1989, p. 119-143.

dirigeantes, clercs et aristocrates, contre l'émergence de la classe bourgeoise[1], voire des plus humbles. Ces derniers seraient alors représentés par le *sermo humilis* qu'Auerbach a discerné dans les répliques d'Adam et Ève[2] puis de leurs descendants, et que les analyses précédentes viennent confirmer.

Néanmoins, peut-on penser avec l'illustre critique allemand que « [la] représentation [du *Jeu*] s'adress[ait] au peuple », et qu'elle avait pour but de « pénétrer profondément dans la vie et la sensibilité de n'importe quel Français contemporain »[3] ? On ne refusera pas d'emblée aux classes laborieuses d'avoir assisté à une représentation du *Jeu*. Cependant, bien peu d'éléments soutiennent cette hypothèse, à commencer par l'anglo-normand, plutôt parlé par le clergé, la noblesse et les classes supérieures de la bourgeoisie émergente. Là encore, l'usage de cette langue fait-elle pour autant de ses locuteurs les destinataires privilégiés de l'*Ordo* ? Ainsi, présenter la Faute comme une conséquence de la maîtrise, diabolique, du langage courtois a pu fonctionner comme un contre-exemple, et illustrer les dangers de la courtoisie aussi bien pour les nobles que pour l'Eglise, les deux ayant tout à gagner de la stabilité de l'ordre féodal qui exclut alors la montée de la classe bourgeoise – et en elle, une partie du public de l'*Ordo* anglo-normand. La question d'un public de bourgeois et de paysans pour l'*Ordo* reste en suspens, mais elle est improbable.

Conclusion : un public de clercs

Mutatis mutandis, on se demandera si les classes dirigeantes laïques ont pu assister à l'office aussi interminable que raffiné retracé par le *Jeu*. Cela reste possible, dans le cadre d'une messe

---

[1] Conclusion de Wendy Morgan dans « "Wo was then… ».

[2] *Mimesis : la représentation de la réalité dans la littérature occidentale* (1946), traduit de l'allemand en 1968, Paris, TEL Gallimard, p. 161-163. Le « paltonier » d'Adam trouve de nombreux équivalents dans le lexique ou les tours familiers de Caïn, mais aussi la rhétorique de l'altercation du Défilé des prophètes, laquelle trouve un point d'application dans le dialogue entre Isaïe et *quidam de sinagoga*.

[3] *Ibidem*, p. 160-1.

exceptionnelle donnée dans l'église cathédrale[1], mais peu probable. L'on se fiera donc pour finir aux travaux les plus récents sur l'entourage liturgique de l'*Ordo*. Charles Downey a montré que la liturgie rare et complexe observée par ce texte était probablement mieux destinée au monastère qu'à la cité[2]. Le fait que la noblesse et la bourgeoisie puissent comprendre l'anglo-normand ne suffit donc pas à les désigner comme le public, laïque, de *l'Ordo Ade*. Et si l'on tient compte de cette langue, on peut aussi supposer que le clerc responsable du texte l'ait composé en anglo-normand pour mimer les écarts du monde laïc auprès du monde monastique qui était le sien, dans la tradition rhétorique et spirituelle de l'*exemplum*.

Copié après des performances de clercs, selon une disposition où la musique et le texte liturgique en latin donnent raison et sens à la langue vernaculaire, l'*Ordo Ade* semble donc témoigner de l'âge d'or d'un art liturgique produit par les clercs avant tout pour leur usage propre. Si le public laïc n'est pas exclu, il n'est probablement pas le premier destinataire de cette œuvre, dont l'ordonnance liturgique complexe est soulignée par son contraste avec la *Résurrection* qui ouvre le même manuscrit, un texte d'une taille, d'une langue, et d'un fonctionnement beaucoup plus proches d'autres drames liturgiques qui nous sont parvenus. En vertu de l'extension et de la *dispositio* de son bilinguisme, l'*Ordo Ade* signe le triomphe de la clergie sur la société laïque, par le verbe[3], latin, que les clercs savent seuls manier. Par conséquent, un public laïc, éduqué, reste évidemment possible. Mais étant donné la nature des textes travaillés, la conception de

[1] C'est l'avis de Robert Marichal, motivé par « la présence de chants latins », *Livret-Annuaire de l'EPHE* 1969-70, p. 379.

[2] Cet avis est motivé par l'analyse des répons chantés dans le *Jeu* : leur ordre et leur grand nombre correspond à l'usage des monastères plutôt que des églises cathédrales en Europe, « *Ad Imaginem Suam...* », 2002-2003, p. 109 et suiv.

[3] Dans « Clerical Propaganda in the Anglo-Norman *Representacio Ade* », *Philological Quarterly* 62, 1983, p. 241-251, Joseph A. Dane voit dans le Défilé conclusif des figures saintes « the rise of the clerical class ». Adepte d'une composition du *Jeu* en deux parties, il fait des prophètes les maîtres d'une parole qui échappe à Adam comme à Abel.

la langue vernaculaire aux XIIe et XIIIe siècles, et sa relation au latin dans le BM Tours 927, le destinataire de prédilection de l'*Ordo Ade*, c'est pour nous l'Eglise elle-même, des élites aux écoles[1].

Voix de l'Eglise, le latin des chants liturgiques rappelle que cette dernière est à la fois commanditaire et bénéficiaire d'un *Jeu*. Peut-on toutefois dire que *l'Ordo Ade* aurait pu se réduire au mime des didascalies latines, tant le latin chanté encadrerait jusqu'à l'étouffer l'action en langue vernaculaire[2] ? Ce serait accorder trop d'importance aux seuls gestes, si importants soient-ils dans les pratiques liturgiques médiévales[3]. L'*Ordo* est aussi œuvre de langage, où ces pratiques fonctionnent en contrepoint avec la langue vernaculaire. Ainsi, c'est peut-être dans le choc entre un texte qui consacre globalement la suprématie de l'Eglise et le fonctionnement propre aux parties en langue vernaculaire que l'originalité de l'*Ordo* se loge. Une assemblée de clercs, jeunes et vieux, assistent, frissonnants, à l'inéluctable : le péché originel, qui traverse la nature humaine et définit encore et toujours son identité, ses devoirs, son destin. Mais cette histoire, ils la connaissent parfaitement, et aucun des éléments pris séparément dans l'*Ordo Ade* n'est inattendu ni surprenant. Si dans le *Jeu d'Adam* le péché originel et ses suites ont pris une forme originale, aussi singulière et subtile que l'œuvre d'autres auteurs majeurs de l'espace Plantagenêt[4], c'est grâce aux usages que le manuscrit BM Tours 927 laisse percevoir, et qu'on peut regrouper sous la notion de performance.

---

[1] Sur la destination d'*Adam* aux écoles et à la jeune Université, propice aux échanges discursifs dont la pièce se ferait l'écho, voir Per Nykrog, « *Le Jeu d'Adam* : une interprétation », *Mosaïc* VIII/4, 1975, p. 7-16.

[2] C'est la conclusion de David Parker, « The two Texts of the *Jeu d'Adam* : Latin, Anglo-Norman and the clerical Message to the Aristocracy », *Medieval Perspectives* 9, 1994, p. 125-134.

[3] Voir Jacques Chailley, « La danse religieuse au Moyen Age », dans *Arts Libéraux et philosophie au Moyen Age*, Montreal/Paris, Institut d'Études Médiévales/Vrin, 1969, p. 105-122.

[4] Sur les liens de Marie de France avec le monastère de Barking, voir Carla Rossi, *Marie de France et les érudits de Cantorbéry*, Paris, Editions Classiques Garnier, 2009.

II

L'*ORDO REPRESENTACIONIS ADE* ET LA PERFORMANCE

Rite et *mimesis*

Si l'on accepte l'idée d'un corpus cohérent quoique hétérogène formé par les folios 1 à 46v° du BM Tours 927, ce manuscrit nous renseigne sur l'enregistrement par un milieu religieux, notamment musicien, de pièces dont les thèmes et la représentation ont un lien étroit mais mal identifié avec sa pratique de la liturgie. Que ce milieu ait destiné cette représentation précise à lui-même ou à des laïcs est finalement secondaire. L'essentiel, c'est que ces clercs, peut-être musiciens, ont produit des textes qui appelaient une représentation appréciable par leurs contemporains, lesquels étaient probablement leurs pairs. Ce qui retiendra donc maintenant notre attention, ce sont le ou les usages auxquels ils destinaient ces textes, et dont le plus accompli est assurément l'*Ordo Ade*. Autrement dit, pour quel type de représentation cet enregistrement singulier du péché originel et de ses suites a-t-il été effectué ?

Dans cette perspective, il convient d'interroger le rapport entre la représentation du *Jeu d'Adam* et celle des textes « par personnages » en langue vernaculaire copiés à la même époque. Il semble *a priori* difficile de rapprocher l'*Ordo Ade* des grands textes dramatiques du premier XIIIe siècle qui nous sont parvenus, et que sont le *Jeu de Saint Nicolas* ou *Courtois d'Arras*, voire de textes un peu plus tardifs, comme *Le Garçon et l'Aveugle*, le *Jeu de la Feuillée*, ou encore le *Miracle de Théophile* de Rutebeuf[1].

[1] Sur ce corpus, arrageois, voir Carol Symes, *A Common Stage. Theater and Public Life in Medieval Arras*, Ithaca/London, Cornell University Press, 2007.

Sujets, langues, auteurs, ou publics : séparés ou réunis, ces aspects écartent le corpus arrageois et la pièce de Rutebeuf du drame liturgique en général, et de l'*Ordo Ade* en particulier. Cependant, leur étude toujours séparée ne relève-t-elle pas avant tout d'une séparation entre théâtre religieux et théâtre profane, fruit d'une volonté taxinomique de longue date plutôt que d'une mise à l'épreuve des textes eux-mêmes ? Cette séparation a été formulée par Karl Young[1] et par E. K. Chambers[2], et affinée par Hardison, qui opposait les drames liturgiques traditionnels et les textes bilingues que sont la *Résurrection* et le *Jeu d'Adam*[3]. Elle a eu pour conséquence que toutes les pièces issues de la liturgie ont été considérées comme dépourvues de qualités esthétiques, de sorte qu'on[4] pouvait conclure à une opposition systématique entre l'esthétique et le liturgique, entre une représentation de type théâtral et le « rendre présent » de toute pratique liée à la liturgie.

Par conséquent, le problème posé par une enquête sur l'usage de *l'Ordo Ade* relève d'abord de l'historiographie critique. Selon la plupart des études, le rite ne peut s'apparenter au théâtre, ni le drame liturgique, relever de pratiques spectaculaires[5]. Capitales, ces approches ont peut-être reposé sur une étude des pièces qui place en son centre les sources et les contenus au détriment de leur finalité. Or, n'est-il pas hasardeux d'opposer les tropes liturgiques et le sermon développé qui composent l'*Ordo Ade* à ces *Vies* de saints ou à ces paraboles mises en récit que sont aussi le *Miracle de Théophile*, *Courtois d'Arras*, ou le *Jeu de Saint Nicolas* ? *Vies*, tropes et paraboles recherchent tous l'édification,

---

[1] *The Drama of the Medieval Church*, vol. 2, p. 397-426.

[2] Sous la forme d'une opposition entre « folk drama » et « religious drama », respectivement traités dans les deux volumes de *The Mediaeval Stage*.

[3] *Christian Rite and Christian Drama*, spéc. p. ix, et p. 221-283.

[4] Robert Guiette, « Réflexions sur le drame liturgique », *Mélanges offerts à René Crozet*, éd. Pierre Gallais et Yves-Jean Riou, Poitiers, 1966, 2 tomes, tome 1, p. 197-202.

[5] Voir aussi Renée Foatelli, dans *Les Danses religieuses dans le christianisme*, Paris, Spès, 1947, qui malgré l'originalité et la pertinence des exemples qu'elle a rassemblés, conclut à des « danses d'église », mais aussi à l'impossibilité de concevoir une danse liturgique », c'est-à-dire « intégrée au rite », p. 101-103.

même s'ils sont composés par des milieux et pour des publics différents. Quant à la dimension sociale et politique dont la pièce de Jean Bodel et le corpus d'Adam de la Halle se font assurément le reflet, elle n'exclut en aucune façon la visée spirituelle et édifiante de leur propos.

La notion de performance forme une catégorie transversale d'approche de ces textes, qui tient compte à la fois de leur contenu et de leur usage. De nature anthropologique, elle ne néglige pas l'origine liturgique des textes, mais elle prend également en compte les pratiques gestuelles, essentielles dans les communautés religieuses comme pour la société laïque médiévale[1]. Catherine Dunn a démontré la continuité de la performance entre pratiques antiques et médiévales du jeu, en suggérant l'emprunt par les milieux liturgiques de pratiques séculières, venus du mime romain[2]. Et au sein de la production dramatique médiévale elle-même, Michel Rousse a montré la continuité des pratiques de jeu entre le siècle et le monastère[3]. Mettre la performance au centre du drame liturgique relève donc d'une confiance dans le pouvoir éducateur plutôt que sidérant de l'image parlante et en mouvement. Si elle n'est pas neuve dans l'histoire du christianisme[4], cette confiance est à la fois entretenue et renouvelée par l'*Ordo Ade*. Dans ce texte, des dialogues se nouent, des monologues et des chants leur répondent, selon un dessin souple et riche qui n'oublie jamais son but : la méditation sur la fable adamique, ses suites, et leurs conséquences pour le sort de l'humanité. Traduisant la liturgie et la typologie en gestes et en paroles, la performance renforce la portée édifiante de cette fable, pour favoriser cette méditation.

---

[1] Voir Paul Zumthor, *La Poésie et la Voix dans la Civilisation Médiévale*, Paris, PUF, 1984, p. 47-8.

[2] Dans *The Gallican Saint's Life and the Late Roman Dramatic Tradition*, spéc. p. 46-72.

[3] *La scène et les tréteaux. Le théâtre de la farce au Moyen Âge*, Orléans, Paradigme, 2003, spéc. « Le *Jeu de saint Nicolas* : du clerc au jongleur », p. 127-143, et « L'Acteur au Moyen Âge, Xe-XIIIe siècles : vers l'intériorisation du jeu », p. 145-165.

[4] Voir Jody Enders, *Rhetoric and the Origins of Medieval Drama*, Ithaca/London, Cornell University Press, 1992, spéc. p. 19-54.

Mais de quelle performance s'agit-il ? Et quels sont ses liens avec la conception moderne du jeu « par personnages », dont on trouverait la trace dans les textes médiévaux, et qui depuis les travaux de Jodogne est désignée par le néologisme de « personnation »[1] ? Si les portions dialoguées de l'*Ordo Ade* s'apparentent à première vue à ce type de jeu où chaque personnage est pris en charge par un acteur pour dessiner les aspects principaux de l'action dramatique, les monologues du Défilé, *Dit des Quinze signes* compris, semblent ne guère y trouver de place ; et c'est le second aspect du problème historiographique soulevé par une enquête sur l'usage de l'*Ordo Ade*. Dans *From Art to Theatre*[2], Kernodle défendait la procession comme forme caractéristique de l'art médiéval, que la perspective et l'illusion auraient corrigée à la Renaissance. Mais Elie Konigson l'a raillé[3], parlant d'esprits « épris de primitivisme », qui n'auraient pu imaginer d'action médiévale autre que processionnelle, notamment pour l'*Ordo Ade*, avant que Jean-Charles Payen[4] ne suggère que ce texte relevât d'une dramaturgie mixte, unissant « un théâtre du dialogue et du mouvement » à une « dramatologie de la succession » dominante.

Si cette dernière approche faisait déjà du *Jeu d'Adam* un dispositif esthétique, la procession y demeurait une pratique étrange, et étrangère au jeu « par personnages ». Et c'est même dans le respect de cette étrangeté, qui juxtapose le dialogue et la procession, qu'on peut qualifier ce texte de composition « romane »[5].

---

[1] Voir « Recherches sur les débuts du théâtre religieux en France », *Cahiers de Civilisation médiévale* 8, 1965, p. 1. Ce terme est la traduction du concept d'« impersonation » adopté par la critique anglaise depuis Karl Young, *The Drama of the Medieval Church*, vol. 1, p. 80, qui en faisait le trait distinctif du texte de théâtre.

[2] Chicago, University of Chicago Press, 1944, p. 17.

[3] *L'espace théâtral médiéval*, Paris, CNRS, 1975, p. 275.

[4] « Idéologie et théâtralité dans le *Jeu d'Adam* », *Études anglaises* 25/1 1972, p. 19-29.

[5] Le *Jeu* illustre alors les « successions de structures » présentées par Paul Zumthor comme le propre du « roman » dans « "Roman" et "gothique" : deux aspects de la poésie médiévale », *Studi in onore di Italo Siciliano*, Florence, 1966, p. 1223-1234. Voir discussion de Maurice Accarie, *Le Théâtre sacré*, 1979, p. 47-9.

Cependant, peut-on considérer la dimension processionnelle de l'œuvre d'art médiévale en général et le Défilé des prophètes de l'*Ordo Ade* en particulier autrement que comme une forme d'incarnation primitive et obsolète ? Répondre à cette question suppose d'interroger l'opposition entre dialogue et monologue, entre action et procession, qui semble rythmer l'ensemble de ce texte, afin de reconsidérer la possibilité d'un lien entre pratiques liturgiques et jeu dramatique, entre rite et *mimesis*. Autrement dit, peut-on déceler dans la totalité de l'*Ordo* une *mimesis* cohérente, où ces formes se répondent ?

Les analyses regroupées dans les pages suivantes procèdent d'une nouvelle transcription des folios 20 à 46v° du manuscrit Tours BM 927, qui selon nous constituent l'*Ordo representacionis Ade*. Pour la distinguer au plan méthodologique des nombreuses éditions critiques de ce texte célèbre, nous la désignons comme une « transcription critique ». Elle est fondée sur l'observation de certains aspects de l'enregistrement manuscrit de ce texte. Matériels et formels, ceux-ci n'ont pas retenu l'attention de la critique, littéraire ou éditoriale, autant que l'étude de la langue ou l'analyse des contenus, et ils ont pu être ignorés voire corrigés, dans le cadre de démarches éditoriales dont l'objectif était d'établir un texte correct et lisible, selon des critères qui reléguaient au second plan la question de son usage. D'abord, comment les dialogues permettent-ils de percevoir l'organisation de l'espace et le fonctionnement d'un jeu, qui vaut pour eux comme pour les monologues ? Ensuite, comment la didascalie, la rime et le mètre peuvent-ils être considérés comme des indices matériels, qui structurent et affinent ce jeu ? Tous ces éléments composent la partition d'une performance à géométrie variable. Ensemble, ils forment le fondement d'une *mimesis* qui constitue l'horizon pratique et esthétique du *Jeu*.

Attentive aux particularités du manuscrit de Tours BM 927, c'est d'une nouvelle façon que cette transcription critique et son commentaire souhaitent accorder au *Jeu d'Adam* une place de choix dans l'histoire du théâtre français. Cette place est fondée sur la mise au jour des usages possibles de ce manuscrit. Entre jeu « par personnages » et lecture méditative, ces derniers réunissent les aspects d'une performance qui actualise de manière variée les principaux éléments de la *mimesis* de l'*Ordo*. Sans être isolé à son époque[1], ce texte constitue alors l'un des témoignages les plus frappants et les plus anciens d'une performance médiévale dont seuls quelques manuscrits ont laissé la trace.

L'ESPACE DE L'*ORDO ADE*

L'espace dans le dialogue

Si le *Jeu d'Adam* doit donner lieu à une performance « par personnages », où était-il destiné à être joué ? Les nombreuses propositions qui ont été faites consistent à imaginer une application concrète des didascalies en latin qui accompagnent les dialogues. Celles-ci évoquent des lieux, en des termes qu'on peut souvent déchiffrer comme relevant de l'architecture religieuse. Comment comprendre *l'ecclesia*[2], le *chorus*[3] ou les *portas*[4] qu'à maintes reprises les protagonistes devraient désigner ou franchir selon les didascalies, sinon comme des références à tout ou partie de l'espace ecclésial ? Contenues dans le sens des verbes ou dans les prépositions *in, ab*, ou *ad*, les indications d'entrée et de sortie ne doivent-elles pas être prises au sens propre ? Entre brèves notes et longues pages inspirées, de très nombreux critiques ont essayé d'imaginer une mise en scène fidèle aux consignes

[1] Pour des analyses analogues sur d'autres manuscrits, et notamment sur les jeux « par personnages » du manuscrit Paris, BnF, fr. 25566, de la fin du XIIIe siècle, voir V. Dominguez, « Prologues, rimes, personnages dans *le Jeu de Saint-Nicolas* de Jean Bodel, *Le Jeu de la Feuillée* et *Le Jeu de Robin et Marion* d'Adam de la Halle », dans *Styles, genres auteurs*, Paris, PUPS (Presses Universitaires de Paris-Sorbonne), 2008, p. 11-32 ; et « Textes et images de quelques *Jeux* d'Arras : réflexion sur les acteurs du manuscrit BnF fr. 25566 », *Mélanges offerts à Michel Rousse*, Denis Hüe, Marie Bouhaïk-Gironès et Jelle Koopmans (dir.), Paris, Garnier, 2011, p. 155-177.

[2] Cinq occurrences : av. 1, av. 112, av. 512, av. 721, av. 742.

[3] Sept occurrences : av. 1, av. 88, av. 100, av. 386, av. 512, av. 721, av. 742.

[4] Trois occurrences : av. 204 (*portas inferni*), av. 512 (*portam paradisi*), av. 853 (*portas ecclesie*).

données par ces didascalies[1]. Du XIXe au XXe siècle, l'hypothèse majeure est alors celle d'un jeu en extérieur, le plus souvent sur le porche occidental de l'église, ou devant la porte latérale du transept sud[2]. Laissées ouvertes, les portes de l'église auraient permis au *chorus* installé dans le chœur de même nom selon la didascalie *legatur in choro lectio*, av. 743, de se faire entendre du public massé à l'extérieur.

Ce qui frappe dans ces hypothèses, c'est qu'elles sont fondées sur le postulat, déterministe et téléologique, de l'abandon de la nef, où sont représentés les drames liturgiques, pour le parvis, puis la place publique, où se donnaient les mystères en moyen français correspondant à la documentation majoritairement utilisée par Gustave Cohen pour composer son *Histoire de la mise en scène du théâtre religieux*. L'hiatus temporel qui sépare cette documentation de l'*Ordo* est relégué au second plan, au bénéfice de la diglossie qui tire ce texte vers les productions ultérieures, uniquement en langue vernaculaire. Bien entendu, ce postulat a été remis en question en même temps que l'évolutionnisme du théâtre médiéval; mais l'hypothèse d'un *Ordo Ade* joué en extérieur n'en a pas moins survécu[3]. Au plan symbolique, franchir les portes de l'église, c'est alors entrer dans le paradis céleste, ou bien en être chassé[4]. Mais c'est aussi être intégré ou rejeté de l'espace auquel aspirent tous les pénitents de la Septuagésime[5].

L'autre élément frappant, c'est le réalisme du décor et des déplacements ainsi supposés. Cependant, postuler pour l'*Ordo Ade* des *mansions* de paradis ou d'enfer, n'est-ce pas effectuer une confusion entre l'espace dramatique et une représentation

---

[1] Voir Sepet, *Le Drame chrétien au Moyen Age*, p. 121-8 (analyse du *Jeu d'Adam* jusqu'à la p. 158); Cohen, *Histoire de la mise en scène dans le théâtre religieux français du moyen âge*, p. 52-3. Pour une synthèse des critiques jusqu'à son article, voir Frank, « The Genesis and Staging... », p. 7-17.

[2] Solution retenue par Grace Frank, parce qu'elle diminuait la distance entre le public et le chœur dirigé par son lecteur, *ibidem*, p. 12.

[3] Voir Michel Mathieu, « La mise en scène du *Mystère d'Adam* », p. 47-56; Muir, *Liturgy and Drama*, p. 27 et suiv.

[4] Frank, « The Genesis and Staging... », p. 15.

[5] Bruce A. McConachie, « The Staging of the *Mystère d'Adam* », *Theatre Survey* 20, n° 1, mai 1979, p. 27-42.

matérielle qui assimile ce dernier au décor et aux accessoires ? Ainsi, il s'agit souvent pour les reconstitutions de mises en scène d'exploiter les hauteurs relatives du parvis ou de l'église[1], voire de chercher une saison propice à la mise en scène de l'*Ordo* : l'été[2] n'aurait-il pas apporté plus facilement les fleurs fraîches et le feuillage verdoyant de la didascalie initiale et favorisé l'hypothèse d'un jeu en extérieur, surtout si le texte a été conçu en Angleterre ?

Comme on l'a également souligné[3], ces tentatives de reconstitution des didascalies latines demeurent à bien des égards incohérentes. Ainsi, comment imaginer les entrées et les sorties de l'église, du paradis, de l'enfer ? Quel sens donner à *platea(s)*[4] et à *populum*[5], à part celui d'espace ou de public, parmi lesquels les démons ou le Diable circulent ? Pour remédier à ces difficultés, Willem Noomen a suggéré une lecture plus abstraite et stylisée de cet espace, en donnant à *ecclesia* le sens métonymique d'« autel »[6], et il a proposé une mise en scène de *l'Ordo* dans l'église[7]. Cette suggestion supprimait la difficulté majeure du jeu en extérieur, à savoir une audition correcte des répons et des dialogues par le public massé à ses portes. Elle simplifiait aussi la question des déplacements, en les imaginant effectués au sein de l'espace ecclésial, sans que leur forme précise soit pour autant dégagée. Généralisant cette approche stylisée, Maurice Accarie a proposé qu'*ecclesia* et *sinagoga* désignent respectivement des groupes d'acteurs[8], l'importance d'un jeu en intérieur ou en extérieur devenant alors toute relative.

---

[1] Voir synthèse de Frank « The Genesis... », p. 12-14.

[2] *Ibidem*, p. 11 ; Muir, *Liturgy and Drama*, p. 25.

[3] *Ibidem*, p. 23-50.

[4] Trois occurrences : av. 112 (*per plateas*), av. 172 (*per plateam*), av. 589 (*per plateas*).

[5] Deux occurrences : av. 204 (*per populum*), av. 314 (*a populo*).

[6] Noomen, « Le *Jeu d'Adam*. Étude descriptive... », 1968, spéc. « Note sur la représentation », p. 190-193, et ici, p. 192.

[7] Cette hypothèse a également été défendue par Tony Hunt, « The Unity... », 1975, p. 526, et Maurice Accarie, *Le Théâtre sacré...*, 1979, p. 45.

[8] Accarie, « La mise en scène du *Jeu d'Adam* », spéc. p. 5.

La lecture de l'espace de l'*Ordo* qui suit relève également de la stylisation. Mais contrairement aux précédentes, elle s'appuie sur le texte en langue vernaculaire et non sur les didascalies latines. Formé par des groupes d'acteurs, par leur disposition relative et par leurs déplacements, l'espace du *Jeu* est d'abord indiqué par les dialogues, dont les didascalies latines ne font que confirmer les indications. Cette lecture conforte l'hypothèse selon laquelle les didascalies, qui semblent donner des indications précises de l'espace où le *Jeu* devait se dérouler, peuvent avoir été composées après les passages en langue vernaculaire. Cependant, avec ou sans cette hypothèse, elle souligne surtout la qualité dramatique propre à la *mimesis* de ce texte « par personnages », et plus généralement, du texte de théâtre médiéval, fondé sur l'usage du texte (de théâtre) plutôt que de son paratexte[1]. Dans l'*Ordo* comme dans tout texte dramatique, les didascalies accolées aux échanges entre les protagonistes ne sont rien de plus que l'une des formes possibles de ces échanges. En l'occurrence, pour l'*Ordo Ade*, cette forme peut avoir été celle d'un spectacle transcrit par le copiste du manuscrit tourangeau aussi bien qu'elle peut en avoir dessiné le programme. Dans les deux cas, les contours de ce spectacle sont précisés au moyen des didascalies latines, de valeur prescriptive variable[2]. Suggérées par les dialogues en anglo-normand, confirmées par les didascalies latines, ces indications constituent autant d'hypothèses valides, mais non exclusives, pour un espace avant tout conventionnel où organiser le *Jeu*.

[1] Nous rejoignons l'approche de Michael Issacharoff qui relativise l'importance des didascalies dans la construction de l'action dramatique. Voir « Voix, autorité, didascalies », *Poétique* 96, 1993, p. 463-474 et *Le Spectacle du Discours*, Paris, Corti, 1985, avec ses remarques corrosives sur la « didascalecture », spéc. p. 25-40.

[2] Voir l'approche linguistique des diverses modalités prescriptives de la didascalie par Sanda Golopentia, « Une théorie pragmatique de la parole, du silence et de l'intersubjectivité au théâtre », dans *Les propos spectacle. Études de pragmatique théâtrale*, S. Golopentia dir., New York/Washington, Peter Lang, 1996, p. 1-41 ; et Thierry Gallèpe, *Didascalies : les mots de la mise en scène*, Paris, l'Harmattan, 1997, qui propose de multiples critères de classement de la didascalie selon son degré de prescription.

L'espace « par personnages » : *ecclesia* et *synagoga*

Quidam de sinagoga et Judei

Le premier argument en faveur d'un espace façonné par le seul dialogue repose sur la résolution d'une abréviation : celle des didascalies indiquant le nom des protagonistes qui se répondent entre les vers 882 et 911. Noomen proposait déjà que *sinagoga* représente un groupe d'acteurs ; mais pour lui comme pour les éditeurs précédents, seul l'un d'entre eux s'avance pour dialoguer avec Isaïe[1]. Cependant, le nombre des personnages impliqués dans ce dialogue et supposés par l'expression latine *quidam de sinagoga*, où le pronom indéfini peut être singulier comme pluriel, pose un problème, qu'une nouvelle transcription, conforme à la lettre du manuscrit et à la construction de l'action, permet de résoudre.

Tous les éditeurs ont corrigé les didascalies commençant par *Jud—* en *Judeus*, qu'elles soient écrites en toutes lettres comme au folio 39, ou abrégées comme au folio 39v°. Or, ces abréviations peuvent être résolues en *Judeus* comme en *Judei*. De plus, deux occurrences de la didascalie ont été copiées en toutes lettres : la seule fois où cela est possible, c'est alors *Judei* qu'on lit, après le v. 893, au folio 39, car après le v. 901, une tache d'encre rend la lecture de la terminaison du mot difficile. Par conséquent, la lettre du manuscrit, quand elle est lisible, invite à la résolution du mot en pluriel plutôt qu'en singulier, ce que nous avons choisi pour l'ensemble des didascalies commençant par *Jud—*. Grass et Noomen qui eux aussi ont lu *Judei*[2], ont néanmoins choisi de transcrire *Judeus*, probablement pour conformer l'*Ordo Ade* à la tradition de controverse judéo-chrétienne dont cette scène est inspirée, et où ce type de dialogue est pris en charge par seulement deux protagonistes[3].

---

[1] Noomen, « Le *Jeu d'Adam*. Étude... », p. 193.

[2] Grass (1891), p. 49-50 ; Noomen, 1971, p. 81.

[3] Dahan, « L'Ancien Testament... », p. 90-96 ; Jennifer R. Goodman, « *Quidam de Sinagoga* : the Jew of the *Jeu d'Adam* », *Medieval Cultures in contact*, Richard F. Gyug éd., New York, Fordham University Press, 2003, p. 161-187.

Nous ne saurions ignorer les objections possibles à cette hypothèse. « Ore me respon, sire Ysaias », v. 881, le premier vers semble n'impliquer qu'un seul contradicteur à la prophétie d'Isaïe, de même que les vers 893 et 895, qui commencent tous deux par « Tu me sembles », ou encore les vers 898, 901 et 902, conjugués à la première personne. Mais à l'opposé, la résolution de cette abréviation par un pluriel est confortée par l'adresse fréquente aux *Judei* dans le reste du Défilé. Ainsi, quelques-uns des prophètes s'adressent au public en le désignant comme *Judei*, tel Salomon, « Judeu, a vus dona Dex loi », v. 789, Daniel : « A vus Judei di ma raison, / Qui envers Deu estes trop felon », v. 825-6, ou encore Jérémie, qui dénonce non sans violence les aspirations de cette « scole », v. 853-8. C'est donc en tant qu'adaptation fidèle du sermon pseudo-augustinien *Vos, inquam, convenio, o Judei*, av. 743, que la résolution de *Jud—* en *Judei* s'impose.

Surtout, ce qui prévaut sur la grammaire, c'est la logique visuelle et sonore globale qui donne son unité à l'*Ordo*. Dialogues et monologues en langue vernaculaire sont en effet rythmés par un *chorus*. Mais ce terme ne peut-il désigner que le chœur d'une église, c'est-à-dire la partie située entre l'autel et le chevet, dans laquelle les chanteurs seraient installés ? Nous préférons comprendre *chorus* comme un personnage collectif, c'est-à-dire comme un ensemble de chanteurs qui interprète à plusieurs voix les sept répons extraits de la liturgie de la Septuagésime. Et par analogie avec le fonctionnement des *Judei*, qui s'avancent à plusieurs de la *sinagoga* pour répondre à Isaïe, nous proposons de considérer le *chorus* comme la partie la plus active du groupe antagoniste de la *sinagoga* : *ecclesia*. *Sinagoga*, *Ecclesia* : devenues allégories[1], ces figures donnent lieu quelques siècles plus tard à une véritable « scène à faire » du théâtre religieux français[2]. Pour l'heure, le pluriel de *Judei* ne fait que répondre à l'usage liturgique d'un *chorus* où s'unissent plusieurs

---

[1] Arié Serper, « Le débat entre Synagogue et Église au XIIIe siècle », *Revue des Études Juives* CXXII, 1964, p. 307-333.

[2] Moshe Lazar, « Enseignement et spectacle. La *disputatio* comme "scène à faire" dans le drame religieux français du Moyen Âge », *Scripta Hierosolymitana* 19, 1967, p. 126-151, spéc. p. 133-4.

voix. Par conséquent, l'*Ordo Ade* donne à l'antagonisme entre *ecclesia* et *sinagoga* une forme ancienne, et collective, dans laquelle le *chorus* est le sous-ensemble chanteur d'*ecclesia*, et les *Judei*, le sous-ensemble locuteur de *sinagoga*.

Pour poursuivre l'analogie avec la liturgie, un chef peut être trouvé à la fois à l'*ecclesia* et au *chorus* de l'*Ordo Ade*, en la personne de la Figure. Cette hypothèse nous a conduite à conserver aussi quelques-unes des didascalies latines du manuscrit fréquemment corrigées. *Cum fuerit extra paradisum, Figura manu eos demonstrans versa facie contra paradisum, et eorum incipiet R) Ecce Adam quasi unus [...]* ap. 517 : dans cette didascalie, *fuerit* est la plupart du temps remplacé par *fuerint*, et *eorum*, par *corum*. Si l'on conserve les termes enregistrés par le copiste, la didascalie crée un tableau visuel et sonore éloquent, où *fuerit* pourrait se rapporter à Chérubin, tout juste installé aux portes du paradis, et où *eorum* répond à *eos* pour désigner Adam et Ève, *tristes et confusi*. Dès lors, c'est à leur sujet que la Figure entonne la première le commentaire chanté du répons : *et eorum incipiet R)*. Elle occupe alors le rôle de chef de chœur, fonction qui lui est à nouveau confiée au moment du Défilé des Prophètes, av. 743. Là encore, Figura est le seul sujet singulier et actif (*Tunc Figura ibit)*, par opposition aux *diaboli* et aux *prophete*. Pourquoi ne prendrait-elle pas en charge la *lectio* du *Vos inquam convenio* qui suit ? Dans cette perspective, la didascalie *Et vocat eum per nomen prophete*, lui revient également, puisque ce sermon consiste à appeler les prophètes par leur nom. Il devient dans ce cas inutile de faire de *vocat* un *vocant*, voir un *vocantur*. Au plan historique, l'acteur unique qui prendrait alors en charge le sermon pseudo-augustinien n'est pas sans rappeler le prédicateur de la version de Salerne, c'est-à-dire une incarnation d'Augustin lui-même, considéré comme l'auteur de ce texte au Moyen Âge[1].

[1] Marius Sepet décrit un rôle analogue attribué à l'évêque d'Hippone dans le Défilé des prophètes qui sert de prologue à la *Nativité* de Munich du XIIIe siècle (*Les Prophètes du Christ*, p. 149-151). Voir Gustave Cohen, *Histoire de la mise en scène*, p. 34. Willem Noomen évoque aussi le *Lector* de Salerne ; mais c'est pour lui préférer les *Appellatores* ou *Vocatores* des *Ordines* de Saint-Martial, Laon ou Rouen, et justifier la correction du singulier *vocetur* en pluriel *vocentur*, « *Le Jeu d'Adam*. Étude... », p. 152-3.

Au plan dramatique, en dirigeant les acteurs du Défilé comme il a dirigé les chanteurs du *chorus*, la Figure participe à la mise en place de l'espace où l'*Ordo Ade* peut se dérouler.

Apparue sous les traits du *Salvator*, et à ce titre, revêtue de la dalmatique (*indutus dalmatica*) selon la didascalie initiale, la Figure endosse plus loin le costume qui fait d'elle le juge courroucé de la Faute, *veniet Figura stola habens*, av. 386, dans un geste qui lui permet à la fois de sortir du groupe formé par l'*ecclesia* et de revêtir ce nouvel insigne. Cependant, une fois revenue – et *Figura regredietur ad ecclesiam*, av. 517 –, la Figure ne regagne-t-elle pas aussi le statut de Sauveur qui la définit et qui confirme sa définition théologique, comme chef du groupe qu'elle vient retrouver[1] ? Compatible avec le nom de *Figura* que lui donnent les didascalies, ce statut éclaire la dimension christologique de l'*Ordo Ade* d'une manière nouvelle. Plutôt que de chercher dans les correspondances typologiques entre les sections de l'*Ordo* une unité théologique qu'on peut toujours infirmer, le fait de prendre en compte la direction du *chorus* et de l'*ecclesia* par la Figure éclaire l'usage de ce texte dans le cadre d'une performance. Chef du chœur et de l'Église, ce personnage y occupe de manière aussi simple que convaincante la fonction de Sauveur. Sans oublier la théologie, la Figure de l'*Ordo Ade* prend sens et force en participant de manière active à l'organisation de son espace de jeu.

« Groupe des Juifs » et « groupe des Chrétiens »

Transcrire la didascalie *Judei* comme un pluriel, et traduire comme nous l'avons fait *sinagoga* et *ecclesia* par « groupes des Juifs » et « groupes des Chrétiens », le dernier étant dirigé par une Figure incarnant le Sauveur, c'est donc comprendre l'espace de l'*Ordo* comme un lieu qui tire son sens de la répartition des protagonistes en deux groupes principaux d'acteurs. Quel que soit l'endroit où ces groupes se trouvent, ce qui importe est leur

---

[1] Voir R. E. Kaske, « The Character Figura in *Le Mystère d'Adam* », *Mediaeval Studies in Honor of Urban Tigner Holmes Jr*, John Mahoney et John Esten Keller éd., Chapel Hill, University of North Carolina Press, p. 103-110.

position respective, et séparée. C'est cette séparation qui représente de manière symbolique l'opposition entre l'Ancienne et la Nouvelle Loi. Selon cette perspective, rien n'empêche tout ou partie du groupe des *Judei* de prononcer, à l'unisson, les répliques qui sont dévolues à certains d'entre eux, que ce soit à la première ou à la quatrième personne. De même, rien n'empêche tout ou partie du groupe formant l'*ecclesia* de se joindre au *chorus* interprétant les répons.

Cette approche apporte à la question des espaces nécessaires à la mise en scène du *Jeu* une solution à la fois symbolique et pratique. Symbolique, car la démonstration de la rencontre entre les deux Lois et du triomphe du Dieu chrétien constitue l'objectif majeur d'un texte qui convoque des personnages de l'Ancien Testament, du Défilé des prophètes aux plaintes d'Adam et Ève, pour les placer ensemble dans l'attente du salut. Pratique, car la représentation concrète du *Jeu* peut alors reposer sur la seule séparation, visuelle et spatiale, de deux groupes d'acteurs potentiels. C'est cette séparation qui donne une forme et un sens à l'espace de l'*Ordo*. Partant, ce dernier peut avoir été joué dans l'espace ecclésial, et les deux groupes, occuper les deux côtés de la nef, ou le centre et une travée, ou encore deux travées. Mais il peut aussi avoir été joué dans tout autre espace. La souplesse des espaces ainsi ménagés par les dialogues de l'*Ordo*, qui en fait un texte à la dramaturgie variable et féconde, a probablement contribué à la perception de ce texte comme d'un jalon important de l'histoire du théâtre européen. Celle-ci est vérifiée par ses fréquentes mises en scène, organisées dans des lieux très divers[1]. Cependant, au XIIIe siècle, on supposera qu'étant donné l'importance cruciale de la liturgie dans la composition de ce texte, celui qui en a effectué la copie imaginait plutôt un espace ecclésial pour sa mise en scène.

---

[1] Sur quelques mises en scène contemporaines, voir V. Dominguez, « D'Oberammergau au *Jeu d'Adam* : le sacré à l'épreuve du médiévalisme », *Médiévalisme, modernité du Moyen Âge (Itinéraires LTC*, 2010-3), Vincent Ferré dir., L'Harmattan, 2010, p. 113-123.

Paradis imaginaire ?

Dès lors, comment se représenter le paradis, dont l'octroi puis la perte constituent l'enjeu de la première section de l'*Ordo* ? Dans la tradition dramatique postérieure au *Jeu*, le paradis est une *mansion* parfois très élaborée, construite de toutes pièces à l'occasion du spectacle[1]. Au plan des dates et des archives, rien ne permet de penser qu'un tel décor ait existé au moment où le *Jeu* a été composé et copié, et par souci de vraisemblance chronologique, on ne saurait donner au paradis de l'*Ordo* des formes attestées essentiellement pour les représentations des XVe et XVIe siècles. Mais surtout, ce texte semble pouvoir faire l'économie d'une telle recherche. En effet, le *paradisum* y est déterminé par un troisième groupe d'acteurs : Adam et Ève, et plus précisément, par leurs dialogues avant la Faute. Le fonctionnement de ce groupe restreint, qui fait exister une partie de l'espace théâtral par convention, rejoint ainsi celui des deux groupes d'acteurs formés par *sinagoga* et *ecclesia*.

La bipartition par convention

Abondamment commentée, la didascalie qui ouvre l'*Ordo* décrit un espace dont on ne soulignera jamais assez l'étrangeté : *Circumponantur cortine et panni serici, ea altitudine it persone, qui in paradiso fuerint, possint videri sursum ad humeris*, à la faveur de soyeux voilages, mais aussi d'une certaine hauteur ou profondeur, selon le sens qu'on voudra bien donner au mot *altitudo*, les premiers hommes ne sont qu'à demi visibles. Cette curieuse configuration a ses avantages : Adam après la Faute peut se pencher, disparaître aux yeux du spectateur pour son changement de costume, av. 314 : *et inclinabit se, non possit a populo videri. Et exuet sollempnes vestes, et induet vestes pauperes consutas foliis ficus.* Correspond-elle à une mise en scène

[1] Voir Cohen, *Histoire de la mise en scène*, p. 91-2. Pour une collection d'exemples plus récente, voir Peter Meredith et John E. Tailby, *The Staging of Religious Drama in the Later Middle Ages : Texts and Documents in English Translation*, Early Drama Arts, and Music, Monograph Series 4, Kalamazoo, Medieval Institute Publications, 1983.

précise, dont le scribe aurait été le spectateur ou le concepteur ? *Loco eminenciori, in ea altitudine* : on est alors tenté d'imaginer que dans un espace ecclésial roman, pour suivre l'indication de cette hauteur et de cette profondeur relatives au public, le paradis pouvait être installé dans une galerie, dont la balustrade ornée d'étoffes permet de réaliser la curieuse configuration décrite, fleurs et branchages y étant alors installés pour l'occasion… Cependant, si l'élévation relative de ce lieu est souhaitable sans être obligatoire[1], *odoriferi flores et frontes, [et] diverse arbores et fructus in eis dependentes*, mentionnés dans la didascalie initiale, le sont-ils également ? Pour que le péché ait lieu, une branche suffit, pour suspendre un fruit à désigner[2], contempler[3], cueillir[4], et mordre[5] ! Plus précisément, d'après les dialogues, seuls deux « arbres », réalistes ou stylisés, suffisent à représenter le « fruit de sapience », abondamment évoqué depuis le vers 101[6], et « li fruit de vie », v. 515, dont les premiers hommes sont séparés après la Faute. *Constituatur paradisus* : avec ce verbe, l'*incipit* de l'*Ordo* révèle surtout le caractère conventionnel de la mise en espace du *Jeu*, dans un lieu institué, choisi et désigné comme tel[7]. Mais cette convention d'un paradis aux formes minimales et suffisantes à la représentation des principales phases de l'action qui mène à la Faute, se situe moins dans les didascalies latines que dans les échanges entre Adam, Ève et la Figure.

On a vu comment un paradis en deux espaces trouve sa source dans des légendes apocryphes autour de l'Ancien Testament[8]. Cependant, cette bipartition de l'espace relève avant tout d'une convention. Indispensable au bon déroulement de l'action, celle-ci est portée par les dialogues, auxquels les didascalies latines n'apportent qu'une confirmation. *Tunc veniat Diabolus*

[1] Voir la note à la traduction de *loco eminenciori*, av. 1.

[2] *Ostendat ei fructum vetitum*, av. 150, av. 155.

[3] *Tunc diligenter intuebitur Eva fructum vetitum*, av. 259.

[4] *Dehinc accipiet Eva pomum,* av. 292.

[5] Av. 302, av. 314.

[6] Aux v. 106, 148, 152, 168, 176, 246-251, 266, 270, 412, 423.

[7] Voir glossaire latin, sens 2 du verbe *constituere.*

[8] Voir *supra* I, « La richesse sans fond des sources », p. 24.

ad Adam, av. 113 : la première didascalie suggérant un déplacement du Diable vers le paradis identifie son point d'arrivée avec le personnage d'Adam, mais elle ne fait que confirmer la création d'un pôle formé par Adam et le Diable au cours de l'action. De fait, au sein de l'espace figurant le paradis, ces deux personnages se sont isolés, au rythme du « Seürement » d'Adam, v. 127. Cet isolement, dans lequel les deux scènes de la tentation d'Adam se déroulent, est confirmé par le dialogue entre Adam et Ève[1], dont l'une des fonctions est d'informer cette dernière qu'Adam a chassé le Diable du paradis, et que c'est par mesure de représailles que ce dernier pourrait chercher à la suborner : « De ço qu'en chat me del veer, / il te ferra changer saver », v. 282-3. À l'isolement d'Adam avec le Diable, a en effet répondu celui d'Ève avec le même personnage : « N'a que nus dous en ceste rote, / e Adam la, quil ne nus ot », v. 239-240, l'adjectif et l'adverbe démonstratifs renforcent la convention d'un paradis capable de contenir deux espaces distincts. *Ex parte Eve accedet ad paradisum*, av. 204 : si elle précède leur échange, cette didascalie ne fait donc que redoubler ce que le dialogue entre Ève et le Diable indiquera sans elle avec précision. Une ultime indication de la valeur conventionnelle de cette fragmentation du paradis, apparaît encore après la Chute, quand le premier homme cherche à se cacher, « E por ço que sui tut nuz, me sui jo ici si embatuz », v. 390 : la bipartition de l'espace portée par l'adverbe « ici » doit lui fournir une échappatoire au regard inquisiteur de la Figure. Mais rien ne dit que cette indication soit réalisée dans l'espace dramatique et que celui-ci permette à Adam de se dissimuler à une omniscience divine au contraire renforcée par sa tentative infructueuse.

Par conséquent, la bipartition de l'espace de jeu représentant le paradis repose sur une convention. Acceptée par le spectateur, celle-ci rend inutile la configuration de celui-ci comme d'un grand espace séparé en deux parties. De la même façon, pourquoi imaginer au paradis une porte (av. 512), qui le séparerait du reste

[1] Pour une analyse complète de cette scène, voir *infra*, p. 100-102.

de l'espace dramatique ? On serait bien en peine de préciser la forme de cet élément architectural ! Dans les tableaux comme dans le texte de l'*Ordo*, la séparation entre le monde et le paradis est essentiellement assurée par l'installation à l'entrée de ce dernier d'un garde angélique, dont l'identité de « Cherubim », dictée par la tradition, est reprise par le texte du répons qui le suit, ap. 517. Surtout, cette séparation est indiquée dans le dialogue, sous la forme récurrente et frappante de l'isolement dans lequel Adam et Ève se trouvent confinés.

Le paradis comme prison

En effet, l'installation au paradis équivaut à un enfermement, lequel peut prendre dans une représentation spatiale de l'*Ordo* la forme d'une séparation temporaire entre Adam et Ève et le reste de l'assemblée. Si dans la tradition le paradis se ferme « à ceux qui ont péché »[1], dans l'*Ordo*, la clôture du paradis semble être la cause de la Chute plutôt que sa conséquence. Cadeau empoisonné des premiers hommes, le paradis est avant tout leur prison. « Tel soit la lei de manage ! », v. 23 : après avoir marié ses créatures, la Figure leur octroie un lieu de vie, mais aussi l'interdiction d'en sortir : « Ne voil que isses, ici feras manage », v. 99[2]. « Tot tens vivras, tant i ad bon estage », v. 96 : ni cette appréciation de la Figure, ni les remarques d'Adam ravi de son « chasement », v. 106, n'empêchent le paradis d'être désigné comme un espace dont il faut accepter la clôture comme un équivalent du respect de la loi divine. S'en échapper, c'est accomplir au sens propre et au sens figuré le « trespassement », évoqué à maintes reprises, sous forme verbale ou nominale, v. 141, 142, 402, 407, 411, 417.

Imaginaire, le paradis de l'*Ordo* fonctionne de façon conventionnelle. Son existence repose sur une lecture globale des

---

[1] Voir Isidore de Séville, *Etymologiae*, livre 14, 2-4. Pour des représentations figurées ultérieures, voir Virginie Ortega-Tillier, *Le Jardin d'Eden, Iconographie et topographie dans la gravure (XVe-XVIIIe siècles)*, Dijon, éditions universitaires de Dijon, 2006, p. 119-123.

[2] Cette lecture nous conduit à conserver le terme de « manage » indiqué dans le manuscrit au v. 23, plutôt que de lui substituer le terme de « mariage ». Voir les notes de l'édition aux vers 23 et 99.

dialogues, selon laquelle Adam et Ève sont confinés avant la Faute dans un espace isolé du groupe des chrétiens et du groupe des Juifs. *Ad paradisum*, *ab paradiso*, *ad Evam*, *ad Adam*: qu'elles aient été présentes dès l'origine ou ajoutées après coup aux dialogues, les didascalies latines confirment la possibilité de jouer l'*Ordo* en trois lieux, qui sont autant d'espaces associés à Adam et Ève, à *ecclesia*, ou à *sinagoga*, selon l'identification entre un personnage et le lieu dans lequel il joue. Ainsi, Abel et Caïn, *factis oblacionis suis ibunt ad loca sua*, av. 665, reviennent dans l'espace dramatique au lieu qu'ils occupaient pendant leur dispute (v. 589-664) ; indéterminé, ce dernier se situe *per plateas*, lieu intermédiaire et fondamental, sur lequel on reviendra. Mais ces didascalies s'avèrent secondaires pour la représentation, mentale ou réelle, du paradis de l'*Ordo*.

De cet isolement paradisiaque, Adam et Ève sont ensuite chassés: « Ore issé hors de paradis ! », v. 490 et suiv. Les dialogues postérieurs au moment fatidique traduisent le malheur du premier père en termes d'exclusion et de rejet physiques, avec le verbe « guerpir », aux v. 70, 108, 320, 325, 520, 531, ou avec des équivalents: « Jotez en sui par mon pecchié par voir, / del recovrer tot ai perdu l'espoir. / Jo fui dedenz, n'en soi gaires joïr », v. 524-6. Pas plus que lorsqu'ils étaient au paradis, Adam et Ève n'ont alors besoin d'un lieu concret pour exécuter le reste de la représentation: « En terre vus frez maison », v. 492, « Or pernez aillors chasement », v. 497, les termes n'indiquent ni une *mansion* dramatique anachronique, ni un fief féodal, lequel précisément se dérobe aux malheureux pécheurs. Ainsi, Adam après la Faute n'est plus qu'« icist faudis », v. 513, c'est-à-dire un « hors-la-loi ». L'ancien « bailli » est déchu de tous ses droits, il est devenu un vassal en « eissil », v. 506, qui a perdu tout « poeir » sur son ancien « chasement ». L'évocation de la féodalité trouve alors dans la répartition des espaces scéniques son véritable usage, qui est moins référentiel que conventionnel[1]. Tous ces termes informent la représentation imaginaire de l'espace depuis lequel Adam après la Faute doit pouvoir désigner le jardin des

---

[1] Voir Morgan, « "Who was then… », spéc. p. 115.

délices à jamais perdu : « Oi, paradis, tant bel maner ! / Vergier de gloire, tant vus fet bel veer. », v. 522-3. Et cet espace, c'est celui que les didascalies désignent à trois reprises comme *per plateas*.

Platea, *mort et monde*

Après maints débats[1], où *platea* était compris comme « place publique » ou « plateau », l'on s'accorde aujourd'hui sur le sens de ce terme comme « aire de jeu », c'est-à-dire comme espace de circulation des acteurs, probablement non surélevé, où se déroule la majeure partie de l'action. Cependant, dans l'hypothèse de la répartition des acteurs en trois groupes que sont *paradisum*, *ecclesia* et *sinagoga*, *per plateas* prend aussi du sens par contraste avec ces derniers. L'expression désigne alors un espace distinct de ces groupes, lequel reçoit sa qualification du déroulement de l'action elle-même. Car cet espace, c'est celui où Adam est rejeté après la Faute, et où Caïn attire son frère, sous prétexte de « reguarder nostre labor », v. 667. Distinct de *paradisum*, d'*ecclesia* et de *sinagoga*, l'espace où se déroule l'action après la Faute est également désigné dans les dialogues par les termes de « mond »[2] ou de « terre »[3], où il faut désormais « fer[e] maison », v. 492. Alors qu'Adam avait tout pouvoir sur elle, désormais, « La terre avrat maleiçon », v. 425. Et cette terre où il est condamné à vivre accueille à deux reprises l'action frappée de malédiction par la condamnation divine : la culture de la terre, par le premier homme, « Forment semasmes, or i naissent chardons ! », v. 544, puis par ses fils, dont le périmètre d'action se réduit à des champs dont la culture est désignée sans ambiguïté comme « nostre labor », v. 667 – la promenade dans d'autres « prez », v. 669, n'existant que dans l'espace imaginaire des propos mensongers de Caïn.

Dès lors, pour tous les hommes, *per plateas*, n'est-ce pas avant tout l'espace du « malvais sojor », v. 502, lieu symbolique de leur mort inéluctable ? « Ici avront les cors eissil », v. 506 :

---

[1] Voir Accarie, « La mise en scène… », p. 6-10.

[2] V. 63, 90, 254, 763, 844.

[3] V. 2, 4, 60, 425, 492, 502, 543, 608, 784, 787, 833, 870.

espace maudit de l'*Ordo*, *per plateas* est aussi le lieu occupé par les déplacements du Diable. Par contraste avec tous les personnages dont la personne ou le regroupement donnent à l'espace dramatique ses coordonnées, le propre du Diable, c'est de ne faire partie d'aucun de ces groupes, et au contraire de circuler de l'un à l'autre. Ce « paltonier » est un personnage déprécié, dont la marginalité se manifeste de façon concrète par son absence d'intégration à un groupe d'acteurs. Personnage sans lieu, figure sans ancrage, le Diable de l'*Ordo*, avec ses incessants déplacements, semble avoir pour fonction de qualifier le lieu de labeur et de souffrance qu'est une terre dont l'horizon, après la mort, est l'enfer, d'Adam à Ève, et d'Abel aux prophètes du Défilé.

L'enfer facultatif

Comme pour le paradis, même si quelques représentations contemporaines en fournissent une description ou un équivalent[1], il est inutile d'imaginer l'*infernum* de l'*Ordo* comme une gueule de Léviathan. Dans les dialogues de l'*Ordo Ade*, l'enfer est facultatif, à la fois comme espace et pour le personnel qui en fait le principal intérêt.

Le lieu du futur

D'abord, si l'enfer intervient dans le texte, c'est la majeure partie du temps dans des phrases au futur, sous la forme d'une menace de la Figure : « en Emfer irrez sanz deport », v. 505, v. 507, ou le plus souvent, d'une crainte d'Adam, « Menez en

[1] Pour une présentation des Gueules d'enfer évoquées dans les archives ou les didascalies de textes « par personnages », du XIe au XVe siècle, voir Cohen, *Histoire de la mise en scène*, p. 92-99, et Robert Lima, « La Gueule de l'enfer : Iconographie de la damnation dans le théâtre de l'époque médiévale », dans *Enfer et Paradis. L'au-delà dans l'art et la littérature en Europe*, Conques, 1995, p. 205-218. Pour une réflexion sur la possibilité des liens entre l'iconographie de l'enfer et sa mise en scène, voir Pamela Sheingorn, « 'Who can open the doors of his face?' The iconography of Hell Mouth », dans Clifford Davidson et Thomas H. Seiler éds., *The Iconography of Hell, Early Drama, Art and Music, Monograph Series* 17, Kalamazoo, 1992, p. 1-19.

serroms en emfer», v. 547, notamment dans la première plainte lyrique où il regrette sa faute :

> Porquoi faz encombrer al mond,
> d'emfer m'estoet tempter le fond !
> En emfer serra ma demure, 332
> tant que vienge qui me sucure.
> En emfer si irrai ma vie :
> dont me vendra iloc aïe,
> dont me vendra iloec socors ?

Après Adam, c'est Abel qui considère l'enfer comme la rétribution sans délai d'une conduite fautive : « Perdu serrom en emfer sen devise », v. 604. La seule occurrence du terme « emfer » dans une phrase au présent apparaît au vers 222 : « Il est plus dors que n'est emfers ». Cependant, ce vers prononcé par le Diable peut fonctionner comme un aparté dans son échange avec Ève. Surtout, il est écrit dans une autre couleur, et il a manifestement été ajouté dans un second temps par le scribe – pour entrer en adéquation avec les didascalies qui mentionnent un *infernum* ? Par conséquent, dans les deux premières sections de l'*Ordo*, aucun dialogue ne contient d'allusion à l'enfer qui appelle son existence à proprement parler.

Par ailleurs, une série de répliques assimile ce lieu à un événement : la Descente aux enfers. « Gieter nus voldra d'emfer par pussance », v. 588 : Ève l'évoque la première, dans le vers qui clôture la première section. Cet événement est ensuite mentionné à maintes reprises par les prophètes : « Adam serra de peine delivrez », v. 764, v. 780, et avec lui, « les gens de tote nascion », v. 765. Ceux-ci achèvent souvent leur monologue en annonçant la venue de « Cui Adam trarra de prison », v. 780, v. 873, « Qui salvera le filz Evain », v. 786, qui « Adam deliverat », v. 813. De la même façon, la Sibylle espère l'arrivée de « Jhesu le nostre salvaor/ qui Adam trarra de grant dolor/ Et remetra en paraïs », v. 923-5. Parce que cette scène est célèbre, et essentielle dans la représentation des Passions de la fin du Moyen Âge[1], on a

---

[1] Voir Jean-Pierre Bordier, *Le Jeu de la Passion. Le message chrétien et le théâtre français (XIIIe-XVIe siècles)*, Paris, Champion, 1998, p. 101-113 et 177-188.

suggéré que la première section de l'*Ordo* pouvait s'achever sur une Descente aux enfers mimée[1]. Il reste que la façon dont elle est évoquée dans les dialogues de l'*Ordo* en fait surtout une allusion à un lieu commun de la prédication pénitentielle ou pascale, plutôt qu'une indication de mise en scène pour la représentation de l'*Ordo*.

Une **mansion** *sans personnel*

Surtout, ce qui fait la particularité de l'enfer du théâtre médiéval ultérieur, c'est son personnel. Ce lieu est habité par des démons, amateurs de cuisine et de brutalités, et caractérisés par une gesticulation que la théologie dénonce comme inconvenante, mais qui permet aussi de les identifier[2]. *Demones discurrant per plateas, gestum facientes conpetentem*, av. 112 ; *et in [infernum] facient fumum magnum exurgere, [...] et collident caldaria et lebetes suos ut exterius audiantur*, av. 589 ; *et quidam [Adam et Evam] impellunt, alii eos trahant ad infernum*, av. 589, *ducetur Chaim sepius pulsantes ad infernum, Abel vero micius*, av. 743 : les didascalies latines de l'*Ordo* semblent en tous points sacrifier à ce qui deviendra dans les siècles suivants une tradition sur la scène dramatique européenne. Cependant, de tout le personnel infernal convoqué par le Tours BM 927, seul le Diable intervient dans le dialogue. En outre, seules deux didascalies *per populum* suggèrent une rencontre entre le personnel diabolique et le reste de l'assemblée, mais précisément, c'est bien le Diable et non les démons qui entre alors en contact avec le public, de manière tout à fait significative – avant la tentation d'Ève, dans laquelle chacun est appelé à se reconnaître. Ainsi, les démons n'existent, n'agissent et ne se déplacent que selon les didascalies latines, et de surcroît *per plateas*, c'est-à-dire dans un espace déjà défini par les déplacements du Diable.

Sans enfer, l'*Ordo Ade* ? À l'instar de Saint-Martial de Limoges qui selon la *Chronique* de Bernard Itier a attendu

---

[1] Hardison, *Christian Rite*, p. 139-144 ; Muir, *Liturgy and Drama*, p. 14-5.

[2] Voir V. Dominguez, *La scène et la Croix. Le jeu de l'acteur dans les Passions dramatiques françaises (XIVe-XVIe siècles)*, Turnhout, Brepols, 2007, p. 150-152.

l'année 1212 pour faire l'acquisition d'un tel arsenal technique, et l'année 1217 pour l'installer de façon fixe[1], toute église ne possède pas « son » enfer au moment où le manuscrit Tours BM 927 a été composé. En revanche, un exemple de Gueule pouvait au XIIIe siècle être connu du copiste de ce manuscrit, et le conduire à ajouter aux dialogues en langue vernaculaire de l'*Ordo* sa description, ainsi que celle de ses habitants et de quelques-uns de leurs *secrez*.

Didascalies et accessoires

Absents des dialogues de l'*Ordo*, le paradis orné de feuillage, de rideaux et de portes et la Gueule d'enfer animée de *secrez* conduisent à considérer comme facultatifs tout élément de l'espace et du décor uniquement présent dans les didascalies latines. Dans cette perspective, ces didascalies ne donnent pas d'indications obligatoires pour la mise en scène de l'*Ordo*, ni à l'époque ni aujourd'hui. Elles ne font que dresser une liste d'éléments accessoires, dans tous les sens de ce terme. Utiles à une mise en scène du *Jeu*, ces accessoires ne sont nullement indispensables à la progression de l'action.

Des suppléments

De fait, le décor et les objets relativement nombreux et complexes qui accompagnent la première culture laborieuse (av. 518) contribuent-ils de manière significative à la sombre peinture des conséquences du péché ? Qu'Adam s'arme du *fossorium* et Ève d'un *rostrum* aux formes et aux fonctions problématiques[2], et que le Diable sème les *spinas* et *tribulos* qui suscitent leur désespoir demeure possible. Mais à ce moment, ce sont surtout

[1] 1212 : « *In Natale apostolorum P(etri) et P(auli), infernus* artificiose compositus *missus est in monasterio, cujus sumptus fuerunt DCCC solidorum* » ; 1217 : « *II[a] die mensis aprilis, infernus ponitur ubi nunc cernitur* », texte établi par Jean-Loup Lemaître, *Chronique*, 1998, respect. p. 42-3 et p. 53. Les termes mêmes de Bernard Itier que nous soulignons, ne sont pas sans rappeler l'une des didascalies du *Jeu*, av. 292.

[2] Sur cette didascalie, voir *infra* édition, note 1 p. 260.

les vers 543-4 qui fournissent aux acteurs un support pour actualiser la malédiction divine lancée aux vers 425-431. Plus nettement encore, *l'agnum et incensum, de quo faciet fumum excendere* et le *maniplum messis* respectivement offerts par Abel et Caïn, av. 665, ont déjà été décrits dans les dialogues qui précèdent cette didascalie, entre les vers 641 et 648. Enfin, les nombreux objets produisant les bruits de l'enfer, *et in eo facient fumum magnum,... et collident caldaria et lebetes suos, ut exterius audiantur*, av. 588, ne se déclarent-ils pas eux-mêmes comme des accessoires de théâtre, de même que les autels des frères ennemis, *duos magnos lapides qui ad hoc erunt parati*, av. 665, ou les instruments de cuisine, *ollam coopertam pannis suis*, av. 721, utilisés pour simuler le meurtre d'Abel?

Ajoutées à leur disposition redondante voire postérieure aux dialogues, la qualité et la précision de leur organisation spatiale conduisent à considérer ces didascalies comme des tableaux visuels. Distincts des dialogues, ils trouvent des équivalents dans l'iconographie, et ils sont susceptibles d'évoquer la scène dans l'esprit des lecteurs plutôt que d'être utilisés par des acteurs ou des metteurs en scène potentiels de l'*Ordo*. À ces derniers, ce sont avant tout les dialogues qui suggèrent quelques accessoires éventuellement bienvenus pour une mise en scène, mais qu'un jeu maîtrisé pouvait aisément remplacer.

Des pancartes pour noms?

Dans cette perspective, deux vers se distinguent: celui qui ouvre le Défilé: «Abraham sui e issi a non», v. 743; et celui par lequel la Figure présente à Adam sa femme, «Ce est ta femme, Eva a noun», v. 9. Dans les deux cas, c'est le dialogue et non la didascalie qui fournit de manière explicite le nom d'un personnage lors de sa première apparition, comme si cette précision était indispensable au bon déroulement de l'action. Certes, la Figure peut prononcer de manière naturelle le nom de sa toute dernière créature devant Adam qui ne la connaît pas. Mais pour le prophète, pourquoi préciser ainsi son propre nom? Abraham désignait-il l'inscription de ce dernier, sur son costume, ou bien au-dessus ou au-dessous de lui, sur un mode qui annoncerait les écriteaux qui trois siècles plus tard soutiennent la mise en scène des mystères à *mansions*? Confortée par les phylactères de témoins iconographiques contemporains de l'*Ordo*, comme la frise des prophètes de Notre-Dame de Poitiers, cette hypothèse en rencontre une autre : la nature accessoire des précisions données dans tous les autres cas par les didascalies latines, et dont celles de la Procession des prophètes sont les meilleurs exemples.

La tradition, option coûteuse

En effet, celles-ci indiquent scrupuleusement le costume et les attributs de chacun des protagonistes. *Tunc errant parati prophete in loco secreto singuli sicut eis convenit*, av. 743 : à l'ouverture du Défilé, cette didascalie est déclinée avant chaque monologue en costumes et attributs qui doivent permettre au récepteur de l'*Ordo* de décoder non seulement l'identité de chacun des prophètes mais aussi son apparence. Comme les précédentes, elles constituent d'abord les relais de la tradition exégétique et iconographique liée à ces personnages. Chacun s'attend à voir Moïse brandir *in dextra virgam et in sinistra tabulas*, av. 767, Aaron, *virgam cum floribus et fructu*, av. 773, et Balaam, *sedens super asinam*, av. 815. De la même façon, elles précisent leurs fonctions bien connues : Aaron est *episcopali ornatu*, av. 773, David est décoré de *regis insigniis et diademate ornatu*, av. 781, auquel Salomon doit ressembler, *eo ornatu quod David*, av. 789, ainsi que Nabuchodonosor, *ornatus sicut regem*, av. 929. Enfin, l'âge des prophètes semble avoir beaucoup mobilisé le rubricateur : Abraham est un *senex cum barba prolixa*, av. 743 ; Salomon est comme David un roi, *tamen ut videatur junior*, av. 789 ; en Daniel s'opposent l'âge et le costume, *etate juvenis, habitu vero senex*, av. 825 ; et le dernier, *Abacuc senex*, est le seul, av. 839, dont le costume ne soit pas précisé.

Traditionnels, ces éléments sont également présents dans d'autres drames liturgiques[1]. Cependant, dans le cas de l'*Ordo*

---

[1] Sur les costumes les plus souvent utilisés dans les textes pour les Prophètes dans les *Ordines*, voir Sepet, *Les Prophètes du Christ*, p. 43-4. Sur leur version scénique contemporaine, selon les drames liturgiques de Laon, Rouen, Limoges et les *Carmina Burana*, voir Fletcher Collins Junior, *The Production of Medieval Church Music-Drama*, The University Press of Virginia, Charlottesville, 1972, spéc. p. 317-9.

Ade, l'abondance et la précision des didascalies leur ajoutent une vertu : elles leur donnent de l'autonomie par rapport aux dialogues. Ainsi, dans le cas de l'âge, les didascalies ont déjà fourni à plusieurs reprises les indications nécessaires à la fabrication d'une apparence de la vieillesse, et ne les redonnent donc pas pour le dernier personnage concerné par cette apparence. De la même façon, l'ultime trajectoire selon laquelle les démons mènent en enfer chaque prophète après sa tirade n'est précisée que deux fois, pour Abraham, *venient diaboli et ducent Abraham ad infernum*, av. 767, et pour Moïse : *De hinc ducetur a diabolo in infernum,* av. 773. Pour les autres, l'indication de répéter ce geste suffit et n'est donnée qu'une fois : *similiter omnes prophete*, av. 773. Connues du public médiéval, reprises par la tradition iconographique ou par l'ensemble des drames liturgiques, les didascalies du Défilé apparaissent comme un développement évolutif, suffisamment cohérent pour fonctionner de manière autonome, en suggérant des renvois de l'une à l'autre. Distinctes des dialogues, elles apportent cependant un enrichissement visuel aussi indéniable qu'il est facultatif à la construction et au sens de l'action.

Par conséquent, dans les trois sections de l'*Ordo*, les didascalies latines relèvent d'une écriture parallèle à celle des dialogues en langue vernaculaire. Cette écriture peut parfaitement avoir été exécutée *a posteriori*. Dans la mesure où les indications qu'elles fournissent n'entrent jamais en contradiction avec celles des monologues et des dialogues, les didascalies peuvent aussi avoir été utilisées par les acteurs potentiels de l'*Ordo*, dans le cadre d'une mise en scène coûteuse et plaisante à l'œil. Mais elles pourraient aussi ne s'adresser qu'au lecteur de ce texte, appelé à composer du Défilé une image peut-être mentale, dans une lecture performative qui fait l'économie de la représentation.

« Didascalies internes » et Dit des Quinze signes

S'il revient à tout acteur du Tours BM 927, lecteur, comédien ou metteur en scène, de sélectionner les informations données par les dialogues mais aussi par les didascalies, pour élaborer l'espace et les accessoires du Jeu, où s'arrêtent ces choix, et cette construction ? Pour finir, c'est la notion de « didascalie interne»[1] qui doit être mise à l'essai pour tenter de saisir la mise en espace et en décor supposée par les dialogues de l'*Ordo*.

Vains ornements, les végétaux de la didascalie initiale ne le sont ni plus ni moins que le «fruit de salvacion», v. 799, ou le «fruit de vie», v. 922, devenus métaphores du Christ dans la bouche des prophètes. Rejoignant les objets surabondants des didascalies, une écriture poétique et métaphorique enrichit par moments l'*Ordo* d'éléments secondaires, auxiliaires sans nécessité absolue pour son développement dramatique. On peut revenir dans ce cadre sur l'achoppement que représente la dernière *porta* de l'*Ordo*. La didascalie *et manu monstrabit portas ecclesie*, av. 853, constitue avant tout une traduction du *per portas has* contenu dans la prophétie de Jérémie: à ce titre, elle n'appelle pas forcément de geste pour désigner la porte d'une église, que celle-ci soit réelle ou représentée par un autel miniature. Toutefois, si l'*Ordo* était joué dans une église, cette didascalie a pu appeler un tel geste, sans que sa portée métaphorique, essentielle et première, soit remise en question, ni que l'assimilation d'*ecclesia* à «groupe des chrétiens» soit infirmée pour le reste des occurrences de ce mot. La «porte» de Jérémie constitue alors un cas exemplaire de liberté, consistant à faire le choix d'un usage soit poétique soit référentiel des répliques de l'*Ordo*.

Or, l'hésitation entre une lecture poétique ou référentielle[2] des textes de l'*Ordo* se produit tout particulièrement pour un texte: le *Dit des Quinze signes*. Dans quelle mesure contient-il des allusions à d'éventuels «lieux» de théâtre?

Certes, si dans la parole de la Sibylle, les lieux abondent, ce sont d'abord des poncifs de la rhétorique apocalyptique. Ce *Dit* ne concerne-t-il pas «la fin de cest mond», v. 985, lieu de souffrance et de mort auquel Adam et ses descendants sont

---

[1] Gallèpe, *Didascalies: les mots de la scène*, p. 82.

[2] Pour d'autres couples de notions désignant les modalités de l'actualisation scénique du discours dramatique (dialogues et didascalies confondus): «visible et invisible»; «perceptible et non-perceptible», et enfin le narratologique «mimétique et diégétique», voir Issacharoff, *Le spectacle du discours*, p. 69 et suiv.

condamnés ? De plus, au sixième et au septième signe, monts et vaux sont inversés, la terre est teinte par la lune rougie (v. 1071-6), les étoiles tombent du ciel (v. 1027 et suiv.) jusqu'à la mer, qui envahit ce dernier (v. 1138-1142). Et dans l'espace suggéré par « ciel e terre », v. 960, d'où il peut tomber une « pluie sanglante », v. 1011, des « estoiles », v. 1027, 1030, et d'où il peut descendre « del ciel la cengle », cet arc-en-ciel de fiel chargé de renvoyer le Diable en enfer, v. 1279, le ciel est assurément une représentation, fantastique et fantasmée, plus proche de l'image poétique que d'une mise en espace.

En revanche, on peut s'interroger sur la forme du ciel vers lequel les bêtes « torneront lor testes », v. 1090, et qui « solz » lui réunit « home tant felon », v. 987, et surtout, sur celui où les saints voisinent avec le Créateur[1], alors que les diables et les humains en ont été chassés[2] : ne fait-il pas allusion à un paradis de forme et de fonctionnement plus complexes que celui d'un simple groupe, formé par Adam et Ève ? Le « ciel » de la Sibylle serait alors l'une des premières allusions à la représentation d'une *mansion* de paradis. Il recevrait des mentions de « majesté » et de « gloire », récurrentes dans les trois sections de l'*Ordo*, *Dit* compris, une confirmation, ces termes désignant pour la théologie le paradis, et prenant dans l'iconographie puis dans le théâtre la forme d'un lieu surélevé, mandorle agrémentée de *feintes nues* dans les mystères en moyen français[3].

Dans un tel lieu, la *Figura* de l'*Ordo* ne pourrait-elle prendre place, entourée de ses anges et de ses saints ? Elle pouvait y monter ou en descendre, selon les moments de l'action. Le « Mosterra Deu sa poesté / en terre de sa majesté », de la Sibylle, v. 1001-2, ferait alors écho à la prophétie de Daniel, selon laquelle le Christ « por son pople vendra en terre », v. 833. Dans cette perspective, quelques images poétiques des sections

---

[1] « Qu'il n'est nul saint qui tant soit chier / El ciel, emprés son criator », v. 1162-3.

[2] « Sire Pere, qui nos feïs / el ciel, e puis le nos tolis,/ nos le perdismes par folie », v. 1183-5.

[3] Voir celles du *Mystère de la Résurrection*, Pierre Servet (éd.), Genève, Droz, 1993, tome 2, p. 822-3.

antérieures pourraient prendre une forme matérielle, à commencer par la périphrase par laquelle Adam désigne le Seigneur : « del halzor », v. 289, c'est le souverain d'En Haut, que le Diable a voulu combattre sans succès, comme en témoigne sa déchéance, physique, au bas du paradis. « Al ciel me vint ja la rumor », v. 732 : c'est aussi dans ces hauteurs que le bruit du crime de Caïn est parvenu à la Figure. Salomon, lui, utilise plutôt une image de la roue de Fortune comme châtiment des impies : « En cels qui furent li plus halt : il prendront toit un malvais salt », v. 799-800 ; « de grant haltor vendront en bas / Mult se porront tenir por las », v. 811-812. Spatiale, l'image évoque toutefois de façon frappante un haut et un bas, et l'éventuelle opposition d'un paradis surélevé avec l'ici-bas, voire avec l'enfer. Surtout, comment oublier que cette image est le fait de Salomon, l'un des deux prophètes propres à l'*Ordo Ade*[1] ? L'évocation d'un paradis surélevé pourrait avoir été créée et intégrée en même temps que ce personnage au texte de l'*Ordo*.

Ensuite, le « ciel » du *Dit* conçu comme un espace surélevé, suffisamment vaste et organisé pour accueillir une Figure accompagnée d'anges, éclairerait conjointement plusieurs passages curieux, répartis dans l'ensemble de l'*Ordo*, et qui évoquent des « vertus ». Dans le dixième signe du *Dit*, « Idonc croslera Cherubin / E si tremblera Seraphin / E del ciel totes les vertuz », v. 1167-9, ces vertus pourraient désigner les habitants du paradis parfois représentés par l'iconographie[2], habitants que les diables échappés de l'enfer accuseraient d'avoir pris leur place, au cri de « Rent nos nostre hebergeriez : / ne sai quel vertu l'ad saisie », v. 1192. Le Chérubin du *Dit* pourrait alors faire écho à celui qui garde l'entrée du paradis depuis la Faute, et ces « vertus », trouver des précédents dans les deux premières sections. Ainsi, elles pourraient renvoyer aux habitants du paradis mentionnés dans la didascalie initiale de l'*Ordo* : de fait, si seuls Adam et Ève doivent y apparaître, pourquoi utiliser l'expression indéterminée

---

[1] Voir *supra*, I, « Les emprunts liturgiques », p. 29.

[2] Pour une description des *virtutes caelorum* entourant Dieu au ciel, dans un témoin iconographique souvent rapproché du *Jeu d'Adam*, voir Jacques Chailley, « Du drame liturgique aux prophètes de Notre-Dame la Grande », p. 836.

de *persone, que in paradiso fuerint*? Empruntées aux apocryphes[1], ces *persone* pourraient être « les anges qui veillaient sur votre mère », et qui « monte[nt] adorer le Seigneur » au moment où le Diable séduit Ève[2]. Enfin, les « vertus » pourraient désigner, par antiphrase, les amis du Diable que la glorieuse descendance d'Ève défera en même temps que lui : « Oncore raiz de lui istra / Qui toz tes vertuz confundra », v. 488-9[3].

Du paradis à l'enfer, démons et vertus se répondent alors. Ils viennent grossir les groupes d'acteurs formés d'une part par la Figure, ses anges et ses saints, et les premiers hommes avant la Chute, et d'autre part, par le Diable et ses adjuvants. Ces groupes nombreux se situent alors dans deux espaces opposés. Plus vastes et plus structurés, ils ont pu prendre la forme de *mansions* de *paradisum* et d'*infernum*, et donner un référent concret à ces termes utilisés dans les didascalies latines de l'*Ordo*.

Entre poésie et référence, l'invention des folios 20 à 46v°

La lecture du « ciel » du *Dit des Quinze signes* comme paradis surélevé, suffisamment vaste pour être habité de vertus, appelle à faire le point sur les relations entre espace dramatique et écriture poétique dans l'*Ordo*. En effet, cette lecture permet d'imaginer pour l'ensemble des textes copiés entre les folios 20 et 46v° du manuscrit tourangeau un lieu véritable pour le paradis, plus matérialisé dans l'espace et plus élaboré que celui que les seuls dialogues laissent percevoir. Mais elle consiste aussi à interpréter certaines images poétiques comme des didascalies internes, en leur donnant un contenu matériel ou animé. Or, le ciel, la gloire, la majesté, ou les vertus, peuvent aussi conserver leur dimension poétique et non incarnée. Cette alternative entre lecture poétique et lecture référentielle des indications d'un

---

[1] Pour une liste de références scripturaires aux *virtutes caelorum*, voir Von Kraemer, *Les Quinze signes*, 1966, p. 24-5.

[2] Citations de Bertrand, *La Vie grecque d'Adam et Ève*, p. 73.

[3] Pour une lecture des démons et du diable comme anciens anges déchus, voir Jeffrey Burton Russell, *The Devil. Perceptions of Evil from Antiquity to primitive Christianity*, Ithaca/London, Cornell University Press, 1977, spéc. p. 188-9 et p. 231-2.

espace pour la performance de l'*Ordo Ade* conforte les nombreux débats qui discréditent la notion de didascalie interne. Ce qu'on retiendra alors de cette dernière, c'est son caractère propre : l'hésitation, et le choix toujours possible d'une compréhension soit mentale soit performative de l'*Ordo*.

Celui-ci confirme d'une nouvelle manière la composition en plusieurs temps de ce manuscrit, et plus spécialement, l'ajout concerté du *Dit des Quinze signes* au reste de l'*Ordo*. Car dans cette perspective, le *Dit de la Sibylle* a pu être ajouté aux dialogues et aux monologues de l'*Ordo* par le copiste du manuscrit Tours BM 927. Il a alors produit cette version du *Dit*, en l'enrichissant de didascalies internes potentielles, susceptibles d'être actualisées dans le cadre d'une performance. Il a également ajouté aux dialogues des didascalies latines, elles-mêmes susceptibles de donner à l'ensemble formé par tous ces textes une forme précise, dans le même cadre de la performance. Loin de remettre en cause la validité d'un espace dramatique conventionnel, dont la logique, dictée par les seuls passages en langue vernaculaire, peut reposer sur la simple disposition respective de trois groupes d'acteurs autour des *plateas*, l'ajout du *Dit de la Sibylle* fait du copiste du Tours BM 927 le premier lecteur des dialogues et des monologues de l'*Ordo*. Ajoutées, ses didascalies et son *Dit* suggèrent sans l'imposer une mise en scène globale de l'*Ordo* plus ambitieuse et riche, laquelle comprenait probablement un enfer aux nombreux démons, et peut-être un paradis, dans lequel se rendait parfois la Figure, et où pouvaient siéger ses anges ainsi que ses « vertuz ».

Dans cette hypothèse, la jonction des textes vernaculaires et des didascalies latines de l'*Ordo* effectuée du folio 20 au folio 46 du Tours BM 927 apparaît comme un texte *princeps*, inventé plutôt que reproduit par le copiste de ce manuscrit. La difficulté qui est aujourd'hui la nôtre, et qui consiste à reconstituer avec peine un ensemble homogène et cohérent à partir des indications conjuguées de dialogues et de didascalies, est alors une conséquence du caractère successif de leur composition, et de l'audace qui a accompagné leur copie conjointe. Cette difficulté et cette audace sont toutefois relativisées par l'analyse des didascalies, des rimes et des mètres de l'*Ordo Ade*. Intentions plutôt qu'erreurs, ces éléments participent d'une logique de l'enregistrement des dialogues et des didascalies qui confirme la destination du Tours BM 927 à la performance.

L'ENREGISTREMENT DE LA PERFORMANCE

Didascalies indiquant le nom des locuteurs

Les didascalies indiquant le nom des locuteurs du texte de l'*Ordo Ade* constituent l'un des lieux les plus fréquents des modifications apportées par la tradition éditoriale à la transcription de la copie médiévale de l'*Ordo*[1]. Pourtant, l'attribution des fractions du dialogue reste dans un texte dramatique la principale façon de déterminer le sens de l'action, selon les protagonistes qui la prennent en charge. Le copiste de l'*Ordo* ne semblait pas l'ignorer, qui choisit de noter ces didascalies à la droite des répliques à partir du folio 27, facilitant ainsi leur déchiffrage. À maints égards, il s'est donc livré à un travail scrupuleux. C'est pourquoi, plutôt que de corriger les éléments qui aux yeux de modes d'édition ou de performance ultérieurs apparaissent comme des inexactitudes, nous avons transcrit ses choix, et essayé d'en trouver la logique.

Mise en place d'un habitus

Le premier changement introduit par la tradition éditoriale dans la transcription de ce type de didascalies intervient au tout début de l'action. Alors qu'une didascalie *Adam* introduit dans le manuscrit de manière indubitable le vers 83, « Qui i maindra sera mi amis ! », la plupart des éditeurs la suppriment, et ils attribuent ce vers à *Figura*, de même que le suivant, qu'aucune didascalie pourtant ne précède : « Jol toi comand por maindre et por

[1] Willem Noomen soulignait déjà le cas de la didascalie « Adam », qui précède le vers 393 dans le manuscrit, ne comprenant pas pourquoi les éditeurs précédents la remplaçaient par La Figure, *Le Jeu d'Adam*, p. 88, note à 748. Voir aussi Van Emden, *Jeu d'Adam*, p. 70 note à 394.

garder», v. 84. Quelle justification donner pour la conservation de la didascalie *Adam* avant le vers 83 ? D'abord, ce vers pourrait constituer un aparté, Adam, s'y réjouir de sa bonne fortune, et le *sermo humilis* d'Auerbach, trouver dans cette solution éditoriale une belle illustration. Car c'est en paysan heureux du «jardin», v. 81, ce magnifique «chasement», v. 106, qui lui est échu qu'Adam réagit avant la Faute, encore inquiet de son sort matériel. «Purrum i nus durer ?», v. 85 : dans cette perspective, ce verbe revêt à ce moment son sens premier de subsistance, auquel Dieu répond, en précisant la durée de cette dernière : «A toz jorz vivre !», v. 86. En outre, la notion d'amitié est étrangère aux relations, féodales, que la Figure entend instaurer avec ses créatures, et c'est bien Adam et non la Figure qui parlera plus loin d'«ami», en l'occurrence perdu après la Faute, v. 339, 350.

Cela dit, l'absence de didascalie avant le vers suivant, «Jol toi comant pour maindre e por garder», v. 84, n'est-elle pas une raison nécessaire et suffisante pour substituer une didascalie *Figura* à Adam avant le vers 83 ? Assurément non, d'abord par tradition, car personne d'autre que la Figure ne pourrait prononcer le vers 84. Ensuite, ce geste de *Figura*, qui après l'aparté d'Adam lui octroie le paradis, est souligné dans le folio par plusieurs moyens. Le passage à un nouveau quatrain d'octosyllabes au vers 84 accompagne de façon harmonieuse un changement d'interlocuteur. En outre, les trois didascalies qui précisent son geste : *Tunc Figura*, *Tunc manu...*, et *Tunc Figura manum...*, sont disposées au même endroit de la page, aux deux tiers de la ligne, en début et en fin de paragraphe. Rythmant le folio, elles en créent au plan visuel une justification qui a pu se substituer à l'alternance fastidieuse des didascalies indiquant le nom des personnages.

Ce qui se met en place au folio 21v°, c'est donc un *habitus* du copiste, consistant à faire l'économie de la didascalie qui indique le nom du locuteur quand la tradition gouvernant les principales phases de l'action peut la remplacer, qu'elle soit ou non accompagnée par la mise en page. Et c'est selon cette logique que l'usager médiéval du manuscrit pouvait suppléer d'autres didascalies manquantes. Par exemple, la tradition qui gouverne le développement de l'action dramatique pallie celle qui fait défaut avant le vers 196 : «Tu me voels livrer à torment», car comment imaginer ce vers prononcé par le Diable, alors qu'Adam vient de le reconnaître, et que l'ensemble de la scène consiste à refuser le conseil du Malin ? Ce dernier ne prononce qu'une moitié d'octosyllabe, qui ne rompt guère le flot des paroles qu'Adam excédé introduit par un éloquent « Fui tei de ci ! », v. 194. Comme il détient le pouvoir jusqu'à la fin de la scène, c'est bien à Adam que même sans didascalie, cet ordre sera attribué. Surtout, après le folio 21v°, lorsqu'une longue didascalie indique les modalités de l'action, sans forcément préciser le nom du protagoniste qui va prendre la parole, aucune didascalie autonome précisant ce nom n'est plus jamais copiée avant sa réplique. Selon cette logique, des vers 88 à 111, la didascalie *Figura* fait toujours défaut. Mais c'est aussi le cas avant le vers 112 pour la didascalie *Diabolus*, dans la section d'Adam et Ève, avant les vers 172, 276, 292, 314, 386, 416, 438, 460, 472, 490..., dans la section d'Abel et Caïn, avant les vers 589, 607, 621, et enfin dans tout l'*Ordo Prophetarum*.

Habitus *et micro-lectures (av. 943 ; av. 881-910 ; 276-291)*

Le respect des didascalies indiquant le nom des personnages dans le BM Tours 927 et la compréhension de leur absence comme indice d'une attribution de la réplique par la tradition qui guide l'action dramatique, et qui donne la préférence à un protagoniste plutôt qu'à un autre, apportent une réponse à plusieurs des questions les plus fréquemment posées à l'*Ordo Ade*.

D'abord, elles donnent une explication simple à l'absence de didascalie avant le *Dit des Quinze signes* (av. 943) ; car qui d'autre que la Sibylle aurait pu prononcer ce texte ? Ensuite, elles permettent d'éclaircir un passage souvent considéré comme très corrompu : le dialogue entre Isaïe et celui qu'on a considéré comme son unique interlocuteur, le *Judeus*. De fait, certaines didascalies de ce passage ont pu être, pour reprendre l'expression de Sletsjöe, « partiellement coupées par le couteau du relieur »[1], ce qui a donné une raison pour les ajouter dans la plupart des éditions du texte. Cette remarque vaut pour la didascalie *Judei*

[1] *Le Mystère d'Adam,* édition diplomatique, 1968, p. 87.

qui introduirait le vers 888, et pour la didascalie *Ysaïe*, qui introduit la réponse de ce prophète au milieu du vers 892. Ces deux didascalies se trouvent à la fin des deux vers les plus longs du folio, et le couteau a pu les faire disparaître. Cependant, le copiste a aussi pu y renoncer tant elles sont impliquées par la logique du dialogue. Ainsi, on passe de la réplique d'Ysaïe, v. 887, à l'impératif *Or le nus faites donches veer*, v. 888, dont les locuteurs, désignés au pluriel, sont forcément distincts de lui. De plus, après le « E tu comment ? » du vers 892, le copiste avait la place suffisante pour ajouter une didascalie *Ysaïe*, annonçant le vers suivant, de même qu'il aurait pu ajouter une didascalie *Jud.* après le vers 889, « Ço que ai dit est prophecie ». Mais cette dernière était-elle indispensable pour introduire le vers 890, « En livre est escrit ? » ? Le changement de locuteur est déjà supposé par la didascalie *Ys.*, abrégée à la fin de ce même vers 890 : « Oïl, de vie ! ». Facultative, cette dernière didascalie souligne un aspect important de l'échange : elle confirme l'inspiration divine du prophète, capable de métaphoriser la formule des *Judei*. Mais dans le groupe de vers suivant, qui prolonge cet effet rhétorique, la même didascalie *Ysaïas* n'est plus écrite entre les deux moitiés du vers 892. Par conséquent, point n'est besoin d'accuser pour ce passage le couteau pourfendeur de didascalies, là où leur absence procède peut-être de l'*habitus* du copiste. Quand les didascalies manquent, elles sont palliées par l'usager médiéval du manuscrit, car il sait qui prend en charge les morceaux de ce dialogue, d'après la tradition qui en forge le sens et le progrès.

Surtout, cet *habitus* permet d'éclairer une scène aussi célèbre que controversée : l'échange entre Adam et Ève, entre les vers 276 à 291. Nombreux ont été les débats sur la transcription et sur le sens de ce passage, souvent considéré comme très corrompu. Dans *Mimesis*, Erich Auerbach rejoignait Paul Studer[1], contre l'établissement du texte par Servais Etienne. Auerbach et Studer attribuaient la seconde moitié du v. 280 à Adam (« bien le sai »), Auerbach justifiant cette modification par l'argument suivant :

---

[1] Erich Auerbach, *Mimesis : la représentation de la réalité dans la littérature occidentale* (1946), traduit de l'allemand par Cornelius Heim, Gallimard, 1968, « Adam et Ève », p. 153-182.

seul Adam peut prononcer une parole de savoir, d'autorité ou d'expérience dans cette scène[1]. Les deux critiques modifient ensuite la répartition des voix de la manière suivante : « E : e tu coment ? – A : Car l'asaiai. – E : De ço… – A : Nel fra pas… ». Cependant, selon Etienne[2], la répartition des voix présente dans le manuscrit peut être conservée, moyennant l'ajout d'un tour interrogatif au vers « De co qu'en chat me del veer ? », et celui d'une didascalie *Adam* avant le vers 283 : « Il te ferra changer saver ».

Contrairement à Studer mais aussi à Etienne, dont la version a été adoptée par la tradition critique[3], nous avons transcrit les didascalies exactement comme elles apparaissent dans le manuscrit. Dès lors, seule une didascalie semble manquer : celle qui doit être supposée entre la réplique d'Ève, « Car jo l'ai oi », v. 281, et la réplique que le manuscrit lui attribue aussi trois vers plus bas : « Nel fra pas, car nel crerai / de nule rien tant que la sai », v. 284-5. Aussi, nous avons choisi d'ajouter une didascalie *Adam* et d'attribuer aussi le vers 282 à ce dernier : « De ço qu'en chat me del veer, / il te ferra changer saver », et ce, pour un confort qui est celui de l'usager contemporain du manuscrit plutôt que de son homologue médiéval. En effet, cette didascalie prend place dans le cours d'un dialogue dont Adam, et non Ève,

---

[1] Pour une interprétation de la *lectio* forcée d'Auerbach, comme lutte contre les Français pour le pouvoir philologique, et où l'Ève ignorante et traîtresse devient une métaphore de la trahison qui poussa les peuples à la collaboration, voir Seth Lerer, « Philology and Collaboration : the Case of Adam and Ève », *Literary History and the Challenge of Philology. The Legacy of Erich Auerbach*, Seth Lerer éd., Stanford, Stanford University Press, 1996, p. 78-91. Pour une lecture du péché originel comme conséquence d'une relation d'emblée dysphorique entre les époux, matérialisée dans le dialogue et dans la relation à l'arbre de la connaissance, voir Jonathan Beck, « Genesis, Sexual Antagonism and the Defective Couple of the Twelfth Century *Jeu d'Adam* », *Representations* 29, 1990, p. 124-144. Pour une réflexion sur le personnage d'Ève, fondée sur sa possibilité de « savoir » et sur une mise en contexte qui relativise la misogynie de l'*Ordo*, voir Robert L. A. Clark, « Eve and her Audience in the Anglo-Norman *Adam* », *Crossing Boundaries : Issues of Cultural and Individual Identity in the Middle Ages and the Renaissance*, Sally McKee éd., Turnhout, Brepols, 1999, p. 27-39.

[2] « Sur les vv. 279-287 du *Jeu d'Adam* », *Romania* 48, 1922, p. 592-5.

[3] Grass, Chamard, Aebischer, Noomen, Van Emden.

maîtrise le déroulement. Au moment où la scène commence, Adam furieux réprimande Ève, qui a parlé avec le serpent : « Di moi, muiller, que te querroit / li mal satan, que te voleit ? », v. 276-277. La scène a pour objet de donner libre cours à sa colère, mais aussi d'informer Ève de ses raisons. Satan est un traître, c'est pour cette raison qu'Adam lui a interdit l'accès au paradis, et c'est le rôle des 282-3 que de le lui expliquer : « De ço qu'en chat me del veer, / il te ferra changer saver ». Comme auparavant lorsqu'il était face au Diable, c'est Adam qui mène un dialogue où les répliques d'Ève sont limitées à des réponses : « E : Il me parla de nostre honor », v. 278, et à des demi vers : « E : Bien le sai », v. 280 ; « A : E tu coment ? — E : Car jo l'ai oi », v. 281. S'il est attribué à Adam, le vers 282 n'a alors pas besoin du tour interrogatif que les éditeurs lui ont souvent ajouté[1], et qui devait souligner, cette réplique étant attribuée à Ève, une note de provocation. Le vers 282 forme alors avec le vers 283 un doublet d'octosyllabes convaincant, qui prend sens dans la logique de la colère ayant opposé Adam au Diable. Lui succède naturellement le doublet d'octosyllabes attribué à Ève dans le manuscrit : « Nel fera pas, car nel crerai / De nule rien tant que la sai », v. 284-5 : Ève respectera la colère d'Adam contre le serpent, dont elle vient d'être informée[2]. Et il faudra une intervention muette du Diable, sous la forme nouvelle du *serpens*, qui cette fois la trompe, av. 292, pour qu'elle passe finalement à l'acte, revenant à la décision qu'elle avait prise avec le « Jol ferai » du vers 271.

Didascalies identiques et consécutives

Reste à examiner si la reprise de la même didascalie pour les deux répliques consécutives d'Ève (avant les vers 281 et 284) ne signifie pas autre chose dans la logique de l'*Ordo*, car ce type de reprises est le dernier usage des didascalies de ce texte qui a été souvent corrigé par les éditeurs. Comme auparavant, c'est à la fois la tradition et la logique interne au texte de l'*Ordo* qui nous ont conduite à conserver ces reprises et à leur donner un sens.

---

[1] *Idem*, et aussi la proposition de Studer, « [E] : De ço qu'en chalt ? — [A] : Nel dei veeir. »

[2] Elle était auparavant isolée au Paradis. Voir *supra*, p. 81.

Ainsi, la didascalie *Diabolus* est notée deux fois de suite, avant le vers 157, « De tut saveir done science », et avant le vers 158, « Se tu le manjues, bon le fras », alors que ces vers ne peuvent être tous deux prononcés que par le séducteur, qui essaie de convaincre le premier homme d'accomplir la transgression. Mais alors, cette notation successive est-elle simple étourderie du copiste, ou encore, grand scrupule, de qui veut réattribuer la réplique à son personnage du folio 22v° au folio 23 ? Plus simplement, cette reprise peut être considérée comme une relance de l'action après un suspens. Adam plein de trouble se tait, à qui le Diable révèle avec le vers 157 le secret du jardin. La reprise de la didascalie *Diabolus* avant le vers 158 intervient ensuite, pour matérialiser ce silence, le Diable encourageant ainsi le premier homme à y mettre fin.

La reprise d'une didascalie identique comme relance de l'action est ensuite confirmée, sans l'excuse du changement de folio, dans la scène qui précède le péché :

> *Adam :*
> E jo le prendrai.
>
> *Eva :*
> Manjue t'en,
> par ço savras e mal e bien.
>
> *Eva :*
> Jo en manjerai premirement.
> *Adam :*
> E jo aprés.
>
> *Eva :*
> Seürement. v. 298-301.

Devant l'hésitation d'Adam, c'est Ève qui mangera d'abord le fruit, comme le confirme l'adverbe « seürement » qui clôt le vers 301, et qui ne porte pas le point d'interrogation qu'on lui a parfois ajouté[1]. Le redoublement de la didascalie correspond à

[1] Grass, Aebischer, Noomen.

l'interprétation par l'écriture dramatique de la tradition : Ève goûtera le fruit la première, parce qu'Adam a hésité, et qu'il lui faut le convaincre, fût-ce en lui donnant l'exemple, pour rester fidèle au « jol ferai », promesse faite à Diabolus au vers 271.

Pour finir, qu'en est-il des deux didascalies successives *Eva* dans la scène précédant l'accomplissement de la faute ? Contrairement aux deux cas précédents, il est difficile de ne pas supposer un changement de locuteur entre le vers 283 « Il te ferra changer saver », et le « Nel fra pas… » du vers 284, car dans le cadre du dialogue dont cette scène est constituée, cette portion de vers, avec la négation et le verbe vicariant, est une réponse au vers précédent. Il faut donc qu'Adam prononce le vers 283, en plus du vers 282, avec lequel il explique à Ève son altercation avec le Diable. Et c'est donc bien l'ensemble des vers 282-3 qui peut être attribué au premier homme.

Par conséquent, la distribution des rôles effectuée par les didascalies du manuscrit BM Tours 927 repose sur une logique singulière. Celle-ci n'obéit ni à l'alternance des protagonistes attendue de textes dramatiques postérieurs, ni à une désinvolture trop souvent invoquée pour corriger le travail du copiste. Manques et redoublements des didascalies indiquant le nom des personnages prennent sens comme ellipses ou comme ponctuations de l'action dramatique. Les respecter, c'est accéder à la version du péché originel et de ses suites propre à *l'Ordo Ade*, et révélée par les formes de son enregistrement. Ces didascalies sont alors les premiers indices, aussi discrets que frappants, de la performance à laquelle ce texte était destiné, et dont le manuscrit tourangeau révèle en partie le fonctionnement.

Rimes

Les didascalies indiquant le nom des personnages sont relayées par deux autres éléments formels et matériels : la rime et le mètre. Que ces éléments soient souvent fautifs dans l'*Ordo Representacionis Ade* ne parvient pas à surprendre : quel manuscrit médiéval s'offre, lisse et sans tache, à son lecteur du XXIe siècle ? Mais comme pour les didascalies, la tradition éditoriale a bien souvent remédié à ces écarts, le chef d'œuvre de mise aux normes du *Jeu d'Adam* restant l'édition de Paul Studer. On l'a vu[1], les hésitations du manuscrit lui-même indiquent à plusieurs endroits une volonté normative du scribe, laquelle cautionne un jugement éditorial négatif sur les formes poétiques du texte et semble en appeler la correction. Cependant, les variations des formes fixes et de la métrique ont déjà été décrites et interprétées comme le lieu d'un éventuel surgissement du sens, sur des textes médiévaux « par personnages » en moyen français[2] comme sur d'autres textes[3]. C'est donc dans le prolongement de ces travaux mais aussi en cohérence avec l'étude des didascalies indiquant le nom des personnages que nous avons choisi de ne pas juger ces variations comme *a priori* fautives dans l'*Ordo Ade*, et d'en interroger l'usage. Rimes et métrique apparaissent alors comme un mode d'écriture de l'écart, qui souligne les aspects saillants du péché originel et de ses suites racontés par le BM Tours 927.

Schéma global

Pour décrire la rupture des rimes, il convient dans un premier temps de rendre compte de l'ensemble dans lequel elles prennent sens. L'*Ordo Ade* est composé d'une alternance d'octosyllabes à

---

[1] Voir *supra*, p. 46 note 2.

[2] Voir Darwin Smith, Xavier Leroux et Taku Kuroiwa, « De l'oral à l'oral : réflexions sur la transmission écrite des textes dramatiques », *Médiévales* 59 (2010), p. 17-59 ; et « Formes fixes : futilités versificatoires ou système de pensée ? », dans *Vers une poétique du discours dramatique au Moyen Âge. Actes du colloque international organisé au Palais Neptune de Toulon les 13 et 14 novembre 2008*, Xavier Leroux (dir.), Paris, Champion (Babeliana, 14), 2011, p. 121-142.

[3] Pour une brève approche du rapport entre métrique et sens, voir Barbara Craig, *La* Creacion*, la* Transgression *and l'*Expulsion *of the Mistere du Viel Testament*, University of Kansas Publications, *Humanistic Studies* 37, spéc. p. 36-37 ; elle fait la différence entre « the variety of rhyme-scheme », « simply the result of the poet's desire to display their skill », et « their efforts to use their verse to create the mood of their work ». Pour une réhabilitation des variations formelles de la poésie médiévale, voir Dominique Billy, *L'Architecture lyrique médiévale. Analyse métrique et modélisation des structures interstrophiques dans la poésie lyrique des troubadours et des trouvères*, Montpellier, Section française de l'Association Internationale d'Études Occitanes, 1989, spéc. p. *17-*23.

rimes plates et de décasyllabes, à rimes plates ou formant des quatrains.

Des vers 1 à 47, la première section présente une alternance d'octosyllabes à rimes plates. Elle est suivie de quatrains de décasyllabes monorimes des vers 48 à 115. Puis des vers 116 à 517, les octosyllabes à rimes plates reviennent. Ils constituent donc la majeure partie de la section. Ils sont interrompus par un quatrain d'octosyllabes monorimes, des v. 238 à 241, puis par trois quatrains de décasyllabes, où des v. 460 à 471, Ève effectue la synthèse de ses méfaits. Enfin cette section s'achève sur un échange entre Adam et Ève, formé majoritairement de dix-huit quatrains monorimes (v. 518-588). Toutefois, l'un de ces quatrains semble amputé d'un vers (v. 542-4). Par ailleurs, aux vers 530-531, la rime « memoire » /« gloire » peut être considérée comme une graphie pour la rime « memorie » / « glorie », déjà utilisée aux vers 346-7. Il reste qu'elle forme plutôt une assonance qu'une rime avec les deux vers suivants, où « petit » rime avec « escrit », v. 532-3.

La seconde section, consacrée à Abel et Caïn, commence par huit quatrains de décasyllabes globalement monorimes où les deux frères expriment leur désaccord sur le sujet des offrandes (v. 589-620). On remarque toutefois une rupture du dernier quatrain en « —eigne », avec le vers 619 en « —erre ». Le reste de la section est essentiellement composé d'octosyllabes à rimes plates, (v. 621-742), avec deux passages problématiques, au vers 659, en « —ror », et entre les vers 662 et 664.

La troisième section, du Défilé des prophètes au *Dit des Quinze signes*, est la plus régulière. Les octosyllabes à rimes plates n'y sont interrompus qu'à deux reprises, d'abord par les quatrains monorimes de Nabuchodonosor, des vers 929 à 936, suivis d'un ensemble de six vers problématiques (de 937 à 942), et ensuite, aux vers 1165-6, où « Grigoire » ne rime pas avec « Yerome ». La banalité soulignée plus haut comme une caractéristique de l'*Ordo* trouve peut-être dans cette régularité relative des rimes du Défilé et du *Dit* une nouvelle illustration, et elle conforte l'hypothèse de la copie d'un texte dont la tradition, mieux connue, a limité les erreurs. L'invention et le degré de recherche ou d'écart qui peut l'accompagner, semblent plutôt le fait des parties dialoguées. Quelques irrégularités demeurent cependant, qui sont communes à l'ensemble de l'*Ordo Ade*: les rimes orphelines et la rupture des strophes.

Rimes orphelines

La première rupture de la rime intervient tout au début de l'action, au vers 3: «Je te ai fourmé a mon semblant». Étant donné le schéma majoritaire des 47 premiers vers, on a souvent considéré qu'il manquait à ce vers son correspondant, et compté avant ou après lui un vers blanc[1]. Qu'il ait copié ou inventé les enchaînements de l'*Ordo Ade*, la désinvolture du scribe est toujours possible. Cependant, n'est-elle pas moins facilement concevable à cet instant capital du texte et de la fable? Cette rupture du système des rimes peut aussi mettre en valeur l'importance capitale de l'acte divin de Création. Celui-ci est souligné dans le travail poétique de désignation qui suit, et qui constitue une *variatio* sur une version du répons précédent, selon laquelle *formavit* alterne avec *plasmavit*[2]. «Fourmé te ai»: cette action de la Figure intervient au premier vers de l'*Ordo*, puis elle est déclinée durant toute la première section. «Jo t'ai formé, or te dorrai itel don», v. 49: si la Figure utilise encore «former», elle crée le couple de verbes «fourmer» et «plasmer» pour désigner la création d'Ève, v. 16 et v. 18. Adam reprend ce couple dans les décasyllabes qui précèdent l'octroi du paradis: «Grant grâces rend a ta bénignité / ki me formas et me fais tel bunté...», v. 72-3, est rapidement glosé par: «Tu es mi sires, jo sui ta creature / tu me plasmas e jo sui ta faiture», v. 76-7. Surtout, c'est avec ces deux verbes que la Figure exprime sa colère après la Faute:

> Jo te formai a mon semblant,
> Por quei trespassas mon comant?
> Jo toi plasmai dreit a ma ymage, [f 27v°] 408
> Por ço me fis cel oltrage?

[1] Grass (1928), Chamard, Noomen et Aebischer laissent un vers blanc. Studer et Van Emden rétablissent le couplet en proposant [Je t'ai duné alme vivant].

[2] Sur ce choix, d'après le recensement de versions de ce répons, voir Downey, «*Ad imaginem suam...*», p. 367, p. 370.

La « forme » de l'homme à l'image de Dieu est un argument théologique bien connu, au nom duquel les premiers hommes sont élus puis chassés du paradis. Le Diable le remarque d'ailleurs, qui essaie de substituer à cet acte une autre finalité que la simple jouissance d'exister : « Forma il toi por ventre faire ? », v. 184. Par conséquent, il semble difficile d'imputer l'absence d'un vers complétant l'un des premiers couplets d'octosyllabes consacré à la Création à la désinvolture d'un scribe par ailleurs attentif aux singularités du répons qu'il a retenu. Reprises et approfondies dans le texte de l'*Ordo*, ces dernières font du vers 3 un vers orphelin, dont l'isolement indique l'importance – soulignée d'un geste, ou d'un silence ? Comme pour les didascalies, l'usage probable des rimes orphelines dans le cadre de la performance est confirmé par les autres occurrences de ce point de versification.

Ensuite, c'est entre les vers 234 et 237 que le schéma des rimes est bousculé :

Diabolus :
Por ço fait bon traire a toi.
Parler te voil.

Eva :
Or i ait fai !

Diabolus :
Nen sache nuls !

Eva :
Qui le deit saver ? 236

Diabolus :
Neïs Adam !

Eva :
Nenil par moi.

Si la rime « oi/ai » peut être acceptée dans le cadre d'une versification anglo-normande[1], il est plus difficile de justifier la

[1] Les deux solutions sont possibles selon John Vising, *Sur la versification anglo-normande*, Uppsala, 1884, p. Cette rime est discutée par Studer, *Le Mystère d'Adam*, 1918, p. xxxv, qui juge « ploit/plait » « corrupted », et acceptée par Noomen, *Le Jeu d'Adam*, 1971, p. 90.

rime « er/oi ». Le « moi » du vers 237 pourrait trouver dans le voisinage du « toi » au vers 234 une résonance possible, et l'ensemble former un quatrain d'octosyllabes. Mais *stricto sensu*, les rimes 236 et 237 sont en l'état orphelines. Or, les vers qu'elles achèvent exhibent la rupture du sens au gré de laquelle le péché originel sera enfin accompli. En effet, elles replacent la question du « saver » au centre du propos, alors qu'Adam vient d'y substituer les notions féodales de pouvoir et de trahison (« mal conseil dones », v. 196). Il rejette alors les séductions de la connaissance, qui se trouvaient au centre de son premier échange avec le Diable, où « savoir », « saver », et leurs variations ne reviennent pas moins de dix fois jusqu'au secret enfin révélé : « Ço est le fruit de sapience / de tut saveir done science », v. 155-156. En détachant « saver », qui n'était pas encore apparu dans le dialogue entre le Diable et la première femme, la rime orpheline du vers 236 replace donc le « saver » au centre de l'action dramatique. Et ici, la rupture de la versification est probablement accompagnée d'un déplacement, déjà décelé dans les adverbes de lieu, et qui seul rend possible le déroulement de la conversation entre Ève et le Diable dans un coin du paradis qu'Adam vient de lui interdire. Comme Adam et le Diable au vers 127, Ève et le Diable se rapprochent « en ceste rote », v. 239, pour échanger un secret qui échappera à « [...] Adam la, qui ne nos ot », v. 240 : « Parlez en halt, n'en savrat molt », v. 241.

L'usage du vers orphelin pour souligner un moment important de l'action dramatique, qu'il soit ou non relayé par des gestes ou par des déplacements, éclaire un autre passage souvent discuté :

> *Diabolus :*
> Guste del fruit.
>
> *Eva :*
> Jo n'ai regard.
>
> *Diabolus :*
> Ne creire Adam.
>
> *Eva :*
> Jol ferai. V. 269-270

L'absence de rime entre ces deux vers, à laquelle on a pu remédier[1], crée une rupture temporelle : celle de l'hésitation durant laquelle Ève change d'avis, et choisit de suivre le conseil du serpent. Cette hésitation remet en question l'argument de Henri Chamard, selon lequel Ève aurait bien vite changé d'avis[2] ! L'argument conditionnait la correction du vers 269 en « jo'n ai regard », et sa traduction par « j'en ai l'intention » : ainsi, Ève aurait décidé d'obéir au Diable dès le vers 269. Une transcription conservatrice « jo n'ai regard », qui signifie « je n'y pense pas », marque au contraire son refus, lequel appelle un suspens permettant un changement d'avis, qui est souligné par la rime orpheline du vers 270.

Il en va de même pour la lecture et l'interprétation de la rime orpheline du vers 281, qui intervient à nouveau dans le passage controversé de la dispute entre Adam et Ève avant le péché originel.

Adam :
[…]
Il est traître.

Eve :
Bien le sai.

Adam :
E tu coment ?

Eva :
Car jo l'ai oi. V. 280-281.

Palustre le premier a corrigé en « car oi l'ai », les éditeurs suivants proposant une émendation qui leur semble indispensable au sens de la scène comme à la rime, que cette émendation rend incontestable. Au contraire, la rupture éventuelle[3] de cette

---

[1] Studer a proposé la correction « Jol ferai [tart] ».

[2] *Le Mystère d'Adam*, 1925, p. 52 note au v. 271.

[3] Voir *supra*, note 1 p. 108.

rime nous semble devoir être conservée. Comme dans le cas précédent, la fausse note d'une rime manquée trahit le trouble d'Ève, qui a écouté les conseils du Malin, dérogeant ainsi aux ordres de la Figure. L'*Ordo Ade* se souvient-il de la *Pénitence d'Adam*, où la difficulté, dont le Diable triomphe par le masque, consiste précisément à se faire entendre de la première femme ? Qu'il soit ou non un ajustement de cette tradition, le sens de cette réplique demeure avant tout celui d'une réaction soigneusement ajustée à la scène précédente. Car au début de cette dernière, Satan n'a-t-il pas cherché à obtenir d'Ève qu'elle l'écoute avant tout ? « E : Ore le comence, e jo l'orrai. – D : Oirras me tu ? – E : Si frai bien », v. 211-212.

Enfin, le respect de la rime orpheline éclaire le moment paroxystique du désespoir d'Adam : « Deu ! tant a ci mal plait ! », v. 346. La lecture de Noomen, selon laquelle « plait » serait une graphie de « ploit » (« situation »), et rimerait avec « droit »[1], est possible. Nous lui préférons cependant la répétition du terme « plait » au sens de « procès » déjà employé au vers 343, et la conservation de la rime fautive, comme un point d'orgue désespéré sur la situation juridique catastrophique d'Adam[2].

Dans la section suivante, l'ultime quatrain des décasyllabes qui constituent le premier échange entre les frères est rompu par un vers de Caïn. « Qui entre nus comencera la guerre », v. 619, contraste avec la rime en « —eigne » de l'ensemble de la strophe. Ce contraste met en évidence l'image de la guerre, utilisée depuis le début de l'action pour désigner la rupture du contrat spirituel ou féodal entre Dieu et ses créatures, et il donne un relief singulier à ce lieu commun poétique et théologique. Commune à toutes les sections de l'*Ordo Ade*, cette image trouve dans le décalage de la rime au vers 619 une application significative, l'ensemble de la deuxième section se plaçant ainsi sous le signe d'une lutte contre Dieu dont le fratricide n'est qu'un aboutissement possible : « Tu as comencié vers moi estrif », v. 723.

De manière générale, la logique de la section « Abel et Caïn » repose sur l'exploitation des éclats de Caïn, qui est mise en

---

1 Voir *infra*, note 3 p. 238.

2 Voir *supra*, « La féodalité et les publics laïcs de l'*Ordo* », p. 60.

valeur par une seconde rime orpheline. Quand Abel propose à Caïn de donner la dîme, celui-ci s'emporte :

> *Abel*:
> Offrez le lui de bon cuer,
> Si recevras bon lüer.
> Fras le tu einsi ?
>
> *Chaim*:
> Or oez furor :
> de dis ne remaindront que noef!
> Icist conseil ne vealt un oef! v. 655-661.

On peut évidemment supposer l'absence d'un vers, qui formerait un doublet d'octosyllabes avec la « furor » orpheline du vers 659. Mais cette supposition nous semble mise en question par plusieurs faits. D'abord, l'absence de majuscules à « de dis » indique entre ce vers et le précédent un lien plutôt qu'un flottement, qui aurait laissé la place à un vers perçu comme manquant. Sur un mode, impératif, et sous une forme qui n'est pas sans rappeler le « Or oëz deduit », v. 169 avec lequel le Diable achevait un vers face à Adam, la rime orpheline met donc en relief l'exaspération de Caïn, et les aspérités de la forme poétique confirment la lecture critique des modalités du pacte féodal effectuée par ce personnage.

Dans de rares cas, les rimes orphelines de l'*Ordo Ade* relèvent d'une convention, reconnue par nos contemporains comme par leurs prédécesseurs médiévaux. Ainsi, l'absence de rime pour les noms propres permet qu'entre les vers 1165-6 du *Dit*, où « Grigoire » et « Ierome » ne s'accordent guère. Mais de manière générale, les rimes orphelines de l'*Ordo Ade* exhibent bien une *variatio* significative. Celle-ci correspond à un moment important de l'action dramatique, et elle alimente l'hypothèse de l'usage des ruptures formelles dans le cadre de la performance.

Les strophes en question

L'identification de rimes orphelines dans l'*Ordo Ade* conduit à examiner un autre aspect souvent débattu de sa versification. À l'exemple du vers 619, qui déclare la « guerre » de Caïn à l'ordre féodal et religieux en même temps qu'au quatrain monorime, les rimes orphelines rompent parfois le cours de strophes attendues. Elles contribuent alors à remettre en question la validité de la notion de strophe pour rendre compte de certains aspects de la versification de l'*Ordo Ade*.

L'interrogation sur la présence systématique de strophes conduit d'abord à prendre part à l'une des discussions concernant les liens du *Dit des Quinze signes* au reste de l'*Ordo* : la tirade de Nabuchodonosor, entre les vers 929 et 942. D'abord, le roi de Babylone prononce deux quatrains d'octosyllabes monorimes en « —ant », des vers 929 à 936. Leur succèdent les six vers suivants :

> Chantouent un vers si bel
> Sembloit li angle fuissent del ciel.
> Cum jo men regart, si vi le quartz
> Chi lor fasoit mult grant solaz :
> les chieres avoient tant resplendisant
> Sembloient le filz de Deu puissant. 937-942

Comme le dernier couplet reprend la rime en « —ant » des quatrains monorimes initiaux, on a souvent considéré l'ensemble formé par les vers 939 à 942 comme un quatrain monorime corrompu. Par ailleurs, on a douté de l'attribution des vers 937 et 938, dont la rime en « —el » / « —iel » serait problématique[1]. Or, ces deux points méritent discussion. Il semble en effet difficile de parler d'interpolation pour deux vers d'un manuscrit unique, composé en plusieurs temps et à plusieurs mains. Dès lors, comment comprendre l'isolement du couplet formé par les vers 937-938 au milieu de quatrains monorimes ? En réalité, ce couplet est moins isolé si on tient compte du couplet suivant, en « —az », aux vers 939 et 940, plutôt que de considérer ce dernier comme la corruption du quatrain monorime en « —ant » qu'il formerait avec les vers 941 et 942. Cette solution conduit à abandonner l'hypothèse

[1] Débat rappelé par Noomen, *Le Jeu d'Adam*, 1971, p. 93, note à 1593-4. Studer, *Le Mystère d'Adam*, 1918, supprime ces vers de son édition (laquelle compte alors 942 et non 944 vers comme celle de Noomen), p. 46. Grass (1928) les met entre parenthèses.

d'une tirade de Nabuchodonosor formée de la succession de quatrains monorimes par endroits corrompus, et à lui préférer la solution du manuscrit : une succession de trois couplets entre les vers 937 et 942. La rupture des quatrains monorimes est-elle une lourde faute, ou bien un indice, dont il faut chercher le sens dans une tirade essentielle pour l'*Ordo Ade* ? Ce que cette rupture des strophes pourrait désigner, c'est avant tout la position de ce texte, cruciale pour la composition comme pour l'édition de l'*Ordo Ade*. L'hypothèse d'un quatrain monorime corrompu précédé d'une interpolation annule la perception d'une variation formelle qui fait de cette scène soit une conclusion de l'action soit une transition vers le *Dit de la Sibylle*. Avant tout poétique, cette variation a pu être relayée dans le cadre de la performance, notamment musicale, de l'*Ordo Ade*. Dans un manuscrit à maints endroits marqué par les chants liturgiques, le premier couplet, formé par les vers 937-8, pouvait inviter le *chorus* à exécuter son « ver si bel » ; puis, après cette pause, le second couplet pouvait souligner le geste supposé par son premier vers, « jo men regart », v. 939 ; celui-ci permet la contemplation par le public comme par les protagonistes du merveilleux spectacle des visages « resplendissant », v. 941, où brille celui de « Deu puissant », v. 942. *Mutatis mutandis*, qu'elle ait ou non trouvé une traduction musicale et gestuelle, la rupture des quatrains monorimes signale avant tout la ponctuation de ce moment de l'action, sans permettre toutefois de déterminer si l'intervention ainsi solennisée de Nabuchodonosor marque la fin de la pièce, ou si elle ménage une transition vers l'ultime « merveille grant », v. 929, qu'est alors la Sibylle.

De la même façon, faut-il considérer comme fautive la rupture du quatrain monorime avec lequel Ève répond aux accusations de la Figure ?

> Si jo mesfis, ne fu merveille grant
> Quant traï moi le serpent suduiant.
>
> Mult set de mal, n'en semble pas oëille.
> Mal est bailliz qui a lui se conseille ! v. 464-7

Il reste possible que les vers 464-5 vers aient été mal transcrits, et qu'ils aient formé avec les vers 466-7 un quatrain aujourd'hui corrompu[1]. Cependant, le copiste a cherché à faire rimer les deux premiers, avec un « grant », écrit et cancellé avant « merveille » au vers 464. Malgré la rareté de cette forme pour les décasyllabes avant le XIIIe siècle[2], on peut donc aussi lire ces quatre vers comme deux couplets de décasyllabes plutôt que comme un quatrain. Comme dans le cas précédent, les vers 464-467 s'inscrivent en effet dans un ensemble plus important : celui des vers 460-471, qui en adoptant pour un bref moment le décasyllabe, forme déjà une rupture avec le contexte d'octosyllabes qui l'entoure. Cela ne signifie pas pour autant que cet ensemble doive se conformer à la règle unique des quatrains de décasyllabes monorimes. Au contraire, celle-ci écrase la pause ménagée par leur rupture, et grâce à laquelle Ève pour la première fois mesure son malheur, en effectuant de chacun des chefs d'accusation qui lui seront adressés une synthèse précisément articulée au reste de l'action. Aux vers 464-5, elle démasque d'abord le responsable de son acte, Satan, le séducteur. Puis aux vers 466-7, elle décrit les conséquences de cet acte en reprenant le « conseil » interdit plus haut par la Figure, v. 67, v. 70. Préférer l'unité des quatrains de décasyllabes monorimes corrompus à la ponctuation du propos par deux couplets d'octosyllabes, c'est choisir pour Ève un élan lyrique vers la déploration ou l'autojustification qui n'est guère le propre du regard rétrospectif qu'elle porte à ce moment sur son acte.

En revanche, c'est bien cet élan qui anime Adam après le péché originel, à l'évocation des conséquences fatales de la Faute, et qui éclaire le dernier exemple de quatrain monorime interrompu sinon corrompu de l'*Ordo*.

> *Adam* :
> Veez tu le signes de grant confusion,
> la terre sent la nostre maleiçon :
> forment semames, or i naissent chardons ! v. 542-544

---

[1] Voir Aebischer, *Le Mystère d'Adam*, 1964, p. 62 note à 465. Le quatrain avait été rétabli par Studer : « Si jo mesfis, ço ne fu grant merveille, / Quant li serpens suduist ma fole oreille », 1918, p. 23.

[2] Paul Meyer, « Le couplet de deux vers », *Romania* 23, 1894, p. 1-35, spéc. p. 4, où sont cités « les mystères d'*Adam* et de la *Résurrection* » comme exemples du « décasyllabique… groupé en tirades monorimes ».

À ces trois vers, il manque un quatrième, pour former un quatrain monorime complet. Comment rendre compte de cette rupture autrement qu'en la déclarant fautive ? Comme dans le cas précédent, celle-ci vaut comme pause réflexive et analytique, qui permet à Adam de vérifier, terme à terme, l'ironique récompense promise par la Figure pour sa trahison :

> Or te rendrai itel guerdon :
> La terre avrat maleiçon.
> Où tu voldras ton blé semer,
> Il te faldrat al fruit porter.
> Ele est maleite so[z] ta main,
> Tu le cotiveras en vain.
> Son fruit a toi devendrat
> espines, e chardons te rendrat. V. 424-431

Les vers 542-4 d'Adam reprennent la rime « —on » / « —ion » des vers 424-5, conjuguent le « semer » du v. 426 en « semames », et reprennent les « chardons » du v. 431 : dans ces trois vers, la « maleiçon » annoncée par les vers 425 et 428 est accomplie. Mais ce qu'Adam envisage ici, c'est l'application de cette malédiction dans un temps postérieur à la Faute, qui est aussi celui de sa douleur — une douleur que le quatrain abrégé a le soin de transcrire, et dont un aperçu est également donné dans la didascalie qui le précède : *« Cum venerint Adam et Eva ad culturam suam et viderint ortas spinas et tribulos, vehementi dolore percussi prosternent se in terra* [f30r°] *et residentes percucient pectora sua et femora sua, dolorem gestum fatencentes »,* av. 518. Accessible au seul lecteur du manuscrit, les gestes de désespoir décrits par la didascalie sont relayés dans le dialogue par la rupture du quatrain de décasyllabes. Laissé incomplet, celui-ci fait partie des formes de l'enregistrement manuscrit de la Faute au moyen desquelles le Tours BM 927 décrit l'état d'esprit des premiers pécheurs. Sans le secours de la didascalie, le déséquilibre de la versification donne à leur désespoir une traduction forte, qui peut soit demeurer une image mentale dans le cadre de la lecture, soit donner lieu à une gestuelle du désespoir dans le cadre de la performance. C'est donc d'une manière originale, fondée sur l'exploitation des ressources formelles de la versification, que l'*Ordo Ade* se fait le relais des interrogations de son époque sur les nouvelles formes possibles de la contrition[1]. Assumées, les failles de la forme poétique ressassent le questionnement théologique, sous les espèces du déséquilibre et de l'écart.

Conclusion : un **Ordo Ade** *de 1302 vers*

L'analyse de la rupture formelle introduite par les rimes orphelines conduit à une conception de l'*Ordo Ade* comme poème subtil, capable d'un usage libre de formes poétiques existantes pour organiser l'action. Vers orphelins et strophes incomplètes apparaissent alors moins comme des erreurs que comme des indications. Comprises à la lecture ou relayées par le jeu, elles donnent les clés d'un usage singulier du manuscrit Tours BM 927 : celui d'une performance variable, effectuée en esprit ou dans une représentation. Si elle définit l'usage de l'*Ordo Ade*, la prise en compte des décalages est également importante pour l'édition de ce texte, car elle conduit à ne pas compter certains vers considérés comme manquants par les éditions précédentes. En cohérence avec cette conception d'une forme mobile et signifiante, notre transcription de l'*Ordo Ade* a tenu compte des vers orphelins et des strophes incomplètes comme tels. Nous n'avons donc pas ajouté de vers blanc pour compléter des doublets d'octosyllabes ou des quatrains monorimes. Partant, nous proposons un nombre de vers et une numérotation qui diffèrent de ceux des éditions précédentes du *Jeu d'Adam*. Pour nous, la première section compte 588 vers (contre 590 chez Studer, Noomen, Aebischer et Van Emden, des vers 1 à 590), la seconde, 155 vers (contre 154 chez Studer, Noomen, Aebischer, et Van Emden, des vers 591 à 744), et la troisième, 200 vers pour le Défilé puis 360 vers pour le Dit, soit 560 vers (contre, pour le Défilé, 198 vers chez Studer, qui soustrait le couplet d'octosyllabes de Nabuchodonosor considéré comme une interpolation, mais également 200 vers chez Noomen, des vers 745 à 944, auxquels il faut ajouter les 361 vers

[1] Sur l'histoire du contritionnisme, voir Jean-Charles Payen, *Le motif du repentir dans la littérature française médiévale (des origines à 1230)*, Genève, Droz, 1967, p. 54-93.

du *Dit* chez Aebischer, des vers 945 à 1305[1]). Nos modifications interviennent donc dans les deux premières sections, mais elles changent le nombre total de vers d'une pièce qui pour nous en compte 1302, *Dit des Quinze signes* compris[2].

Mètres

À l'usage des didascalies, des rimes et des strophes, répondent pour finir ceux du mètre. On a souvent imputé les erreurs métriques de l'*Ordo Ade* à son origine anglo-normande[3], dont les listes de cas particuliers et de lectures alternatives dressées par Paul Studer ont tenu compte[4]. Cependant, cette souplesse considérée comme constitutive de la versification anglo-normande a reçu des explications dont la diversité peut surprendre. Due à l'ignorance des clercs anglo-normands pour Vising[5], elle provient pour Studer d'une adaptation maladroite de la versification en usage dans le Nord de la France[6]. Mais Legge a rappelé l'inexistence relative de ces règles au XIIe siècle, et souligné l'importance de l'héritage lyrique latin, selon elle responsable de la fréquence de la césure épique dans les textes français comme dans les textes anglo-normands de cette époque[7]. Au demeurant,

---

[1] 1304 par rapport à notre édition : en effet, Aebischer a compté comme un vers la dernière ligne du texte, *Amen Amen Amen* — ce que nous avons choisi de ne pas faire pour les vers en latin.

[2] Décrivant l'édition Luzarche, Petit de Julleville présentait un texte de « 1301 vers », *Les Mystères*, 1880, tome II, chapitre XVI, p. 218, avec une première partie de 587 vers, une deuxième partie de 154 vers, un Défilé de 200 vers et un sermon de 360 vers — donc, sans l'ajout de vers blanc autour des vers 3 et 544, et en tenant compte de la disposition plutôt que de la rime autour des vers 662-664.

[3] Voir la synthèse de Georges Lote, *Histoire du vers français,* Paris, Boivin/Hatier, 1949-1955, 8 tomes, tome 1, volume 1, p. 297-306.

[4] Dans *Le Mystère d'Adam*, celui-ci propose d'abord une liste des aménagements de type anglo-normand effectués par le scribe, p. xxxv-xxxix ; puis il donne les traits du « language of the restored original », p. lx-li.

[5] *Sur la versification anglo-normande*, p. 73.

[6] *Le Mystère d'Adam*, p. lii.

[7] « La versification anglo-normande au XIIe siècle », *Mélanges Crozet*, tome 1, p. 639-643.

n'est-ce pas comme le témoignage d'une transition fragile et incertaine entre les règles latines et vernaculaires de la poésie que son premier éditeur a pu envisager les particularités formelles et linguistiques de l'*Ordo*[1] ? Dans tous les cas, il faut attendre le XVe siècle pour que des arts poétiques codifient l'usage de la métrique, pour les textes versifiés en général et pour les textes dramatiques en particulier.

Face à cette diversité d'approches, peut-on identifier clairement la métrique de l'*Ordo Ade* et ses éventuels accidents ? Ainsi, peut-on, doit-on compter une ou deux syllabes pour les adverbes « or/e », « cum/e », « onc/onques », « donc/donques », deux ou bien trois syllabes pour « oncor/e », et ce quelle qu'en soit la graphie dans le manuscrit ? De même, les préfixes aux démonstratifs de type « icel/cel » posent problème pour la scansion des mètres, ainsi que la syncope du [e] précédant le r dans les futurs[2]. À ces difficultés, propres à l'anglo-normand, s'ajoute la question des césures, acceptées pour le décasyllabe sous les formes 4/6, 6/4 ou 5/5, mais débattues pour l'octosyllabe[3]. Si depuis Georges Lote[4] on admet la césure pour ce dernier vers comme une marque de l'héritage lyrique latin, tous les cas de césure semblent pouvoir être illustrés par l'*Ordo Ade*, dans les octosyllabes comme dans les décasyllabes[5].

---

1 Voir Luzarche, *Office de Pâques,* spéc. p. xxvii-xxviii.

2 Pour le détail, voir les notes de l'édition. Voir aussi les analyses de Pierre Nobel sur un autre texte anglo-normand, composé entre le XIIe et le XIIIe siècle, le *Poème anglo-normand sur l'Ancien Testament*, édition et commentaire, Paris, Champion, 2006, « Nouvelle Bibliothèque du Moyen Age » 37, 2 tomes, spéc. tome 1, p. 45-70, pour les remarques sur la rime et la versification.

3 Pour ses éditions de la *Vie de Saint Léger* et de la *Passion du Christ* de Clermont-Ferrand, Gaston Paris supposait une césure à l'octosyllabe, mais aussi sa disparition au cours du XIIe siècle. Voir *Romania* 1, 1872, p. 292-6 ; *Romania* 2, 1873, p. 295-299.

4 *Histoire du vers français*, tome 1, p. 221-8.

5 En voici quelques exemples : césure masculine : « En vostre cors vus met e bien e mal : /ki ad tel dun n'est pas lïez a pal ! » v. 64-5 ; césure féminine : « tun seignor aime e ouec lui te tien », v. 69 ; césure épique : Tot tens poez vivre si tu tiens mon sermon », v. 50 ; « d'oisels, des bestes, e d'altre manantie », v. 61 ; « Oi, male femme, plaine de traïson », v. 534 ; « Eve, dolente, cum fus a mal delivre », v. 538 ; césure lyrique : « Od grant paine, od grant suor », v. 436.

Cependant, même si l'on prend en compte l'ensemble des règles possibles au XIIIe siècle, avec leurs interdits et leurs licences, un nombre non négligeable de vers demeure anisométrique dans l'*Ordo Ade*[1]. En accord avec notre analyse des variations de la didascalie et de la rime, nous avons regroupé et examiné les principaux cas de ruptures du mètre dans l'*Ordo Ade*, en essayant de les considérer moins comme des erreurs patentées que comme de potentiels effets. Ce qui se dégage alors, c'est un usage contrastif de la métrique, susceptible d'être actualisé dans une performance, mentale ou effective, au même titre que les accidents formels précédemment dégagés.

L'élision : symptôme, enjeux

Décrire les accidents métriques de l'*Ordo Ade*, c'est d'abord prendre conscience de la difficulté à les identifier, ce que suggèrent entre autres les variations autour de l'un des phénomènes métriques les moins complexes : l'élision d'une voyelle en hiatus avec celle qui ouvre le mot suivant. « F : Adam. – A : Sire ? – F : Fourmé te ai », v. 1 : dès le premier vers, l'élision du « e » devant le « a » produit un heptasyllabe, chose d'autant plus troublante que deux vers plus bas, l'élision est au contraire par deux fois nécessaire à l'octosyllabe, dont une fois pour le verbe « fourmer » : « A m(a) imagene t(e) ai fourmé », v. 3. Un problème similaire oppose « J(o) ai guerpi mon criator », v. 392 où l'élision nuit à l'octosyllabe, à « Que j(o) ai guerpi por ma folor », v. 325, où elle est lui nécessaire. L'élision semble également impossible dans des octosyllabes comme « C(e) est ta femme, Eva a noun. / C(e) est ta femme et tun pareil », v. 9-10, ou dans le décasyllabe « qu(e) en paine met moi e mon lignage », v. 462. En revanche, elle semble bienvenue pour obtenir le nombre correct de syllabes dans de très nombreux cas : « J(o) en manjerai premirement », v. 297, « Il m(e) aidera ? Corocé l'ai », v. 379, « for le filz qu(e) istra de Marie », v. 381 ; « Jo toi plasmai, dreit a m(a) ymage », v. 408 ; « E (e)n paine vivront tot lor anz »,

[1] Moyennant les difficultés de recensement mentionnés *infra*, sur les 1302 vers, environ 70 vers sont irréguliers. Voir notes de l'édition pour le détail.

v. 433, « E (e)n grant anguisse finerunt », v. 455, « A : ç(o) est de ton pru. – C : tant m'est plus bel ? », v. 623 ; « C : Qu(oi) offriras tu ? – A : Jo, un aignel », v. 641 et « A : Tu, qu(e) offriras ? – C : Jo, de mon blé », v. 647 ; « tel don qu(e) il voille regarder », 634.

Etant donné la masse des cas pour lesquels l'élision semble attendue, les cas où elle ne devrait pas avoir lieu pour que le vers demeure un octosyllabe ou un décasyllabe relèvent d'une lecture peut-être normative, en tout cas contraire à l'usage souple de la forme versifiée globalement observé par l'*Ordo*. Sans certitude, on peut donc considérer que cette élision est toujours possible, et que les vers où elle se produit sont potentiellement anisométriques. Ces vers qu'une élision rend irréguliers sont alors le symptôme des multiples variations métriques auxquelles est soumis le tissu complexe de l'*Ordo Ade*, et ce, de la Création au *Dit des Quinze signes*.

Peut-on considérer que, comme pour des textes bien ultérieurs, cette variation était une variable, adaptée à la métrique par la diction[1] ? Le fait qu'elle soit à la fois plus fréquente et plus diversifiée dans les deux premières sections, composées de dialogues, pourrait cautionner cette hypothèse. Cependant, son usage limité dans la troisième section témoigne peut-être à nouveau d'une tradition plus importante et mieux connue des textes qui la composent, du *Défilé* au *Dit*. Par conséquent, ce qui frappe, c'est plutôt la corrélation entre les variations métriques observées à divers endroits de l'*Ordo* et les moments importants de la fable, qu'elles contribuent à mettre en valeur.

Heptasyllabes en contexte d'octosyllabes

Les heptasyllabes en contexte d'octosyllabes constituent le cas le plus fréquent de variation métrique dans l'*Ordo*. Présent dans toutes les sections, il peut souvent être corrigé, de façon plus ou moins aisée. Ainsi, les vers suivants de la première section peuvent être considérés comme des heptasyllabes ou comme des octosyllabes. Dans « De ta coste l'ai fourmee », v. 16, on doit

[1] Voir Jacques Réda, *Celle qui vient à pas légers*, Montpellier, Fata Morgana, 1985, sur « Le Grand Muet », p. 67-88, et Benoît de Cornulier, sur les écarts de versification liés à l'usage dramatique, dans *Art Poëtique*, 1995, p. 82-4.

tenir compte soit du « e » final soit du « j » accolé à la fin du verbe « l'aij », v. 16, pour compter huit syllabes. Dans « Jo la plasmai de ton cors », v. 18, on imagine un éventuel écho de la forme latine trisyllabique « plasmavi » dans le verbe « plasmai », v. 18. Et dans « n'ai entre vus ja tençon », v. 21, on suppose un « i » en diérèse qui allonge d'une syllabe la terminaison de « tençon »... Très nombreux, les exemples de ce type remettent-ils en question la légitimité d'une enquête sur l'usage de la variation métrique ?

Comme pour les didascalies, l'intérêt de leur conservation apparaît d'abord à l'examen de leur mise en place dans le cours de l'action. Ainsi, considérer le vers inaugural de l'*Ordo*, « F : Adam. – A : Sire ? – F : Fourmé t(e) ai », v. 1, et les vers « C(e) est ta femme, Eva a noun. / C(e) est ta femme et tun pareil », v. 9, v. 10, comme des heptasyllabes plutôt que comme des octosyllabes sans élision, c'est attirer l'attention sur deux informations : la Création, et la présentation de la première femme à son époux. Ces informations en elles-mêmes ne sont ni plus ni moins importantes que les autres. Mais dans le cadre du déroulement de l'*Ordo Ade*, elles ont déjà été fournies, par la *lectio* puis par le répons. La rupture du mètre accompagne donc la reprise d'une information déjà donnée par le contexte. À cette reprise, inutile à la progression de l'action, semble correspondre un usage : l'invitation au geste, particulièrement bien venu dans le cadre de la performance, qui distingue la pratique de l'*Ordo* de celle de la simple liturgie. Ce geste, c'est pour le premier vers celui qui inaugure l'action. La Figure désigne l'homme que selon le chant liturgique elle vient de créer. L'action se poursuit alors, scandée par les heptasyllabes suivants de la Figure. Dans les vers 9, 10, 16, 18 et 21, la rupture continuée de l'octosyllabe souligne l'explication de la situation à Adam par la Figure. Redoublant le passage du latin à la langue vernaculaire, les heptasyllabes martèlent les informations qui à ce moment de l'action doivent être saisies des premiers hommes. En rompant le rythme de l'octosyllabe, l'heptasyllabe souligne les éléments de la tradition que l'*Ordo Ade* entend mettre en évidence – en l'occurrence, l'acceptation par Adam d'une femme « pareille », parce qu'elle vient de lui, et le climat de concorde qui doit régner entre eux. Soulignés, ces éléments supposent peut-être un geste de crainte, de refus, ou d'indifférence d'Adam pour Ève. Et dans le cadre de la fable développée par l'*Ordo Ade*, ils le sont surtout parce que la concorde qu'ils demandent sera oubliée, avec la dispute entre Adam et Ève (v. 276-291), pour mieux revenir avec l'invocation d'une parité qui conduit Adam à écouter sa femme : « Jo t'en crerra, tu es ma per », v. 312. Dans cette perspective, la correction souvent effectuée dans « Tel soit la lei de manage », v. 23, où « mariage » est substitué à « manage », selon certains éditeurs, pour rétablir l'octosyllabe[1], est contestable. Au contraire, l'heptasyllabe du vers 23 exhibe la synthèse de la « lei » que la Figure entend imposer aux premiers hommes, et qui leur interdit la dispute, au sein d'un « manage », lieu plutôt qu'institution, qui bientôt sera assimilé à la prison de paradis où Dieu les cantonne.

Par conséquent, les premiers heptasyllabes de l'*Ordo* contribuent à dessiner les soubassements du drame qui selon ce texte conduit à la Faute. Brefs dans un contexte d'octosyllabes, ils élaborent un discours neuf, à l'intérieur d'une fable dont les lignes de force traditionnelles sont par ailleurs données par la *lectio* et les répons liturgiques. Brisant la régularité du couplet d'octosyllabes, les heptasyllabes programment une scansion de l'information, qui a pu trouver dans la performance une traduction souvent confirmée par le progrès de l'action ou par les didascalies latines.

Cette perspective, qui invite au déchiffrage et à la conservation de maints heptasyllabes du manuscrit, donne à leur irrégularité métrique un usage dont on dégagera quelques aspects.

Dans la première section, « quant ma femme m'a traït ? », v. 353, l'heptasyllabe souligne la cause de l'infortune d'Adam. Mais il souligne aussi la colère de la Figure, peut-être dans « Por ço me fis cel oltrage ? », v. 409, dans « que jo t'avoie contredit », v. 413, et certainement dans « As tu gaire gainnié ? », v. 403, ce qui invite à considérer ces vers comme des heptasyllabes. De même, dans « Toit ceals qui de toi istront / li ton pecché ploreront », v. 458-9, soit « toit » est dissyllabique, et « pecché » est mis pour « pec-chi-é », soit ce couplet d'heptasyllabes souligne la funeste conséquence de la malédiction d'Ève. Enfin, les premiers

[1] Voir la note à ce vers. L'argument tombe aussi si l'on compte « tele » selon les indications de Studer…

mots d'Adam après la Chute peuvent compter deux syllabes pour le verbe « sui », ou bien une seule. Ces deux heptasyllabes soulignent alors la brutalité de sa prise de conscience : « Or sui mort sanz nul retrait ! Senz nul rescus sui jo mort », v. 315-6, laquelle est confirmée par la didascalie, *et maximum simulans dolorem*, av. 314.

Parfois, les heptasyllabes mettent en valeur la dynamique d'une information et ses modifications au gré de l'action. Ainsi, dans « A lui soies tot tens encline », v. 34, doit-on compter deux syllabes pour « soies », ou retenir de l'heptasyllabe l'accentuation de l'obéissance demandée à Ève par la Figure ? Et en réponse, dans la première tirade d'Ève, ne peut-on considérer que les heptasyllabes mettent précisément en relief chaque aspect de la promesse que la première femme trahira ? Cela évite d'ajouter dans « Ja n'en voldrai ne issir », v. 41, après le « ne », un « rien » absent du manuscrit, mais aussi de chercher à tout prix à corriger des vers comme « Toi conustrai a seignor », v. 42, ou « De moi avra bon conseil », v. 45. Enfin, selon les variations de la scansion, le Diable semble faire de l'heptasyllabe un usage récurrent, qui pousse les premiers hommes à la Faute, rappelant à Adam qu'il est doté du libre-arbitre, « Quanques vuldras porras faire », v. 162, rassemblant les raisons de l'interdiction divine, « por ço le quidat veer », v. 167, faisant briller l'argument du savoir, « De tut saveir, bien e mal », v. 250, ou invitant sans ambages Adam puis Ève au geste fatal : « Manjue le. Si fras bien », v. 164, « Manjue le, n'aiez dutan[c]e », v. 274.

Dans la seconde section, les gestes violents de Caïn sont souvent soutenus par des heptasyllabes ; et plus systématiquement que dans la première section, ils sont relayés par les didascalies latines. Ainsi, *Tunc eriget dextram minacem contra eum* intervient avant le vers 689, et accompagne le « Ne porra de mort guenchir », v. 692, lequel précède le coup fatal, décrit par la didascalie avant 721, *[ollam] percusciet eam quasi ipsam Abel occideret*. C'est aussi un heptasyllabe qui permet à Dieu de dire sa colère, *quasi iratus*, av. 721 : « Jo sai bien, tu l'as ocis », v. 730. Partant, même sans didascalie, n'est-ce pas la crainte d'Abel, et un geste de prière, qui pourraient accompagner l'irrégularité de « S'il est vers nos apaiez », v. 629, plutôt que de justifier sa correction par « envers » ?

Enfin, les heptasyllabes interviennent également dans le Défilé des prophètes. Là encore, s'il est souvent aisé de les corriger, est-ce légitime ? Dans « Adam trara de prison », v. 873, l'heptasyllabe de Jérémie pourrait constituer une variation bienvenue autour de l'annonce répétée de la Descente aux enfers. De même, son « Soient netz les voz curages », v. 863, est un heptasyllabe, sauf à compter trois syllabes à « curage » ou deux à « soient » comme dans le vers précédent. Car ce vers succède à deux autres, qu'on peut considérer également comme heptasyllabes, sauf à compter deux syllabes pour leurs derniers mots, et à prononcer les finales en « —es » : « Faites bones les vos voies / Soient droites cumme raies », v. 861-2. Avec ces trois heptasyllabes successifs, les exhortations du prophète, à l'impératif ou au subjonctif présent, ne prennent-elles pas plus de force ? De la même façon, le « Si grant n'oï mais oreille », v. 912, d'Isaïe peut facilement être corrigé, moyennant l'ajout de « ja » devant « mais ». Mais la conservation de l'heptasyllabe, si elle souligne le commencement de la prophétie qu'il parvient enfin à dire en entier, répond aussi aux accusations de folie et de sénilité que les *Judei* ont également formulée avec des heptasyllabes : « Tu as le sens tot trublé, / Tu me sembles viel meür », v. 894-5. De surcroît, ces deux vers étaient suivis d'un troisième heptasyllabe, « sés bien garder al miror ? », auquel un « tu » a été ajouté, mais dans la marge... Rétablissant l'octosyllabe, le pronom personnel marginal souligne aussi qu'à l'origine, cet ensemble de vers était peut-être constitué d'une succession d'heptasyllabes, dont l'irrégularité pouvait accompagner le violent brandissement des mains mécréantes devant les yeux du prophète : « Or me gardez en ceste main », *Tunc ostendet ei manum suam*, v. 897 et suiv.

Ennéasyllabes

Comme l'heptasyllabe, le décasyllabe subit par endroits une abréviation qui semble là aussi accompagner une inflexion notoire de l'action. « Entre nos si soit bien ferm amor ! », v. 596 : Abel, qui vient de rappeler la cause de sa sujétion au Seigneur, la « folor » de leurs parents, introduit avec ce vers une information neuve, qu'il précise dans le dernier quatrain de sa tirade : « Entre nos deus ait grant dilection, / N'i soit envie, n'i soit detraction ; / Por quei avra entre nus dous tençon ? », v. 605-607. Décasyllabe abrégé, le déséquilibre du vers 596 souligne l'objet véritable de la section : l'hostilité de Caïn, pointée par les didascalies *quasi subsannans*, av. 609, et *micius solito*, av. 621, qu'Abel tente sans succès de détourner.

Cependant, le cas le plus fréquent d'ennéasyllabes intervient en contexte d'octosyllabes : il consiste donc à allonger un vers d'une syllabe. S'il peut comme les vers abrégés ponctuer l'action, et notamment en marquer une inflexion, une autre fonction semble dévolue à l'allongement du vers : la glose, qui prolonge et approfondit un nouvel aspect de l'action.

« Ne moi devez ja mais mover guere », v. 5 : si la suppression du « mais » semble aisée, sa conservation souligne le premier usage de l'image guerrière déjà analysée comme socle des relations entre la Figure et ses créatures. Dès lors, faut-il à tout prix syncoper « ambedui » et « ambedeus » pour en faire des mots de deux syllabes, et « ele » en « el », pour en faire un monosyllabe ?

> Tu aime lui e ele ame tei,
> si serez ben ambedui de moi.
> Ele soit a tun comandement,
> e vus ambedeus a mun talent. V. 12-5

Ne pas syncoper ces termes, c'est se laisser la possibilité de comprendre ces quatre vers comme une explication approfondie des commandements de la Figure. De la même façon, le vers 83, « Qui i maindra serra mis amis », qu'on a déjà attribué à Adam plutôt qu'à la Figure, prend tout son sens comme commentaire appuyé des beautés du jardin. Par ailleurs, « Ço garde tu, nel tenez en vain », v. 25 : si l'on tient compte de la graphie plutôt que de la confusion entre P2 et P5, fréquente en anglo-normand, cet octosyllabe allongé prolonge l'avertissement de la Figure à Adam et à Ève, qui en sont ensemble les destinataires, avant que la Figure ne s'adresse à Ève seule, à partir du vers 28. Dans le même esprit, le décasyllabe allongé « Jo t'ai formé, or te dorrai itel don », v. 49, prend valeur d'introduction logique à l'exposé des vertus conjuguées de l'obéissance et du libre arbitre, énoncé par la Figure dans six quatrains de décasyllabes monorimes.

Enfin, les vers « Que ja en ma vie, par sens ne par folor », v. 109, « ne voil que vers vus ait nul retrait », v. 291, ou « Si li defendez tres bien la voie », v. 517, que la suppression d'un monosyllabe ou l'élision corrigeraient aisément en décasyllabe ou en octosyllabes, ponctuent efficacement la fin d'une période, où Adam exprime son désir d'obéissance, sa colère, et où Dieu donne ses ordres à Chérubin.

L'usage de vers allongés pour lancer un élément nouveau de l'action ou en approfondir le commentaire intervient sur un mode similaire dans la seconde section. Ainsi, l'hypocrisie de Caïn qui a décidé de tuer son frère est révélée par le dysfonctionnement de l'octosyllabe, grâce à un « por » qui n'est alors plus surnuméraire : « E por reguarder nostre labor », v. 667, et qui est confirmé par la didascalie qui le précède, *Tunc veniet Chaym ad Abel volens educere callide foras ut occidat...*, av. 666. Ensuite, on peut considérer l'usage du « ovec », fréquent dans la deuxième et dans la troisième section, comme source d'un vers défectueux, là où le « od » préféré par la première section conserverait l'octosyllabe. Mais avec l'ennéasyllabe « J(o) irrai ovec toi ou tu voldras », v. 670, Abel amorce l'explication qu'il va ensuite donner à son frère, et qui précipite sa chute : « Tu es mi freres li ainez /Jo en sivrai tes volentez », v. 672-3. Enfin, après les interrogations rhétoriques qui font écho au *Ubi est Abel, frater tuus*, la Figure lance avec un ennéasyllabe en contexte d'octosyllabes : « Tu as comencié vers moi estrif », v. 723, une accusation qu'elle développe ensuite jusqu'à la fin de la section.

Dans la troisième section, on retrouve le cas du « ovec » dans « Ensemble ovec vous habitera », v. 868, où dans la prophétie de Jérémie, la syllabe surnuméraire amorce l'exposé de la venue de Dieu sur terre, développée par les quatre vers suivants, v. 869 à 872. Auparavant, Salomon prophétise la Passion avec deux ennéasyllabes : « Contre justise, encontre raison, /Mettrunt le en cruiz cume laron », v. 808-9. Transformer « encontre » en « contre », et compter « cum » au lieu de « cu-me » ou élider « le » devant « en » est possible, mais moins efficace que le développement des raisons de la malédiction des *Judei*, soutenue par l'allongement de ces vers. Celui-ci reçoit le même usage dans le « Qui envers Deu estes trop felon », v. 826, de Daniel. De même, dans le dialogue entre Isaïe et les Juifs, « J : Quant en garrai ? – I :

jamés a nul jor», v. 902, le «jamés» peut devenir «ja». Mais n'est-ce pas avec cet ennéasyllabe énergique qu'Isaïe achève de convaincre les *Judei*, qui au lieu de refuser sa prophétie, lui demandent ensuite de la redire? Enfin, dans ses deux derniers doublets d'octosyllabes, Nabuchodonosor donne de l'ampleur à sa «merveille», peut-être chantée, en allongeant d'une syllabe les octosyllabes 939 et 941:

> Cum jo men regart, si vi le quartz
> Chi lor fasoit mult grant solaz:
> les chieres avoient tant resplendisant
> Sembloient le filz de Deu puissant. 939-942

Métrique des contrastes

L'abréviation et l'allongement des octosyllabes et des décasyllabes de l'*Ordo* mènent à l'hypothèse d'un tissu poétique composé comme un *continuum*, sur lequel des informations se détachent. Parfois, c'est la régularité elle-même qui peut se distinguer. L'usage des octosyllabes en contexte de décasyllabes ou de décasyllabes en contexte d'octosyllabes apporte alors la confirmation de la scansion singulière effectuée par l'*Ordo Ade* sur l'histoire du péché et de ses suites, selon un fonctionnement qu'on désignera comme métrique des contrastes.

Dans la première tirade en décasyllabes de la Figure, l'un des quatrains monorimes s'achève de manière difficilement contournable par un octosyllabe: «Car tot li mond vos iert encline», v. 63. Abrégé en contexte immédiat, ce vers peut accompagner comme les vers abrégés précédents le geste de la Figure, embrassant pour les premiers hommes l'ensemble du territoire qu'elle leur accorde. De manière rétrospective, cet octosyllabe conduit à en déchiffrer un autre, en position finale d'un autre quatrain monorime de la même tirade: le «Se nel entent, donc s'afoloie», v. 59. Sans l'allongement en «donques» et le compte de deux syllabes pour «loi/e», ce vers abrégé se veut un signal, soucieux d'éviter le risque d'une compréhension imparfaite des dons et de l'interdit de la Figure.

«O paradis, tant bel maner!», v. 522: quand Adam ouvre la seconde série de ses lamentations, c'est avec un cri de nostalgie, où l'octosyllabe se détache sur l'ensemble en décasyllabes qui le suit. Il réutilise ensuite ce contraste pour indiquer dans une exclamation accusatrice la cause de son mal: «Tant m'as mis tost en perdicion!», v. 535. Dans ces deux cas, les didascalies confirment le geste d'Adam, vers le paradis ou vers Ève, lequel est donc supposé par ces vers abrégés: *Hic respiciat Adam paradisum et ambas manus suas elevabit contra eum et capud pie inclinans dicens*, av. 522, et *Tunc manum contra Eva levabit,... et cum magna indignacione movens caput dicens ei*, av. 534. À la fin de la première section, Ève fait également la synthèse de son héritage dans un octosyllabe distinct des huit quatrains de décasyllabes qui l'entourent: «Li fruiz fu dulz, la paine est dure», v. 583; et cette déploration peut également s'accompagner d'un geste, quoiqu'aucune didascalie ne soit venue le décrire.

À l'inverse, quelques décasyllabes sont mis en valeur sur un fond d'octosyllabes, comme le conseil du Diable sur l'usage du fruit: «Primes le pren, e a Adam le done», v. 262, ou encore l'opinion désespérée sur sa situation qu'Adam exprime avec l'une des expressions les plus énigmatiques de l'*Ordo*: «Or m'est avis que tornez est a gwai!», v. 419. De même dans la deuxième section, c'est par un décasyllabe en contexte d'octosyllabes qu'Abel tente de s'opposer à la violence de son frère: «Unches n'amai de fere traïson», v. 682. Et par contraste, l'échec de cette tentative normative résonne dans un ennéasyllabe, avec lequel Abel s'en remet à Dieu: «A Deu pri qu'il ait de moi merci», v. 720. Enfin, dans la troisième section, certaines prophéties reçoivent de l'usage du décasyllabe en contexte octosyllabique une touche de solennité. Pour Abraham, le décasyllabe «Jol voleie offrir por sacrefice», v. 753, met en valeur l'élément saillant de son histoire, qui a montré son élection, puis toutes les peines s'allègent à l'idée du salut, exprimée par le décasyllabe «Adam serra de peine delivrez», v. 764. Le même type de vers introduit la péroraison de la prophétie d'Isaïe: «Iço que vus di de Deu l'ai appris», v. 926, rappelant à la fois l'importance de sa prophétie et la difficulté qu'il a eue à l'énoncer — lesquelles sont au demeurant relayées par un ennéasyllabe: «E ço iert tot accompli par veir», v. 927. Partant, ne peut-on considérer le redoublement non biffé de

« mal » dans « Quant creiez mal, mal te poisse venir », v. 138, moins comme un terme à supprimer, que comme le support d'un décasyllabe en contexte d'octosyllabes ? Cette variation souligne alors l'étonnement feint du Diable à qui Adam expose ses craintes dans l'octosyllabe d'une conversation encore franche et naïve, où il n'a pas reconnu le Malin.

Brouillages continus et micro-lecture (651-664)

Pour finir, le dispositif métrique peut être brouillé sur plusieurs vers, qui peuvent former un ensemble. Ce brouillage fait alors écho à un moment très tendu de l'histoire, auquel une mise en corps et en espace pouvait efficacement répondre.

Dans la première section, on a déjà évoqué les vers 464-7, où Ève utilise deux couplets d'octosyllabes entre deux quatrains de décasyllabes monorimes pour faire la synthèse de ses erreurs. Mais le premier de ces quatrains s'ouvre sur un ennéasyllabe, « Go sui mesfait, ço fu par folage », v. 460, suivi d'un alexandrin, « por une pome soffrirai si grant damage », v. 461, et d'un vers qui demande une césure lyrique et un aménagement de l'élision pour parvenir au décasyllabe : « que en paine met moi e mon lignage », v. 462. Les variations du mètre et de la rime se font écho, pour témoigner d'un trouble auquel la première femme tente sans succès de mettre de l'ordre. De fait, le dernier quatrain s'achève sur un vers de onze pieds, malgré les tentatives de correction du scribe : « Por poi de froit moi covient perdre la vie ! », v. 471. Autre cas de groupe versifié bousculé : celui qui décrit l'accueil fait par Adam à la Figure après le *Dum Deambularet* : « Repost me sui ja por ta ire/ E por ço que sui tut nuz/ Me sui jo ici si embatuz », v. 387-9. Dans ces vers, pour obtenir trois octosyllabes, il est nécessaire de ne pas effectuer l'élision de « ta », de compter d'abord « sui » dissyllabique puis monosyllabique, et d'élider le « jo » ou de supprimer le « si »... Autant d'opérations toujours possibles, mais jamais indispensables, d'autant que ce trouble de la forme poétique pourrait, dans le cadre d'une performance, accompagner le geste des pécheurs honteux également signalé dans la didascalie précédant ces vers : *latebunt... ob verecundiam sui peccati aliquantulum curvati*, av. 386. Et c'est en proie à une colère mêlée de désespoir qu'Adam bouscule l'un de ses derniers quatrains monorimes :

> De nostre mal veïste le comencement,
> Ço est nostre grant dolors, mais grainior nus atent.
> Menez en serroms en emfer ; la, ço entent,
> Ne nus faldra ne poine ne torment. 548

Si les vers 547 et 547 comptent onze ou douze syllabes, selon le nombre de syllabes qu'on accorde à « veïste », à « serroms », et l'élision effectuée ou non à « ço entent », le vers 546 pose problème. Avec une élision de « ço » et deux syllabes pour « grainior », c'est aussi un alexandrin. Mais sans élision, et avec trois syllabes pour « grainior », il peut être scandé 6/7 – nonobstant la rime, ne pourrait-il pas être divisé en deux vers ? La dislocation du rythme se fait l'écho de l'angoisse et de l'indignation ressenties par Adam – *et cum magna indignacione movens caput dicens ei*, av. 534. Les explique-t-il seulement à Ève, ou bien faut-il donner à « veiste » sa valeur de P5, et comprendre le quatrain comme une adresse au public ? C'est au demeurant sur la même confusion des P2 et P5 qu'on peut lire le décalage de vers de onze syllabes, « Pardonez le moi, car ne pui faire amende », v. 567, où Ève entrerait en contact avec le public, exprimant aussi ses regrets par un alexandrin : « E mis toi en pecchié, dont ne te pois retraire », v. 576.

Dans la deuxième section, c'est d'abord un décasyllabe qui est allongé de plusieurs syllabes : « Vostre doctrine si est qu'il vueille escoter », v. 611. Corrigé sans succès par le copiste, ce vers compte onze ou douze syllabes (avec ou sans les hiatus). Cet allongement signale le refus ouvert de Caïn d'écouter Abel, après la louange ironique qu'il lui a adressée dans ses deux premiers vers. Mais surtout, les octosyllabes sur lesquels l'ensemble du dialogue des frères se déroule sont rompus de multiples façons après que Caïn a exposé son offensant projet d'offrande. Effrayé, Abel l'interrompt par un possible décasyllabe (si « tel » est mis pour « tele ») : « Tel offrande n'est pas aceptable », v. 651, auquel Caïn répond par un tétrasyllabe accordé par la rime en [able] au vers précédent : « Ja est ço fable », v. 652. Abel tente alors de rétablir l'ordre et la rationalité de leur échange en usant de l'octosyllabe : « Riches hom es e mult as bestes », v. 653, auquel Caïn répond par un « Si ai » lapidaire, suivi par un nouvel octosyllabe : « Por quei ne contes toit par testes », que, selon la rime, nous avons choisi de considérer comme formant un seul et même vers avec le « si ai » précédent. Partant, le vers 654 est un décasyllabe, qui rime avec le vers précédent en « —estes ». Il annonce un autre décasyllabe, « Fras le tu einsi ? — Or oez furor », v. 659, que nous avons déjà analysé comme l'une des rimes orphelines les plus importantes de l'*Ordo*. Ce passage se conclut par un ensemble de vers problématiques, qui accumule les ruptures de rime et de rythme, quelle que soient les solutions éditoriales retenues :

> *Chaim :*
> Alom offrir de ça :
> chescons par soi, qu'il voldra !
>
> *Abel :*
> E jo l'otrei. V. 662-664

Studer et Aebischer ont supprimé « de ça ». Noomen a gardé cette expression, mais il a proposé ce découpage, différent du nôtre :

> *Chaim* :
> Alom offrir de ca, chescons par soi
> Qu'il voldra.
> *Abel* :
> E je l'otrei.

Son découpage a plusieurs avantages : il fait rimer « soi » et « otrei » ; il achève sur une réplique formée d'un demi-octosyllabe (« et jo l'otrei ») l'ensemble de la période, ce qui s'est produit plusieurs fois dans la première section. Mais il ne correspond pas à la lettre du manuscrit. En effet, comme les précédents, les vers 662 et 663 sont certes anisométriques, mais ils sont unis par la rime. Aussi avons-nous choisi de les compter comme deux vers. C'était le choix de Grass, maintenu dans ses trois éditions (moyennant des points de suspensions dans les vers pour en rétablir l'isométrie). Comme nous, Grass a probablement été sensible à la ponctuation forte (deux points) qui suit le mot « *ca* », et qui isole fortement les deux vers l'un de l'autre. En conservant la lettre du manuscrit, l'ensemble des vers prend un caractère heurté, qui correspond en profondeur à la violence de la scène qui se déroule. Le brouillage des rimes répond alors à celui des rythmes, et il trace le diagramme menaçant de l'affrontement futur entre les deux frères. Ce dernier est annoncé une dernière fois par la variation métrique des vers 666-669, où Caïn propose la promenade qui s'achève en crime : aux ennéasyllabes « E por reguarder nostre labor », v. 666, et « plus leegier aprés en serroms », v. 669, sans syncope à « serroms », répond l'hexasyllabe, « as prez puis en irrums », v. 668. Ce dernier compte parmi les vers brefs plutôt qu'abrégés, couronnement de la métrique contrastive de l'*Ordo*.

Les vers brefs, clés du système

Que ce soit par rapport à l'octosyllabe ou au décasyllabe, plus les vers s'abrègent, plus net est le dessin d'un rythme, véritable forme donnée à l'action. Hexasyllabes, pentasyllabes et tétrasyllabes apparaissent alors comme l'achèvement d'un système où le mètre donne sa pulsation à une forme esthétique. Cette forme, c'est celle de l'action dramatique que le péché originel et ses suites sont devenus dans l'*Ordo Ade*.

Dans cette perspective, nous avons considéré comme des vers entiers certains vers considérés jusqu'ici comme incomplets, voire certains autres, rattachés par la rime mais selon un découpage différent à celui ou ceux qui l'entourent. Le vers 191, « Si tu manjues la pome » compte sept ou six syllabes, selon le nombre de syllabes donné à « manjues » et à « pome » : il est accompagné du geste *tunc eriget manum contra paradisum* », av. 192. Même sans didascalie, on peut supposer le geste de désespoir qui accompagne « Deu ! Tant a ci mal plait », v. 345, la rupture du mètre redoublant alors celle de la rime pour ce vers de six syllabes. Même chose pour « Manjue, nen poez doter ! », v. 313, hexasyllabe si « manjue » est dissyllabique, et « poez », monosyllabique, et qui précède le moment capital où *Tunc commedat Adam partem pomum*. Enfin, avec l'hexasyllabe « en bois, en plain, en lande », v. 477, la Figure désigne d'un geste furieux (*Tunc minabitur Figura serpentis*, av. 472) l'espace où le *serpens* sera maudit, répondant ainsi à l'octosyllabe « Car tot li mond vus iert encline », v. 63, en contexte décasyllabique.

Mais ces vers peuvent être plus brefs encore. Lorsque le Diable parvient à retenir l'attention d'Adam, il demande la discrétion. Tous deux doivent protéger leur conversation des autres protagonistes, en l'occurrence Ève, l'autre habitante du paradis. L'octosyllabe « Jol te dirai priveëment », v. 126 est alors suivi d'un mot de quatre syllabes, « Seürement », que nous considérons comme un tétrasyllabe, vers entier et non corrompu, parce qu'il rime avec le précédent, et parce que sa brièveté, comme celle de certains heptasyllabes, accompagne leur geste d'isolement dans l'espace conventionnel du paradis. Autre tétrasyllabe : celui par lequel le Figure coupe court aux questions d'Adam, avant de le maudire : « E tu por quoi ? », v. 399, et qui rime avec le précédent, en « toi ». De même, nous considérons comme un vers bref et non nécessairement corrompu le trisyllabe « Quant ? – Suffrez moi », v. 272 : dans ce cas aussi, la rupture du mètre rejoint celle du vers, pour faire du vers 272 une ponctuation de l'action selon laquelle Ève demande un délai pour accomplir sa promesse. Enfin, soit il forme un décasyllabe avec le pentasyllabe chanté de la Figure, *Adam, ubi es,* soit le vers « Ci sui je, beal sire », v. 386, est un hexasyllabe, voire un pentasyllabe, selon le nombre de syllabes compté à « sui ». Dans tous les cas, ce vers bref introduit la scène où Adam honteux se tient tête baissée : « Ne t'os veer en la face ! », v. 401.

De la même façon, dans l'échange précédemment analysé entre Abel et Caïn, le vers bref joue un rôle déterminant, de « Ja est ço fable », v. 652, à « e jo l'otrei », v. 664. Cri ou rire, le premier tétrasyllabe formule le rejet profond de la conception de l'offrande comme dîme pratiquée par Abel, le second matérialisant le rejet aussi symbolique que réel d'Abel par son frère : Caïn refuse la dîme, ce qu'il traduit en interrompant la conversation pour se diriger vers les autels, au rythme d'un hexasyllabe, « Alon offrir de ça », v. 662, ne laissant d'autre choix à son frère que de prendre acte de sa décision : « E jo l'otrei ». Enfin, le vers 937 de Nabuchodonosor, « Chantouent un vers si bel », peut être considéré comme un hexasyllabe, si l'on compte deux syllabes pour « chantouent », et scander encore plus nettement ce moment de conclusion ou de transition vers l'ultime monologue.

L'intégration du **Dit des Quinze signes**

Dans le *Dit des Quinze signes*, on compte moins de vingt octosyllabes irréguliers. Parmi ceux-ci, quelques vers peuvent facilement être corrigés, notamment des vers hypermétriques. Ainsi, l'on est tenté de substituer « soz » à « desoz » dans « De quant qu'a desoz le firmament », v. 952, ou de supprimer « toit » dans « et toit li altre prophete aprés », v. 996. Cependant, comme dans les cas précédents, ces irrégularités peuvent aussi jouer le rôle d'une ponctuation du sens, que les gestes du protagoniste chargé du monologue pouvaient ou non accompagner.

> Saint Pol le dist : n'est pas fable !
> Or escutez qu'il dirront
> De la paor qu'il avront, v. 1180-2

Plutôt que de corriger « or » en « ore », ou d'ajouter « ço » ou « en », on peut considérer ces trois vers comme une succession d'heptasyllabes, où la Sibylle proteste de la vérité de ses prophéties. De manière générale, les variations de la métrique accentuent la gravité des faits annoncés, au début (« li secund serra plus mals », v. 1026) ou à la fin d'une description. Ainsi, les arbres déracinés du septième signe « se drescerunt contremont », v. 1114-1115. Ensuite, après avoir débordé de son lit jusqu'au ciel, la mer « entrera en sun estage », v. 1145, les pierres du treizième signe s'entrechoqueront, « si durera tot un jor », v. 1256. De même, le quatorzième signe évoque la tempête, dans un octosyllabe à la scansion bousculée par celle de ce substantif lui-même : le vers 1259, « De merveillos tempestez », même en comptant trois syllabes à « tempestez », reste un heptasyllabe, tandis que « tempeste » doit être dissyllabique six vers plus bas, dans « e mult fort tempeste demenant », v. 1266, sauf à considérer ce dernier vers comme un ennéasyllabe ! En outre, avant l'ajout du troisième signe propre au manuscrit tourangeau[1], c'est un vers hypométrique, le v. 1062, qui formule de manière frappante l'appel à la pénitence effectué par cet ajout :

> Por nient merci li crieront
> quant tant pecchié fet ont. v. 1062.

---

[1] Voir *supra*, p. 53-54.

Enfin, certains vers abrégés du *Dit* pourraient évoquer mimiques et gestes, notamment dans des paroles rapportées par la Sibylle. Ainsi, avec la syncope du « e » final à « Sire » ou à « nestre », c'est dans un heptasyllabe voire dans un hexasyllabe que les enfants du premier signe refusent de venir au monde : « Ja, Sire, ne querrom nestre ! », v. 1019.

« Si dresce son chief et si m'esgard », v. 1005 : pour retrouver l'octosyllabe, faut-il ou non prononcer le « e » de « dresce » ? Faut-il supprimer un « si » ? De même, l'annonce du Jugement Dernier est introduite par un ennéasyllabe, « Puis lor dira : 'Ici vos estez' », v. 1211, auquel il suffit d'enlever le « vos » pour retrouver l'octosyllabe. Mais dans le cadre d'une performance, cette variation ne soutient-elle pas le geste par lequel la cohorte diabolique, présente ou fantasmée, est pointée du doigt ? Comme pour le reste de l'*Ordo Ade*, il est très souvent possible de remédier aux inexactitudes de la métrique dans le *Dit des Quinze signes*. Mais celles-ci soulignent aussi les effets de sens principaux d'un texte rebattu. Comme le récit de la Faute et de ses suites, la tradition du *Dit* est renouvelée par les variations de sa métrique dans le manuscrit tourangeau, et par leur éventuelle application dans le cadre d'une performance, imaginaire ou effective. Ces variations tissent donc un lien fort entre le monologue de la Sibylle et le reste de l'*Ordo*, et elles confortent l'hypothèse d'une copie de ce texte comme conclusion du Défilé, entre les folios 40v° et 46v° du BM Tours 927.

Conclusion

Il demeure difficile d'associer l'usage d'un mètre, mais aussi celui de son abréviation ou de son allongement relatifs, à un effet constant pour l'ensemble de l'*Ordo Ade*. Néanmoins, l'usage de vers résolument brefs, de six, voire quatre syllabes, se distingue : de la colère de Dieu aux éclats de Caïn, ces vers correspondent à des moments stratégiques, souvent chargés d'émotion, qui décident d'une orientation nouvelle de la fable, que ce tournant fasse partie de la tradition ou qu'il soit accentué voire créé par la logique propre de l'action dramatique de l'*Ordo*. Les vers brefs dessinent donc de manière appuyée une tendance que nous avons dégagée pour tous les vers abrégés : ils initient ou accompagnent un geste, un déplacement, ce qui explique qu'ils aient souvent été relayés par les didascalies latines. Les vers allongés, eux, introduisent plutôt un élément nouveau dans l'action, et ils en proposent souvent un commentaire, qui l'éclaire ou l'approfondit. De manière générale, l'accumulation des ruptures du mètre, octosyllabe ou décasyllabe, crée un rythme inattendu, qui ponctue les paroles échangées par les protagonistes d'une façon neuve par rapport à la tradition biblique et liturgique dont l'*Ordo Ade* reprend les lignes de force. Comme celui de la rime, le décalage du mètre réactive au fil de l'action la perception des éléments principaux d'une fable bien connue.

Par conséquent, l'*Ordo Ade* fait un usage virtuose des composantes du matériau dramatique et poétique que sont la didascalie, la versification et la métrique, afin de remotiver le sens de la Création, des prémices et des suites de la Faute. Ces procédés formels reposent sur un ensemble de normes dont la régularité est exhibée pour mieux être variée. Esthétiques, ces règles et leurs variations répondent en profondeur à l'objectif édifiant qui demeure celui de ce texte : la méditation spirituelle sur les nécessités de la pénitence. Mais comment et par qui ces indications sont-elles saisies ? On étudiera pour finir les traces que l'enregistrement du Tours BM 927 a laissées de leur usage par les divers acteurs chargés de créer cette version singulière et renouvelée des origines du mythe chrétien : le péché « par personnages » selon l'*Ordo Ade*.

UN MANUSCRIT À GÉOMÉTRIE VARIABLE

Quel texte pour quels acteurs ?

Bien joué, mal joué le *Jeu d'Adam* ? La question ne peut être laissée en suspens. Consignées dans les ordinaires dont les didascalies latines des drames liturgiques se font l'écho, les pratiques gestuelles et scéniques observées par les moines atteignent parfois un degré de développement dont la *Regularis Concordia* de Saint Ethelwold est l'exemple le plus célèbre. Par ailleurs, les travaux qui ont souligné la continuité entre les pratiques de jeu laïques et liturgiques ont également détruit l'hypothèse, souvent reconduite avant eux quoique sans preuves, d'un théâtre médiéval joué par des amateurs[1]. Les clercs de l'*Ordo* pourraient donc avoir bénéficié de cette continuité, et les formes rythmiques et poétiques qu'on vient d'analyser, constituer la trace de pratiques de jeu familières, au sein de la cité comme du monastère.

Cependant, comme pour l'espace du *Jeu d'Adam*, ces traces, surtout présentes dans le texte en langue vernaculaire, ont été jusqu'à présent cherchées dans les didascalies latines de l'*Ordo* à la dimension fortement prescriptive. *Et statuantur choram eo Adam, Eva. [...] Et stent ambo coram Figura, Adam tamen proprius...* : entamée dès la didascalie initiale, l'indication des situations et des déplacements respectifs des acteurs en charge de l'*Ordo* se poursuit, avec la reprise de l'adverbe *proprius* (av. 1, av. 48, av. 292), et celle, incessante, des verbes *ire* ou *venire*. Parallèlement, les acteurs sont invités à respecter dans le texte qu'ils vont prononcer, l'intégrité des mots (*et in rithmis nec sillabam addant nec demant,* av. 1), l'ordre dans lequel les répliques seront prononcées (*dicant seriatim*, av. 1), mais aussi le débit (*nimis sit velox aut nimis tardus*, av. 1) et le ton qui sera adopté (*firmiter omnes pronuncient*, av. 1 ; *et prophecias suas aperte et distincte pronuncient*, av. 743). Autrement dit, les didascalies latines de l'*Ordo* se caractérisent comme un ensemble d'instructions (*instruere* est d'ailleurs repris, av. 1), précises et abondantes, sur les destinataires desquelles on s'est souvent interrogé. L'auteur de ces petits textes s'adressait-il à des acteurs confirmés, dont il souhaitait limiter les initiatives[2] ? Souhaitait-il au contraire prodiguer de précieux conseils à des acteurs inexpérimentés, éventuellement incapables, s'ils étaient anglais, de comprendre le texte en anglo-normand[3] ?

---

[1] Pour un état récent de la réflexion sur la dimension professionnelle du jeu de l'acteur médiéval, voir Marie Bouhaïk-Gironès, « Comment faire l'histoire de l'acteur au Moyen Age ? », *Médiévales* 59 (2010), p. 107-125.

[2] Hardison, *Christian Rite*, p. 281-3.

[3] Legge, *Anglo-Norman Literature,* p. 319.

Si le Tours BM 927 a été composé par un milieu monastique et musicien d'abord pour son propre usage, l'identité de ces destinataires se précise, et elle remet en question la possibilité d'une interprétation d'Ève par une femme[1], sauf à supposer que le manuscrit ait été composé dans un monastère féminin[2] ! Mais au-delà de la question générique, au terme de la présente étude, le statut des sévères prescriptions latines de l'*Ordo* doit être repensé. D'abord, celles-ci ne peuvent guère apparaître comme les guides de moines inaptes à une discipline corporelle à laquelle on les sait formés. Ensuite, ces didascalies latines ne peuvent être considérées comme les véritables dépositaires du jeu de l'*Ordo Ade*, leur rôle accessoire et second ayant été confirmé de plusieurs manières.

Fondée en premier lieu sur les seules parties en langue vernaculaire, l'enquête sur les usages des textes formant l'*Ordo Ade* met d'abord au jour la possibilité de l'interprétation des dialogues et des monologues par un nombre d'acteurs inférieur au nombre de protagonistes composant cette fable. Destiné à une performance « par personnages » placée sous le signe de la difficulté et de l'excellence, ce premier usage de l'*Ordo* en appelle un autre : la lecture méditative, où les prescriptions latines trouvent leur place, dans une performance susceptible de faire l'économie d'une mise en scène « par personnages ». Variables, multiples, *ad libitum,* ces usages du Tours BM 927 offrent, peut-être, quelques réponses à certaines des énigmes de l'*Ordo Representacionis Ade*.

Jouer le vernaculaire

Adam indutus sit tunica rubea, Eva vero muliebri vestimento albo, peplo serico albo, av. 1 ; *Chaym sit indutus rubeis vestibus, Abel vero albis*, av. 589 : Adam et Caïn étaient-ils joués par le même acteur, tout comme Abel et Ève ? D'une didascalie

---

[1] Voir le débat entre les deux premiers éditeurs de l'*Ordo*, Luzarche défendant l'interprétation d'Ève par une femme (1854, p. lxxiv), et Palustre la refusant (1877, p. vii), comme Sepet (*Les Prophètes du Christ*, p.)

[2] Sur le théâtre dans les monastères féminins, voir Monique Goullet, *Hrosvita : Théâtre, texte établi, traduit et commenté*, Paris, Les Belles Lettres, 1999.

liminaire à l'autre, William Calin[1] a suggéré l'identité de l'acteur chargé du rôle d'Adam puis de Caïn, à partir de la couleur de son costume. Cependant, plutôt que dans les didascalies latines, c'est à nouveau dans les dialogues qu'on trouve l'indice de cette identité entre Adam et Caïn, et plus généralement, celui de la prise en charge de plusieurs rôles par un même acteur. Sans les didascalies, les répliques de l'*Ordo Ade* permettent un jeu *ad libitum*, assuré par un nombre d'acteurs moins important que le nombre de personnages représentés dans les trois sections. Première forme de l'usage *ad libitum* du manuscrit BM Tours 927, la compréhension des rôles en langue vernaculaire de l'*Ordo* comme de scripts parfois difficiles, auxquels il faut des interprètes expérimentés, trouve une caution dans le chant liturgique dont les techniques d'enregistrement ont inspiré les folios 20 à 27 du manuscrit tourangeau. De même que l'alternance entre un chœur inexpérimenté et un ou plusieurs solistes s'avère souvent nécessaire[2], la performance de l'*Ordo Ade* est tributaire de la compétence variable de ses interprètes, laquelle semble prise en compte par la disposition successive de ses répliques et de ses sections. Le Tours 927 devient alors partition de jeu, dont les rôles multiples peuvent être interprétés par quelques acteurs de choix.

Un texte pour quatre acteurs : 1-742

La section qui nécessite le moins grand nombre d'acteurs est assurément la seconde. Abel, Caïn et la Figure suffisent à l'interprétation de toutes les scènes, composées de dialogues entre les deux frères, auxquels succède un bref dialogue entre Caïn et la Figure. Paroles et gestes appelés ou suggérés par les dialogues

---

[1] « Structural and doctrinal Unity in the *Jeu d'Adam* », *Neophilologus* 46, 1962, note 11 p. 254.

[2] Sur les séquences « à saints interchangeables » de la liturgie, voir Jacques Chailley, *L'école musicale de Saint Martial de Limoges*, Paris, Les Livres Essentiels, 1960, spéc. p. 63-4. Sur les dialogues deux à deux du *Jeu d'Adam*, et sur l'évolution parallèle du nombre de protagonistes et des genres dramatiques médiévaux, voir Rosanna Brusegan, « Scena e parola in alcuni testi teatrali francesi del medio evo (XIIe-XIIIe s.) », *Medioevo Romanzo* 3, 1976, p. 350-374.

peuvent donc être interprétés par seulement trois acteurs. Cependant, ce nombre d'acteurs n'est-il pas également suffisant pour interpréter la première section de l'*Ordo*, fût-ce *a minima*? La plupart des scènes y sont confiées soit au dialogue entre Adam et Ève, soit au trio qu'ils forment avec la Figure. À celui-ci répond un autre trio, composé d'Adam, d'Ève et du Diable, que l'action sépare ou réunit, et qu'on a pu comparer à celui des farces. *A priori* hasardeuse au plan du ton et des genres, cette lecture met l'accent sur le nombre d'acteurs limité indispensable à la performance de la Faute selon l'*Ordo*.

En effet, l'interprétation de la Figure et du Diable par le même acteur est facilitée par l'absence de répliquée attribuée au Diable après qu'il a convaincu Ève d'accomplir le péché (v. 275). « Cele te sachera le ras », v. 481 : écrasée, arrachée, la tête du Diable, comme à Notre-Dame d'Amiens ? Dans le cas d'une représentation coûteuse, aux accessoires abondants, la Figure adresse plutôt sa malédiction à un diable de carton, le fameux *serpens artificiose compositus*, av. 292, dont la forme animale et dégradée est celle du prince du Mal depuis la Chute des anges, que ce soit pour Augustin ou pour Rupert de Deutz. Accolée à la forme précédente, selon laquelle le Diable a le visage, anthropomorphique, de l'ange déchu, sans aucun souci de cohérence théorique, l'exploitation technique de cette nouvelle source théologique pour la figure du Diable révèle la destination du *Jeu d'Adam* à la performance plutôt qu'à une lecture typologique soignée. Radicale, l'interprétation de la Figure et du Diable par un même acteur renforce l'hypothèse d'un texte où la performance prend le pas sur une complexité théologique dont elle ne peut fournir qu'un équivalent très sommaire.

Cependant, une lecture aussi économique de la distribution des rôles n'est guère compatible avec les déplacements de la Figure, que ce soit vers le groupe de *l'ecclesia* dans une version de l'*Ordo* réduite à ses dialogues, ou vers un *paradisum* habité d'anges et de vertus dans une version augmentée des *mansions* décrites par les didascalies. Aussi, sans qu'une performance de la première section de l'*Ordo* à trois acteurs soit impossible si l'on s'en tient aux répliques, l'hypothèse de deux acteurs pour jouer le Diable et la Figure, et d'une équipe de quatre acteurs au total pour jouer la première section de l'*Ordo*, préserve peut-être cette dernière de la légèreté, voire du comique que pourrait provoquer une réduction trop importante du nombre d'acteurs chargés de son interprétation[1].

Le cas du Défilé, 743-942

Cependant, comment adapter le Défilé des prophètes à un nombre d'acteurs si restreint ? On notera d'abord que c'est sans dommage pour leur cohérence ou leur efficacité que les autres *Ordines Prophetarum* font appel à un nombre de prophètes toujours moins important que les douze de l'*Ordo Ade*, Sibylle incluse. Textuels ou iconographiques, aucun des Défilés composés avant ou après l'*Ordo Ade* du BM Tours 927 ne convoque les mêmes prophètes, que ce soit pour le nom, l'ordre ou le nombre. Ils témoignent d'une interprétation de cette scène où la variante et la répétition soutiennent le contenu d'un même message prophétique : la venue du Christ. Étant donné ces images, ces textes et leur logique de la variation, ne peut-on imaginer du Défilé de l'*Ordo Ade* une représentation partielle, où certains des monologues seulement seraient retenus, en fonction de critères déterminés par les moyens techniques et humains offerts par la représentation ?

Absents des autres versions connues du Défilé, les monologues d'Abraham et de Salomon ont pu être composés et retenus pour une représentation cohérente des trois sections de l'*Ordo*, car leurs interventions reprennent des images ou des thématiques développées dans les deux premières sections, comme la puissance divine traduite par le paradigme féodal (v. 757-760, v. 791-792, v. 809), la mention de lieux de hauteur distincte (v. 799-800, 811), ou la Descente aux enfers (v. 764, v. 813-814). Si le critère retenu est celui de la longueur des répliques, ces deux prophètes prennent en charge les deux monologues les plus longs (respectivement 24 et 26 vers), avec Jérémie (22 vers) et Isaïe, chargé de 33 vers complets ou partagés

---

[1] Voir Jacobsen, *Det komiske Dramas*, Copenhagen, Bogesen, 1903, cité par Gustave Cohen, *Histoire de la mise en scène*, p. 57, et selon lequel Adam, Ève et le Diable seraient « les trois personnages de la farce, le mari, la femme et le séducteur ».

avec les *Judei*. Avec 6 vers pour Moïse, 8 vers pour David et Aaron, 10 vers pour Balaam, 13 vers pour Daniel et 14 vers pour Abaccuc et Nabuchodonosor, les autres monologues semblent dès lors aussi brefs qu'accessoires. La perspective d'un Défilé à quatre prophètes, réunissant Abraham, Salomon, Jérémie et Isaïe, qui seraient joués par les quatre acteurs ayant interprété les rôles de la première section, est renforcée par certains traits des deux derniers prophètes. Jérémie ne porte-t-il pas le fameux *rotulum carte*, rouleau de papier qui distingue peut-être le Défilé de l'*Ordo* des précédents au point de donner un terminus *a quo* à ses didascalies ? Quant à Isaïe, il a la responsabilité du seul dialogue qui fait le lien entre le Défilé et les autres parties du *Jeu*. Enfin, d'autres critères peuvent avoir favorisé ou empêché la sélection de certains des monologues de prophètes en vue de la performance. Ainsi, Abaccuc, pour qui « tot en ai truble la cervele », v. 840, et qui décrit sa prophétie comme un moment de folie, nécessite probablement un talent comique particulier, tout comme Balaam, *sedens super asinam [...] : et veniet in medium et eques dicet propheciam suam*, av. 815, lequel pouvait par ailleurs demander un effort technique, même sommaire, pour la confection de son animal parlant[1].

Par conséquent, la mise au jour de tons et de techniques variés pour une bonne interprétation de ces monologues alimente l'hypothèse d'une performance *ad libitum* du Défilé, et d'un choix dicté par la richesse technique et par la compétence artistique dont ses organisateurs pouvaient ou non disposer. Ici comme ailleurs, les didascalies latines confirment la leçon des passages en langue vernaculaire, car elles facilitent l'usage du manuscrit tourangeau comme partition souple et malléable, adaptée aux besoins de la performance. En effet, comment mieux favoriser l'interprétation des prophètes par l'un ou l'autre des acteurs chargés d'autres rôles dans les sections précédentes qu'en

---

[1] On a imaginé un *puer* ou autre *quidam sub asina*, d'après les didascalies des *Ordines Prophetarum* de Laon et de Rouen, Young, *The Drama of the Medieval Church*, vol. II, p. 150, p. 159). Sur la dimension comique de cet épisode, issue selon Karl Young des liens de ce type de pièces avec la *Festum Asinorum* de Rouen et avec la Fête des Fous, voir *ibidem*, vol. I, p. 104 et suiv., et vol. II, p. 169-170.

le vêtant d'un costume aussi éloquent que modifiable ? Et c'est même dans l'hypothèse des acteurs interchangeables de l'*Ordo* que la précision des didascalies latines du Défilé devient nécessaire. « Abraham sui e issi a non », v. 743 : qu'il soit ou non accompagné d'une pancarte, le vers initial de la troisième section prend tout son sens s'il aide aussi le spectateur à reconnaître comme le père d'Isaac un acteur qui interprétait quelques vers plus haut un autre rôle.

La Sibylle, clou de la performance, 943-1302

> Qui ore voelt oïr la merveille
> Envers qui [rien] ne s'apareille,
> Si dresce sun chief e si m'esgard :
> Jo li dirrai ja de quel pard
> Vendra la grant mesaventure
> Qui passera tote mesure. V. 1003-8

Pour finir, ces vers ne désignent-ils pas la Sibylle elle-même comme la « merveille » par excellence du *Jeu*, dans une complaisante exhibition qui confirme la dimension excessive souvent attribuée à ce personnage[1] ? De fait, certains des choix effectués par le copiste du *Dit* tourangeau rendent possible l'incarnation de la Sibylle par un acteur appelant son public à la pénitence. Pour le vers 1005, si deux manuscrits ont choisi un « œuvre ses iex » aussi évocateur que le « dresce son chief » du manuscrit tourangeau, la plupart ont préféré un « ovre son cuer et si m'esguart », où la vision est purement spirituelle et intérieure, et ne laisse aucune place à la lecture concrète et référentielle où des spectateurs, répondant aux injonctions de l'acteur, le regardent annoncer les fins dernières. De plus, discutable si ce terme est isolé, la conservation du « rien » dans le vers 1004 trouve un écho

---

[1] Voir la didascalie de l'*Ordo Prophetarum* de Laon, « decapillata, edera coronata, insanienti simillima » (Young, *The Drama...*, vol. II, p. 145). La Sibylle est ainsi « une folle gesticulante et échevelée » pour Chailley dans « Du drame liturgique aux prophètes de Notre-Dame de la Grande », 1966, p. 840, de même que pour Collins Junior, *The Production of Medieval Church Music-Drama*, 1972, p. 149, 319.

dans le «tote rien convendra morir» du vers 1126. Dans le premier cas, «rien» désigne la Sibylle, créature que chaque «rien» du second cas, c'est-à-dire chaque spectateur de l'*Ordo*, doit contempler pour écouter et comprendre les conséquences fatales de la Chute. Confirmant la possibilité pour son *Dit* d'être joué par un acteur, le copiste du manuscrit tourangeau a préféré aux «nos» des autres manuscrits des «vos» avec lesquels la Sibylle interpelle le public sans ménagement: «Que devendront lor vos maisons, / Vos belles habitacions?», v. 1123-4. Ajoutées aux interpellations traditionnelles de ce texte, ces indications renforcent l'hypothèse du jeu de la Sibylle par l'un des acteurs ayant peut-être joué dans les sections précédentes.

Par les choix de ses variantes, bienvenues dans le cadre de sa performance, le monologue de la Sibylle vient donc couronner la conception du manuscrit Tours BM 927 comme partition d'un jeu adapté aux compétences des acteurs disponibles pour sa représentation «par personnages». Parce que son texte relève de la prédication, l'acteur choisi pour les *Quinze signes* était-il le même que celui de la *lectio* de la troisième section – par exemple, la Figure, chef du chœur et de l'*ecclesia*? Délicat à retenir comme à interpréter, le texte copié entre les folios 40 et 46v° du manuscrit tourangeau est alors l'un des morceaux de bravoure de l'*Ordo*. Il confirme le probable éclat d'une performance «par personnages» de l'ensemble de ces textes, sans en occulter la difficulté. Partant, l'*Ordo Representacionis Ade* fut-il un spectacle unique, aux acteurs remarquables, dont le BM Tours 927 aurait conservé le souvenir? Suggéré par les prescriptions latines, un autre usage de ce manuscrit se dégage, qui, sans le couper de l'hommage à un moment d'exception, le rapprochent d'une autre pratique: la méditation.

Méditer le latin

Demissiori/Dimissiori

Adam tamen vultu composito, Eva vero parum dimissiori: appuyé par *tamen* et *vero*, le comparatif distingue l'attitude des premiers hommes; la différence ainsi établie, c'est celle de la maîtrise variable des techniques de jeu. *Dimissiori*, Ève n'est pas « retenue », comme le suggère la fréquente correction de ce terme en *demissiori*, mais « spontanée », c'est-à-dire moins habile dans l'exécution des gestes d'obéissance, de douleur ou de désespoir qui rythment ensuite le jeu de son époux. *Ordo representacionis Ade* : dans la pièce qui porte son nom, le *Jeu d'Adam*, c'est alors celui de l'acteur le plus rompu à l'exercice difficile du jeu. En plus de son rôle, le plus long et le plus varié avec celui de la Figure, cette maîtrise le rend capable d'endosser un ou plusieurs rôles, dans la seconde voire dans la troisième section de l'*Ordo*.

Une telle leçon pour le *dimissiori* de la première didascalie latine de l'*Ordo* confirme pleinement ce qu'indiquaient les monologues et les dialogues : si elle doit avoir lieu, la performance de l'*Ordo Ade* est placée sous le signe de la compétence artistique et technique. Cependant, c'est précisément du point de vue du jeu que la correspondance entre textes vernaculaires et didascalies achoppe. La confirmation y devient redondance, et elle ne prend sens que dans le cadre d'un usage du manuscrit tourangeau distinct de la performance « par personnages » : la lecture méditative.

Redondances

D'abord, la plupart des didascalies sont structurées par de fréquentes mentions temporelles. On ne compte pas les répliques s'ouvrant par l'adverbe *tunc*, relayé par de nombreux compléments de temps, comme *interea*, av. 112, *facta aliquantula mora*, av. 172, av. 589, *postea*, av. 204, av. 416, av. 789, *Ipse vero nondum eam accipiet*, av. 292, *statim*, av. 314, *quo dicto*, av. 386, *quo finito*, *postquam*, av. 518, *interim*, av. 721, *post hunc*, av. 781, av. 815, av. 839, av. 875, *his dictis modico facto intervallo*, av. 767, *veniet primo [...] Abraham*, v. 743... Cependant, les didascalies latines semblent remplir surtout une autre fonction : l'indication de gestes et de mimiques. Ce sont celles du Diable *hylaris et gaudens*, av. 172, puis *tristis et vultu demisso*, av. 204 face à Adam, et à nouveau *letu vultu blandiens* face à Ève, av. 204 ; ou celle de la Figure s'adressant *minaci vultu* à la première femme, av. 438, puis au serpent condamné, *minabitur Figura serpentis*, av. 472. Puis c'est Abel qui s'exprime *blande et amica-*

biliter, av. 589, et Caïn, *micius solito*, av. 621. Enfin, les didascalies les plus étendues du *Jeu* composent de véritables tableaux visuels, comme celui, réitéré, de la lamentation d'Adam, av. 314, et av. 518, ou celui de l'offrande des deux frères, av. 665.

Ces indications temporelles et gestuelles correspondent à n'en pas douter aux codes gestuels respectés par l'iconographie contemporaine de l'*Ordo*. Mais si dans les images silencieuses, la précision des gestes est indispensable à la construction du sens, il n'en va pas de même au sein d'un véritable échange de dialogues. Dans l'*Ordo Ade*, la plupart des prescriptions en latin s'avèrent inutiles au progrès de l'action. Elles fournissent les mêmes informations que le dialogue qui les précède ou qui les suit, dans une redondance qui fonctionne parfois terme à terme. Ainsi, un nombre important des didascalies latines de l'*Ordo* reprend une indication déjà donnée avec insistance dans la didascalie inaugurale, avec *Quicumque nominaverit paradisum, respiciat eum et manum demonstre*. Pourtant, *ostend[ere] paradisum, vetitam arborem, vetitum fructum :* la désignation du paradis par un geste est réitérée à plaisir. S'y ajoutent maintes autres indications gestuelles, comme *aspiciet Evam*, v. 356, et *repondebit Eva*, av. 460. De la même façon, *Tunc commedet Eve partem pomi et dicet Ade* précède « Gusté en ai. [...] », v. 302, tout comme *Tunc Figura expellet eos de paradiso dicens* vient immédiatement avant « Ore issé hors de paradis ! », v. 490.

Le quasi *et la lecture méditative*

En réalité, ce que ces mimiques et ces tableaux spatio-temporels ont de singulier, c'est d'être accompagnés d'un *quasi*. Parfois relayé par d'autres formules, comme *tanquam fatigari labore*, av. 518, ou *maximum simulans dolorem*, av. 314, son usage se multiplie de la première à la seconde section de l'*Ordo*. Les démons s'approchent d'Ève *quasi suadentes*, av. 112, laquelle fera mine d'écouter le serpent, *quasi ipsius auscultans*, av. 292, *quasi quereret*, av. 386 ; les fautifs sont *quasi tristes et confusi*, av. 518. Puis Caïn se moque de son frère *quasi subsans*, et le trompe en parlant *quasi placuerit*, av. 637 ; il le tue avec fureur, *ad locum remotum quasi secretum, ubi [...] quasi furibundus irruet*, av. 677 ; puis il frappe un objet dissimulé par les vêtements d'Abel *quasi [...] Abel occideret*, lequel tombe *quasi mortuus*, la Figure s'avançant alors, *quasi iratus*, av. 721.

De *quasi* à *simulans*, le but profond des didascalies latines de l'*Ordo* se révèle, qui éclaire leur redondance par rapport aux passages dialogués. Elles permettent à leur lecteur de construire un *artefact* cohérent et efficace du péché originel et de ses suites. De la simple mimique au tableau élaboré, les prescriptions latines fournissent le dessin gestuel et vocal de l'obéissance, de la dévotion, du remords, et plus largement, celui des fléchissements humains qui ont rendu nécessaires ces attitudes et ces sentiments pour obtenir le rachat, comme la Faute originelle ou le crime de Caïn. Fortement structurés par les marques temporelles, informés par une pensée consciente de l'illusion, ces tableaux composent une succession d'images. Celles-ci participent d'une tradition mnémotechnique, où la *dispositio* des corps et des mots favorise la méditation spirituelle des moments de l'Histoire sainte[1]. Prononcer intelligiblement cette version des textes sacrés, se placer correctement dans l'espace, c'est alors donner une forme efficace au message chrétien, celle-ci fût-elle purement mentale. Qu'elle prépare au jeu « par personnages » ou qu'elle s'y substitue, la lecture des prescriptions latines concernant le jeu doit favoriser l'exégèse édifiante des parties en langue vernaculaire. Étroitement articulées au texte en langue vernaculaire, les didascalies latines en favorisent alors la transformation en pensée spirituelle, et elles conduisent leur lecteur, probable clerc, à une méditation sur la pénitence.

Conclusion. L'usage *ad libitum* du Tours BM 927 et les énigmes de l'*Ordo Ade*

Bilinguisme et méditation

Par conséquent, les prescriptions latines de l'*Ordo Ade* permettent avant tout la préparation de l'image mentale de l'action déroulée en langue vernaculaire. Le jeu « par personnages »

---

[1] Voir Jérôme Mazzaro, « The *Mystère d'Adam* and Christian Memory », *Comparative Drama* 31, n° 4, hiver 1997-1998, p. 481-505.

devient alors seulement l'un des usages du Tours BM 927, et non la seule forme envisageable de sa performance. Conçues comme un ensemble d'images visuelles permettant d'honorer le Dieu chrétien en gestes et en paroles, les didascalies latines de l'*Ordo* se prêtent à une lecture performative mentale, laquelle pourra dans les manuscrits de théâtre plus tardifs prendre pour support les vers narratifs ou l'iconographie[1]. Séparables des passages en langue vernaculaire, les didascalies latines s'offrent à une lecture spirituelle, qui invite chaque usager du manuscrit à méditer sur la nécessité de la pénitence. Plus accessible et moins difficile à réaliser que la performance « par personnages », cette lecture constitue le premier usage possible des folios 1 à 46v° du Tours BM 927, et notamment celui de la diglossie qui caractérise si nettement l'*Ordo Ade*.

Le nombre de la performance

Cependant, l'usage majeur de ce texte et de ce manuscrit demeure une performance « par personnages ». Encodée par les variations de la didascalie, de la rime et du vers, l'interprétation des textes vernaculaires enregistrés entre les folios 20 et 46v° du Tours BM 927 ne peut prendre forme que dans un jeu maîtrisé, porté par des acteurs maîtres de leur art. La rareté de ces derniers est suggérée par la possibilité d'une interprétation des trois sections du texte par un nombre d'acteurs restreint, laquelle constitue un autre usage possible du manuscrit tourangeau. Ce nombre d'acteurs peut être réduit à quatre voire à trois acteurs incarnant successivement l'ensemble des protagonistes de l'action. De même que démons ou vertus ont pu sans dommage ne pas figurer dans une performance sans *mansions* d'enfer ou de paradis, de même l'ensemble des prophètes a pu se réduire à quelques-uns d'entre eux, interprétés par les acteurs ayant déjà joué dans les parties précédentes. Mais dans le cadre du manuscrit de Tours, les didascalies de la Résurrection copiée entre les

---

[1] Voir Robert L. A. Clark et Pamela Sheingorn, « Performative Reading : the Illustrated Manuscripts or Arnoul Gréban's *Mystère de la Passion* », *European Medieval Drama* 6, 2002, p. 129-154.

folios 1 et 8v° n'indiquent-elles pas le nombre précis des clercs nécessaires à sa performance ? Car dans un premier temps, *tunc tres parvi clerici, qui debent esse Marie*[1], trois clercs s'avancent pour chercher le corps du Christ et déplorer son absence, plus loin, *alii vi cantando hymnum totum*[2], six d'entre eux, qui incarnent les *Discipuli* réjouis par les paroles de Marie-Madeleine, viennent chanter en chœur la Résurrection. Ces six clercs forment un nombre d'interprètes plausible pour les « jeux de Tours » du manuscrit BM 927, parmi lesquels l'*Ordo Ade* prend place. Si ce nombre ne constitue pas une limite infranchissable, surtout pour des communautés de clercs brillantes et instruites comme celles de Cluny ou de Saint-Martial de Limoges, il fournit l'indication d'une performance des textes du manuscrit tourangeau par un nombre réduit d'acteurs. Mieux adapté aux compétences artistiques que pouvaient offrir des monastères plus humbles ou moins fortunés, ce nombre réduit a pu faciliter des performances de l'*Ordo Ade*, tout ou partie, et de ce fait, lui donner une popularité qui en a favorisé la copie.

Une mimesis *cohérente*

On ne peut toutefois exclure l'hypothèse « haute » d'un *Ordo Representacionis Ade* interprété par un nombre d'acteurs égal à celui des rôles indiqués par les didascalies, soit en tout seize protagonistes ; et la sélection des prophètes, possible pour les besoins d'une performance efficace et soignée, ne doit pas occulter l'enregistrement de la totalité de leurs monologues. Même si tous ne trouvaient pas d'interprètes à leur mesure, cette copie, qui donne au Défilé de l'*Ordo Ade* une longueur exceptionnelle, fixe aussi un horizon à ces textes : celui d'une *mimesis* cohérente, où les monologues répondent aux dialogues. Pleinement valorisé si chaque monologue trouve un interprète à sa mesure pour la performance, ce long Défilé remet en question une conception de la *mimesis* de l'*Ordo Ade* qui séparerait les dialogues, belles réussites de la « personation », de l'ennuyeuse succession des

---

[1] Young, *The Drama of the Medieval Church*, vol. I, p. 439.

[2] *Ibidem*, p. 445.

monologues. À supposer qu'on ne confie les monologues qu'à des acteurs capables de les interpréter efficacement, pour favoriser la méditation spirituelle qui demeure le but de l'*Ordo*, cet enregistrement leur accorde autant d'importance qu'aux dialogues du point de vue du jeu. Jouer correctement ces monologues, c'est alors prendre en charge leurs potentielles indications de jeu. La fréquente mention de *Deus*, de l'*ecclesia* ou des *Judei*, suppose-t-elle de montrer du doigt la Figure ou encore l'un de ces groupes, qui forment à la fois les protagonistes et le public de l'*Ordo* ? Conduit-elle Abraham à évoquer avec émotion les grands moments de sa biographie, entre tentation et meurtre de son fils (v. 749-752) ? Salomon savait-il au sein du même monologue susciter la méditation sur le procès du Christ et sur la Passion (v. 792, v. 796, v. 805-808), et les relier au mépris des dons divins et à la transgression (v. 789-790, v. 794-5), dont l'assemblée de l'*Ordo Ade* se perçoit alors à la fois comme spectatrice et comme protagoniste ? Assurés par des acteurs capables de jouer les dialogues précédents, les monologues deviennent déclamations concertées, où l'adresse des prophètes au public, aussi subtile que continue, se substitue aux échanges qui dans les deux sections précédentes forment le tissu des dialogues entre les protagonistes.

Dès lors, on est loin de l'étrangeté « romane » qui devait caractériser la procession monotone des prophètes se succédant sur le *scamnum*, et de l'ennui qui devait l'accompagner. Portés par une rhétorique verbale et gestuelle solide et cohérente, les monologues suscitent de nouveaux personnages et de nouvelles images scéniques. Ils forment avec les dialogues précédents de l'*Ordo* un ensemble harmonieux et varié, et une *mimesis* qui exploite les formes de la langue vernaculaire dans toute leur diversité, pour un même but : convaincre le public de la nécessité d'une méditation spirituelle sur la pénitence, par l'autorité, la compassion, ou encore la distance qu'engendrent le comique et l'artifice.

Une liturgie récréative

Enfin, la conception des folios 1 à 46 du manuscrit Tours BM 927 comme d'un ensemble de textes souple et malléable, destiné aussi bien à la lecture méditative qu'au jeu « par personnages », apporte un élément de réponse à l'impossible calendrier qui caractérise le *Jeu d'Adam*, et qui rend problématique la représentation de ses trois sections au même moment du calendrier liturgique. Pour finir, on formulera à ce propos plusieurs hypothèses. Soit les textes regroupés entre les folios 20 et 46v° du manuscrit tourangeau sont destinés à être joués séparément, aux moments où ils sont attendus par le calendrier liturgique. Le Tours BM 927 fonctionne alors comme un répertoire de chants augmentés de jeu, dans lequel puiser pour la représentation « par personnages » de petits drames liturgiques soignés. Soit une ou plusieurs sections de l'*Ordo* sont jouées ensemble, dans une « liturgie extraordinaire » dont les *Ordines* connus et convenus n'ont pas gardé le souvenir, cette fonction étant assurée par des recueils de textes marginaux dont le Tours BM 927 serait un exemple[1]. Ainsi, la Descente aux enfers annoncée par Ève à la fin de la première section pourrait être suivie directement de la troisième section, tout ou partie, où certains des prophètes reprennent cette image. Cependant, le salut des justes auquel croit Ève relève aussi de l'eschatologie, et il pourrait déboucher sans *Ordo Prophetarum* directement sur la prophétie de la Sibylle. Dans ce cas, l'ultime monologue de la première femme annonce le *Dit des Quinze signes*, et le folio 31, le folio 40v°, l'évocation des fins dernières prolongeant naturellement la méditation sur la pénitence propre aux deux premières sections de l'*Ordo*. Mais dans tous les cas, ce manuscrit réhabilite en profondeur les liens du rite et de la *mimesis*.

De telles variations étaient-elles bienvenues, voire simplement envisageables dans le cadre strict de la liturgie ? Sans rejeter les doutes, légitimes, susceptibles de peser sur une telle liberté d'action, on suggèrera pour finir que par le goût de l'illusion et du commentaire dont il fournit maintes preuves, l'*Ordo Representacionis Ade* tend à valoriser l'idée d'une pratique récréative du *quasi*, de la mise en scène et du jeu de l'acteur dans

---

[1] Sur la notation marginale de versions mélodiques alternatives de chants liturgiques, voir Susan Rankin, « Taking the Rough with the Smooth : Melodic Versions and Manuscript Status », dans *The divine office in the Latin Middle Ages (in honor of Professor Ruth Steiner)*, Margot E. Fassler et Rebecca A. Balzer eds, Oxford University Press, 2000, p. 213-23, spéc. p. 215.

les milieux monastiques — pratique reconnue, et louée dans le domaine musical par ces mêmes milieux. Ainsi, quand le *gestus* entre en harmonie avec les sons, n'est-ce pas à ce moment que pour Roger Bacon, il forme la *musica*[1] ? Contrepoint à la beauté de ses chants, l'*Ordo Ade* n'interroge jamais la validité du message édifiant de la liturgie traditionnelle. Mais il en propose une variation, sous la forme, inventive, d'un jeu de mots et de gestes dont les moines ont aimé se donner le spectacle, au point d'en enregistrer la trace dans le Tours BM 927, pour mieux la méditer ou la mettre en scène. Plutôt que de se refuser le secours de l'esthétique, la liturgie l'intègre, faisant du rite un moment de beauté et de plaisir qui ne sacrifie pas les exigences d'une *repraesentatio* demeurée le fondement de l'office. Et c'est peut-être cette promotion du jeu, et celle d'une liturgie récréative dans les milieux monastiques de la fin du XIIe siècle et du XIIIe siècle, qui peut éclairer l'enregistrement conjoint des textes réunis entre ses folios 20 et 46v°[2]. Ce manuscrit est alors le témoin d'une *mimesis* cohérente, mais destinée à un usage aléatoire et marginal qui en rehausse le prix. Et l'*Ordo Representacionis Ade* constitue l'un des premiers témoins de ce paradoxe anthropologique qu'est encore aujourd'hui la « beauté du rite »[3].

---

[1] Cité par Jean-Claude Schmitt, « Gestus-Gesticulatio : contribution à l'étude du vocabulaire latin médiéval des gestes », dans *La Lexicographie du Latin Médiéval et ses rapports avec les recherches actuelles sur la civilisation du Moyen Age*, Paris, éditions du CNRS, 1981, p. 377-390, p. 384.

[2] Pour une approche synthétique de ces pratiques concernant le théâtre médiéval espagnol, voir Pedro M. Catedra, *Liturgia, poesia y teatro en la Edad media. Estudios sobre practicas culturales y literarias*, Madrid, Gredos, Biblioteca Romanica Hispanica, 2005.

[3] Titre du numéro spécial de la *Revue d'Histoire des Religions*, « Beauté du rite. Liturgie et esthétique dans le christianisme (XVIe-XXIe siècles) », n° 227/1, 2010.

BIBLIOGRAPHIE

I/ TEXTE

A) Éditions, traductions et adaptations

1) Éditions, accompagnées ou non de traductions (par ordre chronologique ; avec mention des folios édités) :

Adam, drame anglo-normand du XIIe siècle, édition de Victor Luzarche, Tours, J. Bouserez, 1854. (f. 20 à 46, i.e. avec le *Dit des Quinze signes*).

Adam, mystère du XIIe siècle : texte critique accompagné d'une traduction, par Léon Palustre, Paris, Dumoulin, 1877 (f. 20 à 46).

Das Adamsspiel, anglonormannisches Gedicht des XII. Jahrhunderts, mit einem Anhang, Die dünfzehn Zeichen des jüngsten Gerichts, par Karl Grass, Niemeyer (Romanische Bibliothek, 6), 1891 (f. 20 à 46) ; 2e édition (f. 20 à 40, soit sans le *Dit des Quinze signes*), 1907 ; 3e édition revue et corrigée, 1928 (f. 20 à 40).

Le Mystère d'Adam : an Anglo-Norman Drama of the Twelfth Century, par Paul Studer, Manchester, Manchester University Press, 1918. (f. 20 à 40).

Le Mystère d'Adam, drame religieux du XIIe siècle, texte du manuscrit de Tours et traduction nouvelle par Henri Chamard, Paris, Colin, 1925. (f. 20 à 31v°, section « Adam et Ève »).

Marichal Robert, *Le théâtre en France au Moyen Age. Textes choisis. I/ Drames liturgiques et théâtre religieux du XIIe et XIIIe siècle*, CDU, 1937, fascicule II, p 54-72. (Extraits des deux premières sections).

Le Mystère d'Adam (Ordo Representacionis Ade), texte complet du manuscrit de Tours publié avec une introduction, des notes et un glossaire par Paul Aebischer, Genève, Droz, « Textes Littéraires Français » n° 99, 1963. (f. 20 à 46).

Jeux et sapiences du Moyen Age, par Albert Pauphilet, Paris, Gallimard, Pléiade n° 61, 1941, texte de l'ORA p. 1-39. (f. 20 à 35).

Le Mystère d'Adam, édition diplomatique accompagnée d'une reproduction photographique du manuscrit de Tours et des leçons des éditions critiques, par Leif Sletsjöe, Paris, Klincksieck, 1968. (f. 20 à 40).

Le Jeu d'Adam (Ordo representacionis Ade), édition par Willem Noomen, Paris, Champion, « Classiques français du Moyen Age » n° 99, 1971. (f. 20 à 40).

The Play of Adam (Ordo representationis Ade), the original text reviewed, with introduction, notes and an English translation, par Carl J. Odenkirchen, Brookline et Leuden, Classical Folia Editions, « Medieval Classics : Texts and Studies » n° 5, 1976. (f. 20 à 40).

Jeu d'Adam, édition et traduction anglaise par Wolfgang van Emden, British Rencesvals Publications 1, Edinbourg, 1996. (f. 20 à 40).

Adamo ed Eva. Le Jeu d'Adam : alle origini del teatro sano, édition et traduction italienne par Sonia Maura Barillari, Rome, Carocci, 2010.

2) Traductions seules :

Noble Stone Edward, *Adam : a Play of the Twelfth Century, also known as the « Representatio Adae » and « Le Mystère d'Adam » and containing three parts : Adam and Eve, Cain and Abel, and the Processus Prophetarum*, traduction anglaise, Seattle, University of Washington Press, 1928.

Muir Lynette, « Adam : a Twelfth Century Play translated from the Norman French with an introduction and notes », *Proceedings of the Leeds Philological and Literary Society*, Literary and History section 13/5, 1970, p. 153-204. (f. 20 à 40)

Axton Richard et Stevens John E., « Le *Jeu d'Adam* », traduction anglaise, dans *Medieval French Drama*, Oxford, Blackwell, 1971, p. 3-44. (Sections « Adam et Ève » et « Abel et Caïn »).

Bevington David, *The Service for representing Adam (Ordo representationis Adae)*, traduction anglaise, dans *Medieval Drama*, Boston, Houghton Mifflin, 1975, p. 78-121. (f. 20 à 40).

3) Adaptations :

Jeanroy Alfred, *Poèmes et récits de la vieille France, III : Le théâtre religieux en France du XIe au XIIIe siècles*, introduction et traductions, Paris, De Boccard, 1924. (Adaptation du *Jeu d'Adam*, p. 20-61 : Défilé réduit à Isaïe et Nabuchodonosor).
Cohen Gustave, *Le Jeu d'Adam et Ève*, transposition littéraire, adaptations musicales de Jacques Chailley, Paris, Delagrave, 1936. (Section « Adam et Ève »).
Cohen Gustave, *Caïn et Abel* et le *Défilé des prophètes*, transposition inédite, BnF, 4-COL-24-374. (Sections « Abel et Caïn » et « Défilé »).
De Lannoy A. P., *Le Mystère d'Adam*, suivi du *Miracle des fous*, adaptation d'après les textes du Moyen Âge, représenté pour la première fois le Dimanche de la Pentecôte sur la place de la Sorbonne, à Paris (fête des fous et de l'âne), musique d'Albert Radoux, Paris, A. Charles, libraire-éditeur, 1898.

4) Éditions séparées du *Dit des Quinze signes* (folios 40 à 46) :

Kraemer Erik von, *Les Quinze signes du Jugement Dernier*, poème anonyme de la fin du XIIe ou du début du XIIIe siècle publié d'après tous les manuscrits connus, avec introduction, notes et glossaire, Helsinki, Helsingfors, 1966.
Mantou Reine, *Les Quinze signes du Jugement Dernier, poème du XIIe siècle*, Mémoires et publications de la Société des sciences des arts et des lettres du Hainaut, vol. 80/2, 1966, Mons, L. Losseau, 1966.
CR : *French Studies* xxii, 1968, sur ces deux ouvrages.

5) Éditions et/ou traductions d'autres textes du manuscrit BM Tours 927 :

***Résurrection* (folios 1 à 8v°) :**
Coussemaker Edmond de, *Drames liturgiques du Moyen Âge*, texte et musique (1861), Genève, Slatkine, 1975. (« Résurrection » du manuscrit de Tours, p. 21-48).
Luzarche Victor, *Office de Pâques ou de la Résurrection accompagné de la notation musicale et suivi d'hymnes et de séquences inédites, publié pour la première fois d'après un*

manuscrit du 12e siècle de la bibliothèque de Tours, Tours, J. Bouserez, 1856, p. 1-26.

Young Karl, *The Drama of the Medieval Church*, Oxford, Clarendon Press, 1933, 2 tomes, tome 1, p. 438-450.

Autres textes :

Keller Hans-Erich, *Wace : La* Vie de Sainte Marguerite, avec introduction, glossaire, et commentaire des enluminures du manuscrit Troyes 1905 par Alison Stones, Tübingen, Max Niemeyer, 1990.

Palustre Léon, *La Vie de la Vierge Marie* de Maistre Wace, suivie de la *Vie de Saint Georges*, du même trouvère, Tours, Bouserez, 1859.

5 bis) Éditions d'autres textes anciens

A Synopsis of the Books of Adam and Eve, Second revised edition, Gary A. Anderson & Michael A. Stone, Scholars Press, Atlanta, Georgia, 1999.

Cousin Hugues, *Vies d'Adam et Ève, des patriarches et des prophètes. Textes juifs autour de l'ère chrétienne*, Paris, Cerf, 1988.

La Creacion, *la* Transgression *and l'*Expulsion *of the Mistere du Viel Testament*, édition et commentaire par Barbara Craig, University of Kansas publications, *Humanistic Studies* 37, 1964, 114 p.

Le Mistère du Viel Testament, édition avec introduction, notes et glossaire par James de Rothschild, 6 tomes, Paris, Didot, 1878-1891.

Nagel Marcel, *La Vie grecque d'Adam et Ève. Apocalypse de Moïse*, thèse présentée à Strasbourg en 1972, Lille, Service de reproduction des thèses, 1974, 2 tomes.

Ordines prophetarum, édités par Karl Young, *The Drama of the Medieval Church*, Oxford, Clarendon Press, 1933, tome II (Limoges, p. 138-142 ; Laon, p. 145-150 ; Rouen, p. 154-165).

Pettorelli J. P., *Vie Latine d'Adam et Ève*, *Bulletin du Cange* 59, 2001, p. 5-73 et 60, 2002, p. 171-233.

Poème anglo-normand sur l'Ancien Testament, édition et commentaire par Pierre Nobel, 2 tomes, « Nouvelle Bibliothèque du Moyen Âge » 37, Paris, Champion, 2006.

Stone Michael A., *The Penitence of Adam*, Louvain, Peeters, 1981.

Suchier Walther, «*Grant Mal Fist Adam*», dans *Zwei altfranzösische reimpredigten*, Halle, Max Niemeyer Verlag, p. 19-120.

Wace's Roman de Brut. A History of the British, texte et traduction par Judith Weiss, Exeter, University of Exeter Press, 1999.

B) ÉTABLISSEMENT DU TEXTE DE BM TOURS 927 (FOLIOS 20 À 46V°)

1) Latin :

Bautier Anne-Marie, «La lexicographie du latin médiéval. Bilan international des travaux», dans *La Lexicographie du Latin Médiéval et ses rapports avec les recherches actuelles sur la civilisation du Moyen Âge*, Paris, éditions du CNRS, 1981, p. 433-453.

Bonnet Max, *Le latin de Grégoire de Tours*, Paris, Hachette, 1890.

Bourgain Pascale, *Le latin médiéval*, avec la collaboration de Marie-Clotilde Hubert, Turnhout, Brepols, 2005.

Breuer Herman, «Untersuchungen zum lateinisch-altfranzösischen Adamspiel: der lateinische Text», *Zeitschrift für Romanische Philologie* 51, 1931, p. 625-664.

Dictionarius de Firmin le Ver (achevé en 1440), Brian Merrilees éd., 1994, Brepols.

Glossarium mediae et infimae latinitatis, Charles Fresne du Cange dir., Akademische Druck, U. Verlagsanstalt, Graz (Autriche), 6 tomes, rééditition de 1954.

Goullet Monique et Parisse Michel, *Apprendre le latin médiéval*, Paris, Picard, 3e édition revue et corrigée, 1990.

Hesbert Renato-Joanne, *Corpus Antiphonarium officii*, vol. IV, *Responsoria, Versus, Hymni et Varia, editio critica*, Rome, Herder, 1970.

Lexicon Latinitatis Medii Aevi / Dictionnaire latin-français des auteurs du Moyen Âge, par Albert Blaise, Turnhout, Brepols, 1975.

Mediae latinitatis lexicon minus, J. F. Niemeyer et C. van de Kieft, 2 volumes (1976), réédition de Leiden/Boston, Brill, 2002.

Mittellateinisches Wörterbuch bis zum ausgehenden 13 Jahrhundert, Otto Prinz et Johannes Schneider dir., Académies de Bayern et Berlin, Munich, C. H. Beck, 1967-1991, 3 volumes.

Norberg Dag, *Manuel pratique du latin médiéval*, Paris, Picard, 1968.

Novum glossarium mediae latinitatis, Franz Blatt puis Yves Lefèvre dir., Hafniae, Ejnar Munksgaard, 1959-1973, 3 volumes, M-O.

Revised Medieval Latin Word-List, from British and Irish sources, R. E. Latham dir., Londres, Oxford University Press, 1965.

2) Langue vernaculaire :

Breuer Herman, « Untersuchungen zum lateinisch-altfranzösischen Adamspiel : der französische Text », *Zeitschrift für Romanische Philologie* 52, 1932, p. 1-66.

Dean Josephine Ruth, avec la collaboration de Maureen B. M. Boulton, *Anglo-Norman Literature. A Guide to texts and manuscripts*, Londres, Anglo-Norman Text Society, 1999.

Faral Edmond, « À propos de l'édition des textes anciens : le cas du manuscrit unique », *Recueils de travaux offerts à M. Clovis Brunel*, 1955. T. 1 p. 409-421.

Hasenohr Geneviève, « Écrire en latin, écrire en roman : réflexions sur la pratique des abréviations dans les manuscrits français des XIIe et XIIIe siècles », dans Michel Banniard éd., *Langages et peuples de l'Europe. Cristallisation des identités romanes et germaniques (VIIe–XIe siècle)*, Toulouse, 2002, p. 79-110.

Hasenohr Geneviève, *Livret-Annuaire de l'EPHE* 17, 2001-2002, p. 169-172.

Hasenohr Geneviève, *Livret-Annuaire de l'EPHE* 18, 2002-2003, p. 158-159.

Hunt Tony, « Anglo-Norman : Past and Future », dans *The Dawn of the Written Vernacular in Western Europe*, Michèle Goyens et Werner Verbeke, Leuven, Leuven University Press, 2003, p. 379-389.

Kibbee Douglas A., « Historical perspectives on the place of anglo-norman in the history of French language », *French Studies*, vol. 54/2, 2000, p. 137-153.

Legge Maria Dominica, « La versification anglo-normande au XIIe siècle », *Mélanges offerts à René Crozet*, éd. Pierre Gallais et Yves-Jean Riou, Poitiers, 1966, 2 tomes, tome 1, p. 639-643.

Legge Maria Dominica, « The Significance of Anglo-Norman », *Inaugural Lecture* 38, November 26th, Edinburgh, 1968, 11 p.

Littré Emile, *Histoire de la langue française. Études sur l'origine, l'étymologie, la grammaire, les dialectes, la versification et les lettres au Moyen Âge*, Paris, Didier, 5e édition, 1869, 2 tomes, tome second, « Étude sur Adam, mystère », p. 56-90.

Lusignan Serge, *Parler vulgairement. Les intellectuels et la langue française au XIIIe et au XIVe siècle*, Paris, Vrin, 1986.

Marichal Robert, *Livret-Annuaire de l'EPHE* 1969-70, p. 363-387.

Parisse Michel, *Manuel de paléographie médiévale*, Paris, Picard, 2006.

Pensom Roger, « Pour la versification anglo-normande », *Romania* 124, 2006, p. 50-65.

Pope Mildred K., *From Latin to Modern French with Special Consideration of Anglo-Norman*, Manchester, Publications of the Manchester University Press, 1934.

Prou Maurice, *Manuel de paléographie*, 2e éd., Paris, 1892, p. 159.

Short Ian, « Patrons and Polyglots : French Literature in XIIth century England », *Anglo-Norman studies. XIV proceedings of the Battle Conference*, 1991, p. 229-249.

Short Ian, *Manual of Anglo-Norman*, Londres, Anglo-Norman Text Society, 2007.

Trotter David, « L'anglo-normand : variété insulaire ou variété isolée ? », *Médiévales* 45, automne 2003, p. 43-54.

Vising John, *Sur la versification anglo-normande*, Upsala, R. Almquist et J. Wiksell, 1884.

II/ÉTUDES

Nota Bene : Nous n'avons recensé ici que les travaux concernant directement l'*Ordo Representacionis Ade*. Les autres références utilisées dans l'Introduction sont données en note de bas de page.

1) Ouvrages et chapitres d'ouvrages

Accarie Maurice, *Le théâtre sacré de la fin du moyen âge. Étude sur le sens moral de la* Passion *de Jean Michel*, Genève, Droz, 1979, spéc. p. 41-49.

Aebischer Paul, *Neuf études sur le théâtre médiéval*, Genève, Droz, 1972.

Auerbach Erich, « Adam et Ève », dans *Mimesis : la représentation de la réalité dans la littérature occidentale* (1946), traduit de l'allemand par Cornelius Heim, Paris, Gallimard, 1968, p. 153-182.

Cazelles Brigitte, *Soundscape in Early French Literature*, Arizona Center for Medieval and Renaissance Studies/ Brepols, Tempe/Turnhout, 2005, spéc. p. 25-51.

Chailley Jacques, *L'école musicale de Saint Martial de Limoges*, Paris, Les Livres Essentiels, 1960.

Chambers E. K., *The Mediaeval Stage*, Oxford, Clarendon Press, 1903, 2 tomes.

Cohen Gustave, *Histoire de la mise en scène dans le théâtre religieux français du Moyen Âge* (1906), nouvelle édition, revue et augmentée (1926), Paris, Champion, 1951.

Cohen Gustave, *Le théâtre en France au Moyen Age. I. Le théâtre religieux*, Paris, Rieder, 1928, spéc. p. 24-29.

Collins Fletcher Junior, *The Production of Medieval Church Music-Drama*, The University Press of Virginia, Charlottesville, 1972.

Donovan Richard B., *The Liturgical Drama in Medieval Spain*, Toronto, The Pontifical Institute of Mediaeval Studies, 1958.

Dunn Catherine, *The Gallican Saint's Life and the Late Roman Dramatic Tradition*, Washington, The Catholic University of America Press, 1989.

Fassler Margot, *Gothic Song : Victorine Sequences and Augustinian Reform in Twelfth Century Paris*, Cambridge, Cambridge University Press, 1993.

Frank Grace, *The Medieval French Drama*, Oxford, Clarendon Press, 1954.

Gérold Théodore, *La musique au Moyen Âge*, Paris (1932), Champion, 1983.

Hardison Osborne Bennett, *Christian Rite and Christian Drama in the Middle Ages. Essays in the Origin and Early History of Modern Drama*, Baltimore, John Hopkins Press, 1965.

Heist William W., *The Fifteen Signs before Doomsday*, East Lansing, Michigan State College Press, 1952.

Kernodle Georges R., *From Art to Theatre. Form and Convention in the Renaissance*, Chicago, University of Chicago Press, 1944.

Konigson Elie, *L'espace théâtral médiéval*, Paris, CNRS, 1975.

Legge Maria Dominica, *Anglo-Norman in the Cloisters. The Influence of the Orders upon Anglo-Norman Literature*, Edinburgh University Press, 1950.

Legge Maria Dominica, *Anglo-Norman Literature and its Background*, Oxford, Clarendon Press, 1963.

Lote Georges, *Histoire du vers français,* 8 tomes, Paris, Boivin/ Hatier, 1949-1955, tome 1, *Le Moyen Âge, les origines du vers français ; les éléments constitutifs du vers : la césure ; la rime ; le numérisme et le rythme.*

Mâle Emile, *L'Art religieux du* XIIe *siècle en France*, Paris, Colin, 1922 (spéc. p. 121-150).

Mâle Emile, *L'Art religieux du* XIIIe *siècle en France*, Paris, Colin, (spéc. p. 166-74).

Muir Lynette, *Liturgy and Drama in the Anglo-Norman Adam*, Oxford, Blackwell, 1973.

Nevins Madeline M., *Le "Jeu d'Adam" : its unity and complexity*, PhD Dissertation, Tufts University, 1973.

Petit de Julleville Louis, *Les Mystères*, Hachette, 1880, tome 1, chapitre III, « Le théâtre au XIIe et au XIIIe siècles », tome 2, chapitre XVI, p. 217 et s., notice sur *Adam*.

Rondet Henri, *Le péché originel dans la tradition patristique et théologique*, Paris, Fayard, 1967.

Ross Patrice C., *Scholastic Philosophy reflected in Twelfth Century Art : A Study of the Jeu d'Adam and the West Facade Stained Glass at Chartres*, PhD Dissertation, Ohio University, 1993.

Schiller Gertrud, *Iconography of Christian Art*, traduit de l'allemand par Janet Seligman Londres, Lund Humphries, 1971, spéc. p. 12-22.

Sepet Marius, *Le drame chrétien au Moyen Âge*, Paris, Didier, 1878, spéc. p. 121-158.

Sepet Marius, *Les Prophètes du Christ*, Paris, Didier, 1878 (réimpression de plusieurs numéros de la *Bibliothèque de l'École des Chartes* : 28, 1867 ; 29, 1868, et 38, 1877).

Young Karl, *The Drama of the Medieval Church*, Oxford, Clarendon Press, 1933, 2 volumes, spéc. vol. II, ch xxi, « The procession of prophets », p. 125-171 ; sermon du pseudo-Augustin *Contra Judaeos*, p. 126-131.

2) Articles

Accarie Maurice, « Féminisme et antiféminisme dans le *Jeu d'Adam* », *Le Moyen Âge* 87, 1981, p. 207-226.

Accarie Maurice, « L'unité du *Mystère d'Adam* », *Mélanges de langue et de littérature médiévales offerts à Pierre Le Gentil*, Paris, SEDES, 1973, p. 1-12.

Accarie Maurice, « La légitimation de la société féodale dans le *Jeu d'Adam* », *Mélanges de langue et de littérature du moyen-âge au XXe siècle offerts à Jeanne Lods*, Collection de l'École Normale de Jeunes Filles 10, Paris, 1978, p. 1-10.

Accarie Maurice, « La mise en scène du *Jeu d'Adam* », *Mélanges de langue et de littérature française offerts à Pierre Jonin*, *Senefiance* 7, 1979, p. 3-16.

Accarie Maurice, « Théologie et morale dans le *Jeu d'Adam* » *Revue des Langues Romanes* 83, 1978, p. 123-147.

Aebischer Paul, « Une allusion des *Quinze signes du Jugement* à l'épisode du Jeu de la Quintaine du *Girart de Viane* primitif », *Mélanges Delbouille*, Gembloux, Duculot, 1964, tome II, p. 1-19.

Aebischer Paul, « Un ultime écho de la Procession des Prophètes : le "cant de la Sibilla" de la nuit de noël à Majorque », dans

Mélanges d'histoire du théâtre du Moyen Age et de la Renaissance offerts à Gustave Cohen par ses collègues, ses élèves et ses amis, Paris, Nizet, 1950, p. 261-270.

Atkinson James C., « Theme, structure and Motif in the *Mystère d'Adam* », *Philological Quarterly* 56, 1977, p. 27-42.

Beck Jonathan, « Genesis, Sexual Antagonism and the Defective Couple of the Twelfth Century *Jeu d'Adam* », *Representations* 29, 1990, p. 124-144.

Beck William John, « "Adam, ubi es ?": le thème de l'espoir dans le "Mystère d'Adam" », *Studi Medievali* 27, fasc. II, 1986, p. 801-810.

Blumreich-Moore Kathleen, « Original Sin as Treason in Act 1 of the *Mystère d'Adam* », *Philological Quarterly* 72, 1993, p. 125-141.

Boespflug François, « L'Art chrétien constitue-t-il (ou a-t-il constitué) un évangile apocryphe de plus ? », dans *Les Apocryphes chrétiens des premiers siècles. Mémoire et traditions*, François-Marie Human et Jacques-Noël Pérès, Paris, Desclée de Brouwer, 2009.

Bordier Jean-Pierre, « Le fils et le fruit. Le *Jeu d'Adam* entre la théologie et le mythe », *The Theatre in the Middle Ages*, Louvain, 1985, p. 84-102.

Brusegan Rosanna, « Scena e parola in alcuni testi teatrali francesi del medio evo (XIIe-XIIIe s.) », *Medioevo Romanzo* 3, 1976, p. 350-374.

Calin William C., « Cain and Abel in the 'Mystère d'Adam' », *The Modern Language Review* 58, 1963, p. 172-176.

Calin William C., « Structural and doctrinal Unity in the *Jeu d'Adam* », *Neophilologus* 46, 1962, p. 249-254.

Chailley Jacques, « Du drame liturgique aux prophètes de Notre-Dame la Grande », *Mélanges offerts à René Crozet*, éd. Pierre Gallais et Yves-Jean Riou, Poitiers, 1966, 2 tomes, tome 2, p. 835-841.

Chailley Jacques, « Le drame liturgique médiéval à Saint Martial de Limoges », *Revue d'Histoire du Théâtre* 7, 1955, p. 127-144.

Chocheyras Jacques, « *Neuf études sur le théâtre médiéval* de Paul Aebischer, Genève, Droz, 1972 : compte rendu », *Romania* 95, 1974, p. 569-572.

Clark Robert L. A., « Eve and her audience in the Anglo-Norman *Adam* », *Crossing Boundaries : Issues of Cultural and Individual Identity in the Middle Ages and the Renaissance*, Sally McKee éd., Turnhout, Brepols, 1999, p. 27-39.

Corbin Solange, « Le *Cantus Sibyllae*, origine et premiers textes », *Revue de Musicologie* 31, 1952, p. 1-10.

Craig Harding, « The Origin of the Old Testament Plays », *Modern Philology* 10, 1912-1913, p. 1-15.

Crist Larry S., « La chute de l'homme sur la scène dans la France du XIIe et du XVe siècle », *Romania*, t. 99, 1978, p. 207-219.

Crist Larry S., « le *Jeu d'Adam* et l'exégèse de la Chute », *Études de civilisation médiévale (IXe-XIIe s.) : Mélanges offerts à Edmond-René Labande*, Poitiers, CESCM éd., 1975, p. 175-183.

Dahan Gilbert, « L'interprétation de l'Ancien Testament dans les drames religieux (XIe-XIIIe siècles), *Romania* 100, 1979, p. 71-103.

Dane Joseph A., « Clerical Propaganda in the Anglo-Norman *Representacio Ade* (Mystère d'Adam) », *Philological Quarterly* 62, 1983, p. 241-251.

Delisle Léopold, « Note sur le manuscrit de Tours renfermant des drames liturgiques et des légendes pieuses en vers français », *Romania* 2, 1873, p. 91-95.

Dominguez Véronique, « D'Oberammergau au *Jeu d'Adam* : le sacré à l'épreuve du médiévalisme », *Médiévalisme, modernité du Moyen Âge (Itinéraires LTC*, 2010-3), Vincent Ferré dir., L'Harmattan, 2010, p. 113-123.

Downey Charles T., « *Ad Imaginem Suam* : Regional Chants Variants and the Origins of the *Jeu d'Adam* », *Comparative Drama* 36, 2002-2003, p. 359-390.

DuBruck Edelgard, « The Theme of self-accusation in early French Literature », *Romania* 94, 1973, p. 410-418.

Dunn Catherine, « French Medievalists and the Saint's Play. A problem for American Scholarship », *Medievalia et Humanistica*, New series, 6, 1975, p. 51-62.

Dunn Catherine, « Representations of Time in *Ordo Representacionis Ade* », *Contexts : Style and Value in Medieval Art and Literature, Yale French Studies*, numéro spécial, Daniel Poirion et Nancy Freeman Regalado éd., 1991, p. 97-113.

Ebert Adolf, *Göttingische gelehrte Anzeigen* 25-26, tome 1, 1856, p. 241-252.

Etienne Servais, « Sur les v. 279-287 du *Jeu d'Adam* », *Romania* 48, 1922, p. 592-5.

Fassler Margot, « Representations of Time in *Ordo Representacionis Ade* », *Contexts : Style and value in Medieval Art and Literature, Yale French Studies*, numéro spécial, Daniel Poirion et Nancy Freeman Regalado éd., 1991, p. 97-113.

Frank Grace, « The Genesis and Staging of the *Jeu d'Adam* », *PMLA* LIX, mars 1944, p. 7-17.

Fries Maureen, « The evolution of Eve in Medieval French and English Drama », *Studies in Philology* 99/1, 2002, p. 1-16.

Gardette Pierre, « Latin chrétien *radix*, ancien français *raiz*, *Jeu d'Adam*, v. 489 et 878 », *Mélanges Lecoy*, Paris, Champion, 1973, p. 138-146.

Goodman, Jennifer R., « *Quidam de Sinagoga* : the Jew of the *Jeu d'Adam* », *Medieval cultures in contact*, Richard F. Gyug éd., New York, Fordham University Press, 2003, p. 161-187.

Gregory J. B. E., « A Note on Lines 113-122, *Le Mystère d'Adam* », *Modern Language Notes* 78, 1963, p. 536-7.

Grimbert Joan Tasker, « Eve as Adam's pareil : Equivalence and Subordination in the *Jeu d'Adam* », *Literary Aspects of Courtly Culture*, Donald Maddox and Sara Sturm-Maddox éd., Cambridge, Brewer, 1994, p. 29-37.

Guiette Robert, « Réflexions sur le drame liturgique », *Mélanges offerts à René Crozet*, Pierre Gallais et Yves-Jean Riou éds, Poitiers, 1966, 2 tomes, tome 1, p. 197-202.

Henry Albert, « Ancien français *raiz* (*Jeu d'Adam*, v. 860) », *Romania* 92, 1971, p. 388-91.

Henry Albert, « Encore *raiz* (*Jeu d'Adam*, v. 489) », *Romania* 96, 1975, p. 561-565.

Hunt Tony, « The Unity of the Play of Adam (*Ordo representacionis Adae*) », *Romania* 96, 1975, p. 368-388, et p. 497-527.

Jodogne Omer, « Recherches sur les débuts du théâtre religieux en France », *Cahiers de Civilisation médiévale*, t. 8, 1965, p. 1-24.

Justice Steven, « The Authority of Ritual in the *Jeu d'Adam* », *Speculum* 62/4, 1987, p. 851-864.

Kaske R. E., « The Character Figura in *Le Mystère d'Adam* », *Mediaeval Studies in Honor of Urban Tigner Holmes Jr*, John Mahoney et John Esten Keller éd., Chapel Hill, University of North Carolina Press, p. 103-110.

Kelly Henry Ansgar, « The Metamorphosis of the Eden Serpent during the Middle Ages and Renaissance », *Viator* II, 1971, p. 301-327.

King Andrew L., « The *Ordo Prophetarum* of the *Jeu d'Adam* : Construction and Completeness », *Medium Aevum* 53, 1984, p. 49-58.

Kostoroski-Kadish Emilie, « 'Féminisme' in the *Jeu d'Adam* », *Kentucky Romance Quarterly* 22, 1975, p. 209-221.

Lazar Moshe, « Enseignement et spectacle. La *disputatio* comme "scène à faire" dans le drame religieux français du Moyen Age », *Scripta Hierosolymitana* 19, 1967, p. 126-151.

Lecoy Félix, « Compte rendu de l'édition *Le Mystère d'Adam (Ordo representacionis Ade),* texte complet du manuscrit de Tours, publié avec une introduction, des notes et un glossaire par Paul Aebischer, Genève et Paris, 119 p., in 12° (Textes Littéraires Français, 99), 1963 », *Romania* 84, 1963, p. 274-279.

Lee Christopher, « Jewish-Christian Debate and the Didactism of Drama in the *Jeu d'Adam* », *Comitatus* 38, 2007, p. 19-41.

Legge Maria Dominica, « The Rise and Fall of Anglo-Norman Literature », *Mosaïc* VIII/4, 1975, p. 1-6.

Lerer Seth, « Philology and Collaboration : the Case of Adam and Eve », *Literary History and the Challenge of Philology. The Legacy of Erich Auerbach*, Seth Lerer éd., Stanford, Stanford University Press, 1996, p. 78-91.

Levine Robert, « Unoriginality in the *Ordo Representatio (sic) Adae* », *Neuphilologische Mitteilungen* 86, 1985, p. 576-578.

Lynn Thérèse B., « Pour une réhabilitation d'Ève », *French Review* 48, 1975, p. 871-877.

Maddox Donald, « Le discours persuasif au XIIe siècle : la manipulation épique et dramatique », *Medioevo Romanzo* 12/1, 1987, p. 55-73.

Mandach André de, « Le rôle du théâtre dans une nouvelle conception de l'évolution des genres », *Stylistique, rhétorique et poétique dans les langues romanes* 8, 1986, 27-46.

Mathieu Michel, « La mise en scène du *Mystère d'Adam* », *Marche Romane* 16, 1966, p. 47-56.

Mathieu Michel, « Distanciation et émotion dans le théâtre liturgique du Moyen Age », *Revue d'Histoire du Théâtre* 19/2, 1969, p. 47-56.

Mazzaro Jérôme, « The *Mystère d'Adam* and Christian Memory », *Comparative Drama* 31/4, hiver 1997-1998, p. 481-505.

McConachie Bruce A., « The Staging of the *Mystère d'Adam* », *Theatre Survey* 20, n° 1, mai 1979, p. 27-42.

Mermier Guy R., « L'adorable perversité féminine : son comique et sa fonction dans le *Mystère d'Adam* et dans *Courtois d'Arras* », *Studi Francesi* 63, 1977, p. 481-6.

Meyer Paul, « Notice sur un manuscrit bourguignon », *Romania* 6, 1877, p. 1-39 (p. 22-6 sur la tradition manuscrite du *Dit des Quinze signes*).

Meyer Paul, « Le couplet de deux vers », *Romania* 23, 1894, p. 1-35.

Mickel E. J., « Faith, Memory, Treason and Justice in the *Ordo Representacionis Ade* (*Jeu d'Adam*) », *Romania* 112, 1991, p. 129-154.

Monteverdi A., « Sul testo del *Mistero d'Adamo* », *Archivum Romanicum* 9, 1925, p. 446-453.

Montgomery I. M., « Ras in *Le Mystère d'Adam* 482 », *Modern Language Notes* 17, 1922, p. 294-6.

Morgan Wendy, « "Who was then the Gentleman?" Social, Historical and Linguistic Codes in the *Mystère d'Adam* », *Studies in Philology* 79, printemps 1982, p. 101-121.

Morsel Joseph, « Dieu, l'homme, la femme et le pouvoir : les fondements de l'ordre social d'après le *Jeu d'Adam* », dans *Retour aux sources. Textes, études et documents d'histoire médiévale offerts à Michel Parisse*, Monique Goullet *et alii* (dir.), Paris, Picard, 2004, p. 537-549.

Noomen Willem, « Le *Jeu d'Adam*. Étude descriptive et analytique », *Romania* 89, 1968, p. 145-193.

Noomen Willem, « Aspects stylistiques du *Jeu d'Adam* », *Actele celui de-al XII-lea congres international de linguistica si filologie romanica*, A. Rosetti et S. Reinheimer-Ripeanu éds., Bucarest, 1971, 2 tomes, tome 2, p. 765-772.

Nykrog Per, « *Le Jeu d'Adam* : une interprétation », *Mosaïc* VIII/4, 1975, p. 7-16.

Parker David, « The two Texts of the *Jeu d'Adam* : Latin, Anglo-Norman, and the Clerical Message to the Aristocracy », *Medieval Perspectives* 9, 1994, p. 125-134.

Payen Jean-Charles, « Idéologie et théâtralité dans le *Jeu d'Adam* », *Études anglaises* 25/1 1972, p. 19-29.

Raamsdonk I. N., « *Le Mystère d'Adam*, v. 63 », *Modern Language Notes* 17, 1922, p. 170.

Régis-Cazal Yvonne, « La parole de l'autre », *Médiévales* 9, 1985, p. 19-34.

Schmeja Wendelin, « Der 'Sensus Moralis' im Adamsspiel », *Zeitschrift für Romanische Philologie* 90, 1974, p. 41-72.

Schoell Konrad, « L'amour, le vasselage et la solidarité dans le *Mystère d'Adam* », *Tréteaux. Bulletin de la Société Internationale pour l'étude du Théâtre Médiéval*, section française, vol. 3/1, mai 1983, p. 29-34.

Schrott Angela, « Que fais, Adam ? Questions and seduction in the *Jeu d'Adam* », *Historical Dialogue Analysis*, ed. Andreas H. Jucker, Gerd Fritz, Frank Lebsanft, Amsterdam, John Benjamins, 1999, p. 331-370.

Scuderi Antonio, « Subverting religious Authority : Dario Fo and folk Laughter », *Text and Performance Quarterly* 16/3, 1996, p. 216-232.

Serper Arié, « Le débat entre Synagogue et Église au XIIIe siècle », *Revue des Études Juives* CXXII, 1964, p. 307-333.

Sletsjöe Leif, « Histoire d'un texte. Les vicissitudes qu'a connues le "Mystère d'Adam" (1854-1963) », *Studia Neophilologica* XXXVII, 1965, p. 11-39.

Steadman John M., « Adam's *Tunica Rubea* : Vestiary Symbolism in the Anglo-Norman Adam », *Modern Language Notes* 72, mai-décembre 1957, p. 497-499.

Streignart Joseph, « L'Ève de la cathédrale Saint-Lazare d'Autun et le *Jeu d'Adam et Ève* », *Études Classiques* 18, 1950, p. 452-456.

Symes Carol, « The Appearance of Early Vernacular Plays : Forms, Functions, and the Future of Medieval Theater », *Speculum* 77, 2002, p. 778-831.

Urwin Kenneth, « The *Mystère d'Adam* : two Problems », *Modern Language Review* 34, 1939, p. 70-72.

Valenti M. et Janier P., « Notes sur la temporalité dans le Jeu d'Adam », *Marche Romane* XX, 4, 1970, p. 75-87.

Vaughan M. F., « The Prophets of the Anglo-Norman *Adam* », *Traditio* 39, 1983, p. 81-114.

Vincent Patrick R., « Adam's Lament in the *Jeu d'Adam* », *L'Esprit Créateur* 5, 1965, p. 228-232.

Weekley Ernest, « *Mystère d'Adam* l. 482 », *Modern Language Notes* 17, 1922, p. 79.

Werckmeister O. K., « The Lintel Fragment representing Eve from Saint-Lazare, Autun », *The Journal of The Warburg and Courtauld Institutes* 35, 1972, p. 1-30.

Woolf Rosemary, « The Fall of Man in *Genesis B* and the *Mystère d'Adam* », *Studies in Old English Literature in Honor of Arthur G. Brodeur*, Stanley B. Greenfield ed., University Microfilms Inc., London, Ann Arbor, 1965, p. 187-199.

Young Karl, « *Ordo prophetarum* », *Transactions of the Wisconsin Academy of Sciences, Arts and Letters* XX, 1921, p. 1-82.

Zumthor Paul, « Un problème d'esthétique médiévale : l'utilisation poétique du bilinguisme », *Le Moyen Age* 66/3, 1960, p. 301-336 et 66/4, p. 561-594.

Zumthor Paul, « "Roman" et "gothique" : deux aspects de la poésie médiévale », *Studi in onore di Italo Siciliano*, Florence, 1966, p. 1223-1234.

NOTE DE PRÉSENTATION DE L'ÉDITION ET DE LA TRADUCTION

Nous proposons une nouvelle transcription des folios 20 à 46v° du manuscrit conservé à la Bibliothèque municipale de Tours sous la cote 927 (que nous désignons ici comme le Tours BM 927). Nous avons travaillé avec une copie scannée, une copie microfilmée de l'ensemble des folios 20 à 46v° réalisée avant la réfection du manuscrit en 1963, et avec l'édition diplomatique de Leif Sletsjöe[1], qui contient une photographie des folios 20 à 40 du manuscrit. Nous avons complété cet examen en tenant compte des remarques adressées aux principaux éditeurs du *Jeu d'Adam*[2].

Un grand nombre d'entre eux avait déjà procédé à une description scrupuleuse du manuscrit 927 de la Bibliothèque de Tours[3]. Nous ne mentionnons les éléments matériels du manuscrit

---

[1] *Le Mystère d'Adam*. Édition diplomatique accompagnée d'une reproduction photographique du manuscrit de Tours et des leçons des éditions critiques, Paris, Klincksieck, 1968.

[2] Sur l'édition de Victor Luzarche, voir Léon Palustre, *Adam, mystère du XIIe siècle : texte critique accompagné d'une traduction*, Paris, 1877, modifications résumées dans son Introduction, et critiquées par Gaston Paris, *Romania* 21, 1892, p. 275.
Sur l'édition de Karl Grass, 1891, voir A. Ebert, *Göttingische gelehrte Anzeige* 1, 1856, p. 236 : même si c'est un compte rendu de l'édition de Luzarche et accessoirement seulement de la sienne, Grass en a tenu compte pour supprimer le *Dit des Quinze signes* de ses éditions de 1907 et 1928.
Sur l'édition de Paul Aebischer, 1963, voir Félix Lecoy, *Romania* 84, 1963, p. 274-279.

[3] Victor Luzarche, *Adam, drame anglo-normand du XIIe siècle*, Tours, 1854, Introduction ; Léopold Delisle, « Note sur le manuscrit de Tours renfermant des drames liturgiques et des légendes pieuses en vers français », *Romania* 2, 1873, p. 91-95.

(corrections, biffures, encre pâle ou foncée, disposition du texte dans la page), qu'entre les folios 20 et 46v°, et uniquement lorsque nous en faisons un commentaire nouveau. Pour une description exhaustive des corrections et biffures dans ces mêmes folios, on se reportera aux notes de l'édition de Paul Aebischer[1] et à celles de l'édition Grass (1891) pour le *Dit des Quinze signes*[2].

Pour l'étude de la langue et de la versification dans l'*Ordo Representacionis Ade*, nous avons pris pour point de départ les travaux très complets de Karl Grass[3], Herman Breuer[4], et Paul Studer[5]. Nous signalons en note nos commentaires et nos ajouts. Ceux-ci viennent de mises au point linguistiques sur le latin médiéval et sur l'anglo-normand, et d'une approche des accidents de la métrique que nous avons désignés comme « hypométrie » ou « hypermétrie », par rapport à une « isométrie » peut-être imaginaire[6], que l'oscillation permanente entre l'octosyllabe et le décasyllabe contrarie d'emblée.

Nous avons résolu et transcrit les abréviations, l'accentuation et les hiatus selon les règles en usage chez les romanistes (cédilles à *ço* ; é en fin de mot)[7].

---

[1] *Le Mystère d'Adam (Ordo Representacionis Ade)*, Texte complet du manuscrit de Tours publié avec une introduction, des notes et un glossaire par Paul Aebischer, Genève, Droz, « Textes Littéraires Français » n° 99, 1963.

[2] *Das Adamsspiel, AngloNormanisches Gedicht des XII Jahrhunderts, mit einem Anhang, die Fünfzehn Zeichen des Jüngsten Gerichts*, Romanische Bibliothek, Halle, 1891, p. 56-67.

[3] Édition de 1928, p. xxv-lxxv.

[4] Herman Breuer, « Untersuchungen zum lateinisch-altfranzösisches Adamsspiel », *Zeitschrift für romanische Philologie* 51, 1931, p. 625-664 pour le texte latin ; et *Zeitschrift für romanische Philologie* 52, 1932, p. 1-66 pour le texte français.

[5] *Le Mystère d'Adam : an Anglo-Norman Drama of the Twelfth Century*, Manchester University Press, 1918, p. xxxiv-lviii

[6] Pour une lecture critique de la notion de vers « boiteux » ou « faux », et des « régularités des textes non simplement en elles-mêmes, mais en tant qu'elles sont objets de perception », voir Benoît de Cornulier, *Art Poëtique. Notions et problèmes de métrique*, 1995, citation p. 13.

[7] Mario Roques, « Règles pratiques pour l'édition des anciens textes français et provençaux », *Romania* LII, 1926, p. 243-9 ; Alfred Foulet et Mary Speer, *On Editing Old French Texts*, Lawrence, the Regents Press of Kansas, 1979 ; Marc Smith, Françoise Vieillard, Pascale Bourgain et Olivier Guyot-Jeannin, *Conseils*

Pour la ponctuation, nous avons tenu compte dans la mesure du possible[1] des majuscules en tête de vers et des points d'interrogation. Ces éléments ont pu modifier la syntaxe de la transcription, et partant, la compréhension du texte. Ainsi, lorsqu'une unité de sens nous semble mise en évidence par la présence ou l'absence identifiable de majuscule, nous le signalons en note dans l'édition, et nous en tenons compte dans la traduction.

Tant en français qu'en latin, notre transcription conserve au maximum la lettre du manuscrit, et ce pour diverses raisons.

D'abord, du folio 20 au folio 40, le manuscrit 927 de la BM de Tours est seul à contenir notre texte, et nous ne pouvons le corriger à l'aide d'une autre version. Ensuite, bien des tours de la langue, du lexique et de la syntaxe peuvent être éclairés par de grandes tendances du latin médiéval d'une part, et d'autre part, par l'histoire d'un texte probablement composé dans la zone Plantagenêt, mais copié par un clerc appartenant à la partie sud de la même zone. Pour éclairer ces tendances, et notre conservation de graphies souvent corrigées par les éditeurs précédents, nous avons utilisé les dictionnaires et les travaux recensés en bibliographie à la section «établissement du texte». Mais nous avons également été attentive à des éléments propres au texte «par personnages», et très souvent nous avons conservé les didascalies ou les absences de didascalie considérées comme fautives par la tradition éditoriale de l'*Ordo Ade*. De cette conservation de la lettre du manuscrit, nous espérons avoir dégagé une cohérence, laquelle souligne les relations de l'*Ordo Ade* avec la notion de performance telle que nous l'avons définie dans l'avant-propos de notre commentaire.

Pour l'édition des folios 40v° à 46v°, c'est-à-dire du *Dit des Quinze Signes*, nous avons également procédé à une nouvelle transcription scrupuleuse de notre manuscrit. Nous présentons cette transcription en utilisant, dans les notes, le texte et l'appareil

---

pour l'édition des textes médiévaux, t. 3 : les textes littéraires, Paris, CTHS, École Nationale des Chartes, 2002.

[1] Nous restons sensible à la remarque de Robert Marichal sur la difficulté à distinguer les deux jeux de majuscules, *Livret-Annuaire de l'EPHE* 1969-70, p. 363-387, spéc. p. 380-1.

critique de la dernière édition en date de ce texte, effectuée par Erich Von Kraemer[1]. Ce dernier a fourni les variantes des 22 manuscrits utilisés pour établir son texte, qui est l'édition du manuscrit BnF fr. 2094, fols 194v° à 199. Nous désignons cette édition par les initiales VK. Nous indiquons les variantes recensées par Von Kraemer lorsqu'elles nous semblent faire sens par rapport à l'édition du BM Tours 927.

Du dispositif d'origine, nous avons traduit les parties qui permettent de concevoir ce moment liturgique comme une série de jeux « par personnages ». Nous traduisons donc les répliques en anglo-normand, mais aussi les didascalies en latin. Car si ce bilinguisme ne devait pas poser de problème aux producteurs et aux récepteurs médiévaux de notre texte, le laisser intact nuirait à sa compréhension par leurs homologues du XXIe siècle.

Conformément à la tradition d'enregistrement de ces textes, destinés à être chantés par des moines qui en connaissaient la totalité, le manuscrit ne contient que les *incipit* des leçons et des répons liturgiques de la Septuagésime, puis du sermon *Contra Judaeos et Paganos* du Pseudo-Augustin. Nous en avons reproduit une version. Même s'il demeure impossible de savoir de quel recueil de textes liturgiques le copiste du Tours BM 927 s'est servi, nous avons choisi dans les *responsoria* et les *versus* proposés par le *Corpus Antiphonarium Officii*[2] ceux qui nous semblent le mieux à même d'avoir dialogué avec le texte en langue vernaculaire consigné dans ce même manuscrit[3].

Nous avons traduit l'ensemble du texte en ancien français en respectant autant que possible les octosyllabes et les

---

[1] *Les Quinze signes du Jugement Dernier, poème anonyme de la fin du XIIe ou du début du XIIIe siècle publié d'après tous les manuscrits connus*, avec introduction, notes et glossaire, par Erik von Kraemer, Helsinki, Helsingfors, 1966.

[2] Renato-Joanne Hesbert, *Corpus Antiphonarium officii*, vol. IV, *Responsoria, Versus, Hymni et Varia, editio critica*, Rome, Herder, 1970. (Désormais abrégé CAO).

[3] Pour une analyse des choix éventuels effectués par le copiste, voir Charles T. Downey, « *Ad Imaginem Suam* : Regional Chants Variants and the Origins of the *Jeu d'Adam* », *Comparative Drama* 36, 2002-2003, p. 359-390, spéc. p. 360-370.

décasyllabes. Nous avons donc préféré le rythme à la rime, et nous n'avons tenté de restituer ni les rimes plates ni les quatrains monorimes suivant lesquels la majeure partie du texte est composée.

Nous avons choisi de ne restituer ni le subjonctif présent ni le futur de l'indicatif dans les didascalies en latin, car ce mode ou ce temps sont des marques de l'injonction qui constitue la nature même de toute didascalie. Adressée à tous ceux qui souhaitent créer une image concrète ou mentale des coordonnées de l'action – metteur en scène, acteur ou lecteur –, la didascalie est prescription. Et si sa vocation est de n'être que rarement suivie à la lettre par les praticiens de la scène, elle n'en a pas moins été conçue par son ou ses auteurs comme l'accompagnement d'une forme momentanée de perfection de l'œuvre. À ce titre, les didascalies du *Jeu d'Adam* ont retenu toute notre attention dans la traduction – dans l'espoir toutefois qu'une mise en scène de ce texte saurait leur apporter les modifications qu'un tel travail ne manque pas d'opérer sur elles, comme sur l'ensemble d'un texte destiné à la performance.

LE *JEU* *D'ADAM*

Ordo representacionis Ade

Constituatur paradisus loco eminenciori[1] *: circumponantur cortine*[2] *et panni serici, ea altitudine ut persone, que in paradiso fuerint, possint videri sursum ad humeris*[3]*. Servantur*[4] *odoriferi flores et frondes ; sint in eo diverse arbores et fructus in eis dependentes, ut amenissemus*[5] *locus videratur*[6]*.*
Tunc veniat Salvator indutus dalmatica et statuantur choram[7] *eo Adam, Eva. Adam indutus sit tunica rubea, Eva vero muliebri vestimento albo, peplo serico albo ; et stent ambo coram Figura, Adam tamen proprius*[8]*, vultu composito, Eva vero parum dimissiori*[9]*.*

---

[1] On aurait *constituere in* en latin classique. Sur l'absence de prépositions, voir Hermann Breuer, « Untersuchungen... », *Zeitschrift für romanische Philologie* 51, 1931, p. 647 ; *loco* est un ablatif : sur *eminenciori* au lieu de *eminenciore* (finales des ablatifs en **i** plutôt qu'en **e** pour les comparatifs), voir Hermann Breuer, 1931, p. 646, et Pascale Bourgain, *Le Latin médiéval*, avec la collaboration de Marie-Clotilde Hubert, Turnhout, Brepols, 2005, p. 58 pour une extension de cette confusion entre datif et ablatif, p. 87 entre datif et génitif.

[2] Sur la réduction de la diphtongue *ae* en *e*, voir Monique Goullet et Michel Parisse, *Apprendre le latin médiéval*, Paris, Picard, 3e édition revue et corrigée, 1990, p. 13 ; Bourgain, p. 27.

[3] Pour *ab* à la place de *ad*, voir le *Mittellateinisches Wörterbuch*, article *ad* ; et Bourgain, p. 38.

[4] Aebischer puis Noomen corrigent en *serantur* (tresser, disposer en guirlande). Nous gardons *servantur*.

[5] Pour la terminaison en *—emus* plutôt qu'en *—imus* des superlatifs en latin médiéval, voir H. Breuer, 1931, p. 630 § 3.

[6] *Videatur* en latin classique. Sur la disparition des formes synthétiques du passif, voir Bourgain, p. 34.

[7] *Choram* est orthographié plus bas dans la même didascalie *coram*. Voir aussi *chorus/corus*, *chatenas*, *rotulus carte* (pour *chartae*). Sur cette graphie variable, correspondant à l'évolution de la prononciation, voir Goullet/Parisse, p. 14, Bourgain, p. 27.

[8] Nous gardons *proprius*, du latin médiéval, voir Breuer, 1931, p. 627. Sur l'abondance des comparatifs en *—ius*, voir Dag Norberg, *Manuel pratique du latin médiéval*, Paris, Picard, 1968, p. 24.

[9] Nous gardons *dimissiori* au lieu de *demissiori* (Noomen, Aebischer). Voir Geneviève Hasenohr, *Livret-Annuaire de l'EPHE* 17, 2001-2002, p. 171. Pour la terminaison *i* au lieu de *e,* voir note 1.

Le Jeu d'Adam

Le paradis doit être établi à un endroit visible de tous[1]. *Il sera entouré de rideaux et d'étoffes de soie, arrangés de sorte que les acteurs venant à s'y trouver*[2] *soient visibles de la tête aux épaules. On aura gardé pour l'occasion du feuillage et des fleurs parfumées, et disposé quelques arbres chargés de leurs fruits : l'endroit devra avoir l'air très agréable.*
Le Sauveur s'avance, il porte la dalmatique. Adam, puis Ève, prennent place face à lui. Adam est vêtu de rouge, et Ève, d'un vêtement de femme blanc – ce peut être un voile de soie blanche. Tous deux restent debout près de la Figure, qui joue le Sauveur[3]. *Adam se tient plus près de la Figure. Beaucoup plus qu'Ève, il maîtrise les expressions de son visage.*

---

[1] *Eminenciori* : *eminens*, qui s'élève, saillant, proéminent ; très visible, très remarquable (comparatif employé seul avec valeur de superlatif, voir Pascale Bourgain, *Le Latin Médiéval*, p. 92). Robin F. Jones, « A Medieval Prescription for Performance : *Le Jeu d'Adam* », dans *Performing Texts*, Michael Issacharoff & Robin F. Jones éds, Philadelphie, University of Pennsylvania Press, 1988, p. 101-115, comprend aussi ce terme comme « conspicuous, remarkable », p. 106.

[2] Sur la possibilité que ces acteurs soient des anges ou des vertus, en plus d'Adam et Ève, voir Introduction, p. 94-6.

[3] Adressée à un lecteur et non à un spectateur, la didascalie doit expliciter l'identité entre *Salvator* et l'acteur qui le joue sous le nom de *Figura*. Pour l'éclairage théologique qui sous-tend cette identité, voir R. E. Kaske, « The Character Figura in *Le Mystère d'Adam* », *Mediaeval Studies in Honor of Urban Tigner Holmes Jr.*, John Mahoney et John Esten Keller ed., Chapel Hill, University of North Caroline Press, 1965, p. 103-110.

Et sit ipse Adam bene instructis[1], *quando respondere debeat, ne ad respondendum nimis sit velox aud nimis tardus. Nec solum ipse sed omnes persone sic instruantur ut composite loquantur et gestum faciant convenientem rei de qua loquuntur, [20v°], et in rithmis nec sillabam addant nec demant, sed omnes firmiter pronuncient et dicantur seriatim que dicenda sunt. Quincumque nominaverit paradisum, respiciat eum et manum demonstre*[2].

Tunc incipiat lectio : « In principio creavit Deus celum et terram ».

Qua finita, corus cantet responsorium : « **Formavit igitur Dominus** hominem de limo terrae, et inspiravit in faciem ejus spiraculum vitae, et factus est homo in animam viventem. *Versus* : In principio fecit Deus coelum et terram, et plasmavit in ea hominem. Et factus est homo in animam viventem. »[3]

Quo finito dicat Figura :

Adam !

Qui respondeat :

Sire ?[4]

---

[1] *Instructus* en latin classique. Premier exemple d'une longue série : l'orthographe latine du scribe semble fonctionner par contiguïté – ici *sit/instructis*. Pour les changements de déclinaisons et les accords libres du latin post-carolingien, voir Bourgain, p. 58, p. 90.

[2] *Demonstret* en latin classique – proche de la prononciation où le *t* final disparaît à date très ancienne ? Voir l'inscription de Pompéi sans *t* à la P3 rappelée par Norberg, p. 23, Bourgain, p. 30.

[3] CAO 6739, versus A avec variation R.

[4] Comme ici, nous nous sommes efforcée de conserver les points d'interrogation du manuscrit (et nous les commentons au besoin en note dans la traduction). Sur les façons de noter les points d'interrogation dans les manuscrits, voir M. Prou, *Manuel de paléographie*, 2e éd., Paris, 1892, p. 159. Pour quelques exemples de points d'interrogation, voir Michel Parisse, *Manuel de paléographie médiévale*, Paris, Picard, 2006, p. 62. Sur l'importance des points d'interrogation pour l'intelligence de notre texte, voir Robert Marichal, *Livret-Annuaire de l'EPHE* 1969-70, p. 363-387, spéc. p. 383-4.

Celui qui joue Adam doit être parfaitement entraîné à dire ses répliques au bon moment, ni trop tôt, ni trop tard. Comme lui, tous les autres acteurs doivent être entraînés à dire leur texte, à faire les gestes qui conviennent à leurs propos, à prononcer leurs vers sans hésiter, sans y ajouter ni retrancher de syllabes, et à dire leurs répliques dans le bon ordre.
Chaque acteur qui aura parlé du paradis doit le regarder et le montrer du doigt.

Alors commence la leçon suivante : « In principio creavit Deus celum et terram ».

Après la leçon, le chœur chante le répons : « Formavit igitur Dominus ».

Après le répons, la Figure dit :

Adam !

Celui-ci répond :

Seigneur ?

Figura :

Fourmé te ai

de limo terre.

Adam :

Ben le sai.

Figura :

[1]Je te ai fourmé a mun semblant,
A ma imagene t'ai feit, de tere, 4
ne[2] moi devez[3] ja mais mover guere[4].

---

[1] Avant ce vers, tous les éditeurs intercalent un vers blanc, parce que le dispositif métrique globalement le plus fréquent de l'*ORA* est la rime plate, entre octosyllabes ou entre décasyllabes. Or, ce vers n'est pas le seul à être orphelin. De plus, alors que les biffures du scribe ne manquent pas, nous ne remarquons aucune hésitation dans la transcription des v. 3 et 4, ni dans les autres cas de vers orphelins. Pour ces deux raisons, nous ne ménageons pas de vers blanc à cet endroit.

Ce choix a une conséquence pratique pour notre transcription : c'est le décalage entre notre numérotation des vers et celle des éditions antérieures (notamment Noomen, qui reprenait Aebischer). Voir Introduction, p. 107-108, 117.

[2] Ici, le *n* qui ouvre le v. 5 est une minuscule, d'autant moins surprenante que les vers ne sont pas disposés comme tels dans la page mais copiés les uns à la suite des autres, et ce jusqu'au folio 25v°. Pour l'enchaînement des v. 4-5, l'absence de majuscule souligne donc, avec la rime, le lien étroit entre la traduction des paroles précédemment données en latin et leur conséquence immédiate, sous forme de conseil d'un seigneur à son vassal. Ainsi, l'association entre règle et siècle, entre glose liturgique et féodalité, est soigneusement mise en place par la matérialité de l'écriture.

[3] Pour la graphie analogique *z* ou *ez* mise à la P2 pour *ts*, voir Mildred Pope, *From Latin to Modern French with Special Consideration of Anglo-Norman*, Manchester, Publications of the Manchester University Press, 1934, § 890 p. 338 pour l'indicatif et § 1302 p. 476 pour l'impératif. Nombreux exemples : v. 11, 25, 81, 124, 138, 150, 422, 539, 548, 625, 627.

[4] Les cinq premiers vers posent des problèmes d'isométrie. Voir Introduction, p. 122, 126.

La Figure :

Je t'ai formé

de limo terrae !

Adam :

Oui, je sais bien.

La Figure :
Je t'ai formé à ma semblance,
à mon image je t'ai fait, en terre : 4
jamais il ne faudra me faire la guerre !

Adam :
Nen[1] frai[2] ge, mais te crerrai :
mun creatur oberai[3] !

Figura :
Je t'ai duné bon cumpainun : 8
ce est ta femme, Eva a noun.
Ce est ta femme e tun pareil,
tu le devez estre ben fiël.
Tu aime lui e ele ame tei, 12
si serez ben ambedui de moi.
Ele soit a tun comandement,
e vus ambedeus[4] a mun talent.
De ta coste l'ai[5] fourmee, 16
n'est pas estrange, de tei est nee.
Jo la plasmai de ton cors,
de tei eissit, non pas de fors.
Tu la governe par raison, 20
n'ait entre vus ja tençon.
Mais grant amor, grant conservage :

---

[1] Sur la lecture de ce « nen » comme « non », voir Émile Littré, *Histoire de la langue française. Etudes sur l'origine, l'étymologie, la grammaire, les dialectes, la versification et les lettres au Moyen Age*, Paris, Didier, 5e édition, 1869, 2 tomes, tome second, « Etude sur Adam, mystère », p. 56-90, spéc. p. 87. Nous pensons possible de lire quelques *nen* comme *non* lorsque la particule, prédicative, nie le verbe faire, utilisé comme ici en tant que vicariant ou dans des tournures exceptives. Voir *infra* v. 139, v. 377, v. 565, v. 644.

[2] « Frai », mis pour « ferai » : graphie fréquente pour ce verbe au futur dans tout le manuscrit. Pour une explication de cette syncope du « e » dans les futurs, trait propre à l'anglo-normand, voir Pope, § 1290, p. 473 ; et Studer, p. xxxvi, alinéa (d). Cependant, on relève de nombreuses exceptions à cette syncope (pour « faire », le « e » parasite est présent v. 99, 170, 260, 271, 789, 819). Donc, voir les remarques de Leif Sletsjöe, « Histoire d'un texte... », pour qui il faut « chercher l'explication qui rende compte des deux évolutions à la fois », p. 22-3. Au plan métrique, on a donc considéré sur l'ensemble du texte que la syncope devait ou non être observée selon les cas.

[3] Mis pour *obéirai* ? Ou hypométrie.

[4] Syncope sur *ambedeus* et *supra* sur *ambedui* v. 13 ? Ou hypermétrie.

[5] *Aj* dans le manuscrit : faut-il imaginer l'ai [je] dans la prononciation, pour rétablir l'octosyllabe ?

Adam :
Non, je t'en donne ma parole :
j'obéirai à mon créateur !

La Figure :
Je t'ai donné une compagne. 8
Voici ta femme : elle s'appelle Ève.
Elle est ta femme et ton égale :
sois toujours loyal avec elle.
Aime-la bien, qu'elle t'aime aussi, 12
alors vous aurez mes faveurs.
Qu'elle soit toujours à tes ordres,
et vous deux, selon mon désir !
C'est de ta côte que je l'ai faite, 16
elle vient de toi, et non d'ailleurs.
J'ai façonné une part de toi,
elle sort de toi et de rien d'autre !
Gouverne-la par la raison, 20
pas de querelle entre vous,
mais de l'amour, et de l'entraide :

Tel soit la lei de manage[1].
A tei parlerai, Evain! 24

Figura ad Evam :

Ço garde tu, nel tenez en vain.
Si vos faire ma volenté,
en ton cors garderas bonté.
Moi aim e honor ton creator[2], 28
E moi reconuis a seignor.
A moi servir met ton porpens,
tut ta force e tot tun sens.
Adam aime e lui tien chier[3]. 32
Il est marid e tu sa mullier.
A lui soies tot tens encline[4],
nen[5] issir de sa discipline,
lui serf e aim par bon coraje, 36
car ço est droiz de mariage[6].
Se tu le fais bon adjutoire,
Jo te mettrai od lui en gloire.

---

[1] Les vv. 17-23 sont copiés avec une encre plus pâle et des lettres plus grosses. Il est difficile de dire s'ils sont de la même main.

Si la plupart des éditeurs ont corrigé le dernier mot du v. 23 en « mariage », le manuscrit donne « manage ». Comme nous, Luzarche et Sletsjöe ont conservé cette lecture. Chamard, Aebischer, Noomen et Van Emden ont lu « manage » mais corrigé en « mariage » – note sur notre vers 23, numéroté par eux 24, respectivement p. 12, p. 29 et p. 4. Pour un raisonnement conduisant à cette correction pour rétablir le mètre, voir Noomen, *Le Jeu d'Adam*, 1971, p. 77. Étant donné la fréquence de l'anisométrie, le rétablissement de l'octosyllabe ne nous semble pas être un critère possible pour cette correction. Voir aussi notre lecture de ce terme dans le cadre plus général de l'espace conventionnel suggéré par le *Jeu*, *supra*, Introduction, p. 82.

[2] Anisométrie, ou élision du e devant h ? Voir Breuer, 1932, p. 7.

[3] Anisométrie, ou césure lyrique – « Adam aime/e lui tien chier » ?

[4] Anisométrie, ou « soies » dissyllabique ? Voir « soiet », v. 67 et « poez », v. 50, monosyllabes.

[5] Ici, « nen » mis pour « et ne ». Voir aussi v. 625.

[6] Cette fois, seuls Luzarche et Chamard ont corrigé en « manage » une leçon « mariage » pourtant plus claire.

telle soit la loi au logis !
Maintenant, Ève, c'est à toi. 24

Il se tourne vers elle :

Ecoute bien, fais attention.
Si vous agissez comme je veux,
en toi règnera la bonté.
Aime et honore ton créateur : 28
reconnais-moi comme ton seigneur.
Mets tout ton soin à me servir,
toute ta force, et tout ton cœur.
Aime Adam, et chéris-le : 32
c'est ton mari, tu es sa femme.
Sois-lui à chaque instant soumise,
sans jamais contester ses ordres ;
sers-le, aime-le sans réserve : 36
telle est la loi du mariage.
Si tu l'épaules chaque jour,
je vous mettrai tous deux en gloire.

Eva :
Jol frai, sire, a ton plaisir, [f° 21] 40
ja nen[1] voldrai ne[2] issir.
Toi conustrai a seignor,
lui a paraille e a forzor.
Jo lui serrai tot tens feël 44
de moi avra bon conseil :
le ton pleisir, le ton servise
Frai, sire, en tote guise.

Tunc Figura vocet Adam proprius[3] *et attencius*[4] *ei dicat :*

Escote, Adam, e entent ma raison : 48
jo t'ai formé, or te dorrai itel don[5].
Tot tens poez vivre si tu tiens mon sermon,
e serras sains, n'en sentiras friczion.

Ja n'avras faim, por bosoing ne beveras, 52
ja n'averas frait, ja chalt ne sentiras,
tu iers en joie, ja ne te lassaras
e en deduit ja dolor ne savras.

Tute ta vie demeneras en joie, 56
tut jors serra, n'en estrat pas poie.
Jol di a toi e voil que Eva l'oie :
se nel entent, donc s'afoloie.

---

[1] La majorité des *nen* en position atone ou en accompagnement d'une particule de négation peut être lue « ne ». Voir v. 35, 41, 224, 236, 245, 313, 343, 350, 511, 529, 914. Voir Noomen, note à 158, p. 84.

[2] « Ne » corrigé en « [de rien] » par tous. Nous ne corrigeons pas. Nous remarquons qu'il s'agit de la première ligne en haut du folio. Elle a probablement été coupée lors de l'alignement produit par la reliure du premier manuscrit avec sa suite. Conservée, cette leçon introduit des vers anisométriques dans la première réplique d'Ève.

[3] Voir note 8 p. 180.

[4] Latin médiéval pour *attentius*. Sur la transformation du [t] en [c], dans la prononciation puis dans l'orthographe, (*representacionis* ; *attencius* ; *diucius* ; *lamentacionem* ; *percucientes ; miutius* ; *oblacionem*) à date pré- et post-carolingienne, voir Goullet/Parisse, p. 14, Bourgain, p. 30 et p. 122.

[5] Anisométrie — ou « tel » pour « itel » ?

Ève :
Ce sera comme il te plaira, 40
seigneur, et sans aucun écart !
Tu seras pour moi le seigneur,
et lui, mon égal et mon maître.
Avec lui, je serai loyale, 44
et aussi, de très bon conseil.
C'est toujours selon ton plaisir,
seigneur, que je te servirai.

La Figure demande à Adam de s'approcher, et lui dit d'un ton sévère :

Ecoute, Adam, et comprends bien ces mots ! 48
Ma créature, je te fais un cadeau :
vivre à jamais, sans maladie,
c'est le prix de l'obéissance[1] !

Jamais tu n'auras faim ni soif, 52
jamais tu n'auras froid ni chaud.
Tu vivras toujours dans la joie
et le plaisir, sans la douleur[2].

C'est dans la joie que passera ta vie, 56
et cette vie, elle sera sans fin.
Cela, je veux qu'Ève l'entende aussi :
sans le comprendre, elle s'égarerait.

---

[1] Nous inversons les v. 50 et 51 dans la traduction.

[2] Des v. 51 à 56, nous soulignons avec des octosyllabes le caractère extraordinaire et programmatique des dons positifs de Dieu – caractère que l'ancien français crée par le décalage rythmique contraire, en passant des heptasyllabes et octosyllabes d'Ève v. 40-47, aux décasyllabes.

De tote terre avez la seignorie, 60
d'oisels, des bestes, e d'altre manantie.
A petit vus soit qui vus porte envie,
car tot li mond vus iert encline.

En vostre cors vus met e bien e mal: 64
ki ad tel dun n'est pas lïez a pal!
Tut en balance or pendiez par egal,
creez conseil: que soiet vers mei leal.

Laisse le mal e si te pren al bien, 68
tun seignor aime e ouec lui te tien.
Por nul conseil ne gerpisez le mien:
si tu le fais, ne peccheras de rien.

Adam:
Grant graces rend a ta benignité, 72
ki me formas et me fais tel bunté,
Que bien e mal mez en ma poësté:
En toi servir metrai[1] ma volenté!

Tu es mi sires, jo sui ta creature, 76
tu me plasmas e jo sui ta faiture. [21v°]
Ma volenté ne serrad ja si dure
Qu'à toi servir ne soit tote ma cure.

Tunc Figura manu demonstret paradisum Ade, dicens[2]*:*

Adam!

---

[1] Après «metrai», «met» est écrit à l'encre plus pâle, mais n'a pas été biffé: signe d'une répétition, acceptable dans le cadre du jeu, même si elle rend le vers hypermétrique?

[2] Première occurrence du participe présent dans les didascalies: avec le verbe *dicens*, cette forme grammaticale introduit naturellement, et fréquemment, les nouvelles répliques. En vertu de cette fonction d'ouverture d'un nouveau discours, mais aussi de l'usage étendu du participe présent en latin classique comme médiéval (Bonnet, *Le Latin de Grégoire de Tours*, p. 650-653, Goullet/ Parisse, p. 63, Bourgain, p. 95), nous conservons tous les participes présents qui jouent ce rôle dans les didascalies – sans les remplacer par des formes conjuguées.

Vous régnerez sur la terre tout entière, 60
oiseaux, bêtes, et tout le territoire.
Les envieux ? Ne vous en souciez pas[1],
car le monde entier vous sera soumis.

En vous, je mets et le bien et le mal : 64
qui a ce don n'est pas un prisonnier !
Vous pèserez toute chose avec soin,
et, croyez-moi : tenez votre parole !

[a Adam] Laisse le mal, ne choisis que le bien ! 68
[a Ève] Aime ton seigneur, sois toujours avec lui !
[aux deux] Qu'aucun conseil ne remplace le mien !
[A Adam] Et le péché restera loin de toi.

Adam :
Comme je rends grâce à ta bienveillance, 72
mon créateur, toi qui, si bon pour moi,
me donnes tout, et le bien, et le mal :
Mon seul désir sera de te servir !

Tu es seigneur, je suis ta créature, 76
tu me formas, moi, ta progéniture.
Jamais mon désir ne s'opposera
à te servir, et de toutes mes forces !

La Figure montre le paradis à Adam et lui dit :

Adam !

---

[1] Pour une discussion sur le sens de *a petit vos soit*, voir I. N. Raamsdonk, « *Le Mystère d'Adam* 63 », *Modern Language Notes* 17, 1922, p. 170.

Adam :

Sire ?

Figura :

Dirrai toi mon avis[1]. 80

Veez ce jardin.

Adam :

Cum ad nun ?

Figura :

Paradis.

Adam :

Mult par est bel.

Figura :

Jel plantai e asis.

Adam :

Qui i maindra serra mis amis !

[Figura][2] *:*

Jol toi comand por maindre e por garder ! 84

Tunc mittet eos in paradisum, dicens :

[3]Dedenz vus met.

---

[1] Le scribe a écrit puis biffé ici « mon avis te voel dire ».

[2] Quitte à modifier le manuscrit, nous proposons de rétablir ici une didascalie *Figura*, plutôt que de la substituer à la précédente (comme l'ont fait Chamard, Aebischer, et Noomen), qui est *Adam* de façon indiscutable. Voir Introduction, p. 97-98.

[3] Une version biffée du passage qui suit est donnée dès cet endroit : « De cest jardin toi dirrai la nature : / de nul delit n'i troverez falture. / N'est bien al monde qui covoit creature ». Les corrections se sont multipliées dans ce folio 21v°, qui a fait l'objet d'une attention particulière. Voir Introduction, p. 98.

Adam :
Seigneur ?

La Figure :
J'ai un projet. 80
Vois ce jardin.

Adam :
Qui s'appelle ?

La Figure :
Paradis.

Adam :
Comme il est beau !

La Figure :
C'est moi qui l'ai planté.

Adam :
Son habitant, ce sera mon ami !

La Figure :
Ce sera toi : tu seras son gardien. 84

Elle les conduit au paradis en disant :
Je vous y place.

Adam :

Purrum[1] i nus durer ?

Figura :
A toz jorz vivre ! Rien n'i poëz duter.
Ja n'i porrez murir ne engruter.

Chorus cantet R) « **Tulit ergo Dominus hominem** et posuit eum in paradisum voluptatis, ut operaretur et custodiret illum. *Versus* : Formavit igitur Dominus hominem de limo terrae, et posuit eum in paradisum, ut operaretur et custodiret illum. »[2]

Tunc Figura manum extendet versus paradisum, dicens :

De cest jardin tei dirrai la nature : 88
de nul delit n'i trovrez falture.
N'est bien al mond que covoit criature,
chescons n'i poisset trover a sa mesure.

Femme de home n'i avra irur, 92
ne home de femme verguine ne freür.
Por engendrer n'i est hom peccheor,
ne a l'emfanter femme n'i sent dolor.

Tot tens vivras, tant i ad bon estage : 96
n'i porras ja changer li toen eage !
Mort n'i crendras, ne te ferra damage :
ne voil que isses, ici feras manage.

Chorus cantet R) : « **Dixit Dominus ad Adam** : De ligno quod est in medio paradisi ne comedas ; in quacumque die comederis, morte morieris. *Versus :* Ex omni ligno paradisi comede ; de

---

[1] Sur les finales de la P4 en « —um », « —om », propres à l'anglo-normand, voir Pope, p. 339, § 893-895. Nombreux exemples dans tout le texte, notamment dans la section « Abel et Caïn ».

[2] CAO n° 7798, *versus* B.

Adam :

Pourrons-nous y rester ?

La Figure :
Oui, à jamais ! Là, rien à craindre,
vous ne pourrez ni mourir ni souffrir.

Le chœur chante le répons : « Tulit ergo Dominus hominem »

Puis la Figure dit, main tendue vers le Paradis :

Je vais te dire la vertu du jardin. **88**
Tous les plaisirs, vous les y trouverez.
Il n'y a rien, rien qu'on puisse souhaiter
qui ne s'y trouve, quel que soit son désir.

Point de colères masculines à craindre **92**
ni de pudeurs ou frayeurs féminines !
Pour engendrer, on n'y est pas pécheur,
et sans douleur on peut y mettre au monde.

Ce lieu plaisant, c'est le tien pour toujours, **96**
et de ta vie, tu n'en pourras changer[1] !
Tu n'y craindras ni mort ni coup du sort.
Plus de sortie[2] ! Ce sera ton logis.

Le chœur chante le répons : « Dixit Dominus ad Adam »

---

[1] Nous tenons compte de *porras*, sujet *tu*. *Eage* prend alors le sens de vie et non de vieillissement.

[2] Voir Introduction, p. 82-84.

ligno autem scientiae boni et mali ne comedas. In quacumque die comederis, morte morieris. »[1]

Tunc monstret Figura Ade ar[f° 22]*bores paradisi, dicens :*

De tot cest fruit poez manger par deport 100

Et ostendat ei vetitam arborem et fructus ejus, dicens :

Çost toi defent, n'en faire altre confort !
Sen tu en manjues, sempres sentiras mort ;
m'amor perdras, mal changeras ta sort.

Adam :
Jo garderai tot ton comandement, 104
ne jo ne Eve n'en eisseroms de nient.
Por un sol fruit se pert tel chasement,
droiz est que soie defors jetez al vent.

Por une pome se jo gerpis t'amor, 108
Que ja en ma vie, par sens ne par folor[2].
Jugiez doit estre a loi de traïtor
Que si parjure et traïst son seignor[3].

---

[1] CAO n° 6471, *versus* A.

[2] Anisométrie — ou élision de « ja » devant « en » ?

[3] Le passage est réputé incompréhensible. Voir Felix Lecoy, Compte rendu de l'édition Aebischer, *Romania* 84, 1963, p. 274-279. Pour une construction du quatrain sans pause, qui fait des v. 110-111 un souhait (avec émendation du *doit* en *doive* au v. 110), voir Aebischer, p. 35. Nous préférons une construction en deux phrases (comme Chamard, p. 23, Noomen, p. 25-6, Van Emden, p. 10), car elle est fidèle, autant que faire se peut, à la ponctuation du manuscrit (un point après « folor », une majuscule à « Jugiez »). Le v. 109 n'a alors d'autre défaut que d'être peut-être hypermétrique, chose non rare, et qui, si elle est signifiante, souligne l'indignation d'Adam à l'idée de cette trahison. Et pour nous, le « Que » du v. 109 est moins une anticipation du « que » au v. 111 (Sletsjöe, p. 85) qu'une reprise du v. 108.

La Figure montre à Adam les arbres du paradis terrestre, en disant :

De tous ces fruits, délectez-vous à souhait ! 100

Puis elle désigne l'arbre défendu et son fruit, en disant :

Mais celui-ci, Adam, c'est défendu !
Si tu en manges, tu deviendras mortel,
et tu perdras mon amour et ta chance.

Adam :

Tous tes ordres, je vais les respecter, 104
et sans écart, ni d'Ève ni de moi.
Si pour un fruit je perdais un tel fief,
il serait juste que j'en sois chassé.

Pour une pomme, moi, perdre ton amour ? 108
Au grand jamais, que je sois fou ou sage !
C'est en traître qu'on doit juger celui
qui se parjure et trahit son seigneur.

Tunc vadat Figura ad ecclesiam et Adam et Evam[1] *spacientur honeste delectantes in paradiso. Interea demones discurrant per plateas, gestum facientes conpetentem ; et veniant vicissim juxta paradisum, ostendentes Eve fructum vetitum, quasi suadentes ei ut eum commedat.*

Tunc veniat Diabolus[2] *ad Adam et dicet ei :*

Que fais, Adam ?

Adam :

Ci vif en grant deduit. 112

Diabolus :
Estas tu bien ?

Adam :

Ne sen rien que me noit.

Diabolus :
Poet estre mielz.

Adam :

Ne puis saver[3] coment.

---

[1] *Eva* en latin classique. *Ecclesiam*, *Adam*, *Evam* : la faute est-elle née par contagion des deux terminaisons précédentes ? Sur cette orthographe par contiguïté, voir note 1 p. 182. Sur la labilité de l'orthographe et de la nature même des noms propres en latin médiéval en général, voir Pascale Bourgain, p. 81, et dans l'*ORA* en particulier, voir Breuer, 1931, p. 645.

[2] Sur les appellations très variées du diable à époque archaïque, voir Bonnet, *Le Latin de Grégoire de Tours*, p. 242 note 2 : *Inimicus*, *insidiator*, *malignus*, *temptator*, *auctor criminis*, *sceleris princeps*, pour les principaux.

[3] Autres orthographes possibles, pour « saveir » utilisé comme verbe : « saver », « savoir ». Sur la lenteur de l'évolution de la diphtongue « ei » (venue de e long) en anglo-normand, voir Ian Short, *Manual of Anglo-Norman*, Londres, Anglo-Norman Text Society, 2007, § 12.1 p. 77 et Pope, § 1188. La conséquence majeure de cette lenteur concerne la versification : « ei » ne peut rimer avec « oi », comme c'est le cas en français continental depuis 1170.

La Figure se dirige vers le groupe des chrétiens, et Adam et Ève se promènent dans le paradis, se délectant sans excès de ses fruits.
Pendant ce temps, les démons envahissent les lieux en courant, avec une attitude conforme à leur nature. Puis c'est à leur tour[1] *de s'approcher du paradis, en montrant à Ève le fruit défendu et en l'invitant par le mime à le manger.*

Le Diable s'approche d'Adam, et il lui dit :
Que fais-tu, Adam ?

Adam :
Quel plaisir, ici ! 112

Le Diable :
Donc tu vas bien ?

Adam :
C'est que rien ne me nuit !

Le Diable :
Ce pourrait être mieux.

Adam :
Je ne vois pas comment.

---

[1] Après que la Figure a laissé le champ libre.

Diabolus :
Vols le tu saver ?

Adam :
Bien en iert mon talent[1].

Diabolus :
Jo sai come[n]t[2].

Adam :
Et moi que chalt ? 116

Diabolus :
Por quei non ?

Adam :
Rien ne me valt.

Diabolus :
Il te valdra.

Adam :
Jo ne sai quant.

Diabolus :
Nel te dirrai pas en curant.

Adam :
Or le me di !

---

[1] Vers anisométrique en contexte de décasyllabes. Dans « Sul testo del *Mistero d'Adamo* », *Archivum Romanicum* 9, 1925, p. 446-453, A. Monteverdi a voulu transformer les vers ici numérotés 112 à 115 en trois octosyllabes. Nous conservons les décasyllabes. Pourquoi les remettre en question ? Copiés d'une main sûre, ils constituent une transition naturelle avec le long passage en décasyllabes qui précède. Des 111 premiers vers, seuls une minorité sont écrits en octosyllabes, dont beaucoup sont privés ou augmentés d'une syllabe. Ce mètre ne se met donc en place de façon régulière qu'à la faveur du dialogue où le Diable essaie d'attiser la curiosité d'Adam, soit au vers 116.

[2] « Comet » dans le manuscrit.

Le Diable :
Voudrais-tu le savoir ?

Adam :
En voilà, un désir !

Le Diable :
Moi, je le sais.

Adam :

Et que m'importe ? 116

Le Diable :
Mais pourquoi non ?

Adam :
Quel intérêt ?

Le Diable :
Eh, justement !

Adam :
Vraiment, mais quand ?

Le Diable :
Pourquoi me presser de le dire ?

Adam :
Dis-le moi donc !

Diabolus :

Non fra[1] pas, 120

Ains te verrai /del preer las. [22v°]

Adam :

N'ai nul bosoing de ço saveir.

Diabolus :

Kar tu ne deiz nul bien aver.

Tu as li bien, ne seiez joïr. 124

Adam :

E jo[2] comment ?

Diabolus :

Voldras l'oïr ?

Jol te dirrai priveement.

Adam :

Seürement[3].

Diabolus :

Escult, Adam, entent a moi. 128

Ço iert to pru.

Adam :

E jo l'otrei.

Diabolus :

Creras me tu ?

---

[1] Et non « frai » (voir aussi Marichal, p. 384). Sur la graphie « a » mise pour le son [e] et donc équivalent de la graphie « ai », surtout à la P1, voir Studer, (b) xxxv-xxxvi ; Noomen, *Le Jeu d'Adam*, note sur 643, p. 87 ; Short, *Manual*, p. 42, § 1.3.

[2] Sletsjöe, « ço » ; autres éditeurs, « jo ».

[3] Anisométrie, très marquée ici. Depuis l'extérieur du paradis, le diable accompagne Adam dans un coin de ce lieu, pour une conversation en tête-à-tête, rendue difficile par la présence d'Ève, et par le regard de la Figure. Voir Introduction, « La bipartition par convention », p. 134.

Le Diable :

Non, pas question, 120
avant que tu m'aies supplié !

Adam :
Je me passe bien de le savoir !

Le Diable :
Alors tu n'auras jamais rien.
Ton bien, tu ne sais pas en jouir. 124

Adam :
Mais comment faire ?

Le Diable :

Veux-tu l'apprendre ?
Je vais te le dire, à toi seul.

Adam :
Oui, c'est plus sûr.

[*Tous deux s'éloignent d'Ève*[1]]

Le Diable :
Ecoute, Adam, écoute-moi ! 128
C'est pour ton bien !

Adam :

Soit, tope là !

Le Diable :
Tu le promets ?

---

[1] Sur la répartition de l'espace de jeu entre les protagonistes, voir note 2 p. 227 et Introduction, p. 24, 81.

Adam :

Oïl, mult bien.

Diabolus :

Del tut en tut ?

Adam :

Fors de une rien[1].

Diabolus :

De quel chose[2] ?

Adam :

Jol te dirrai. 132

Mon creator pas ne offendrai[3].

Diabolus :

Criens le tu tant ?

Adam :

Oïl, par veir.

Jo l'aim et criem.

Diabolus :

N'est pas saveir

Que te poet faire ?

Adam :

E bien e mal. 136

Diabolus :

Molt es entré en fol jornal

---

[1] Elision du « e » devant « u ».

[2] « Que-le » — ou anisométrie ?

[3] Elision du « e » devant le « o ».

Adam :

Certainement !

Le Diable :
Complètement ?

Adam :

Sauf pour une chose.

Le Diable :
Vraiment ? Laquelle ?

Adam :

Eh bien, voilà : 132
mon créateur, je ne l'offenserai pas.

Le Diable :
Le crains-tu tant ?

Adam :

Oh oui, pour sûr !
Je l'aime et je le crains.

Le Diable :

Sornettes !
Que peut-il te faire ?

Adam :

Du bien et du mal. 136

Le Diable :
Comment ? Mais tu es fou de croire

Quant creiez mal, mal[1] te poisse venir !
N'es tu en gloire ? Nen poez morir !

Adam :
Deus le m'a dit que je murrai 140
quant son precept trespasserai.

Diabolus :
Quel est cist grant trespassement ?
Oïr le voil sens nul entent.

Adam :
Jol te dirrai tot veirement. 144
Il me fist un commandement :
de tuit le fruit de paradis
Puis jo manger, ço m'a apris,
fors de sul un : cil m'est defens. 148
Çolui ne tucherai de mains.

Diabolus :
Li quels est ço ?

Tunc erigat manum Adam et ostendat ei fructum vetitum dicens Adam :

Veez le tu la ?
Çolui tres bien me devia.

Diabolus :
Sez tu por quoi ?

Adam :
Jo certes non. 152

[1] Ce second « mal » aurait pu être biffé (Aebischer, Sleitsjöe), il ne l'est pas. Avec « crei-ez » et « poi-sse », était-il le support d'un jeu, du geste ou de la voix ? Voir Introduction, p. 129-130.

qu'on peut te faire du mal — du mal !
Tu es en gloire, comment mourir ?

Adam :
Dieu me l'a dit, que je mourrai, 140
quand je transgresserai ses ordres.

Le Diable :
Cette transgression, quelle est-elle ?
Je suis très pressé de l'apprendre !

Adam :
Laisse-moi tout te raconter. 144
En fait, il n'a donné qu'un ordre.
Comme il l'a dit, je peux manger
tout ce qui pousse au paradis[1],
sauf un seul fruit : c'est défendu ! 148
Je ne peux même pas le toucher.

Le Diable :
Et lequel est-ce ?

Adam tend la main pour lui montrer le fruit défendu, et dit :
Le vois-tu, là ?
C'est celui-ci qu'il m'a interdit.

Le Diable :
Sais-tu pourquoi ?

Adam :
Moi ? Pas du tout. 152

---

[1] Nous inversons les v. 147 et 148 dans la traduction.

Diabolus :
Jo te dirrai ja l'achaison.
Del altre fruit rien ne li chalt [f° 23]

Et manu ostendat ei fructum vetitum dicens Ade

fors de celui qui pent en halt.
Ço est le fruit de sapience : 156
de tut saveir done science.

Diabolus[1] *:*
Se tu le manjues, bon le fras.

Adam :
E jo en quei ?

Diabolus :
Tu le verras.
Ti oil serrunt sempres overt. 160
Quanque deit estre t'iert apert,
Quanque vuldras porras[2] faire.
Mult le fait bon vers tei atraire.
Manjue le. Si fras bien, 164
ne crendras pois tun Deu de rien.
Aienz serras puis del tut son per.
Por ço le quidat veer.
Creras me tu ? Guste del fruit. 168

Adam :
Noel frai pas.

---

[1] Plutôt que de la lire comme une erreur (Aebischer, p. 41, Sleitsjöe, p. 85 note sur 158, Noomen, p. 85 note sur 366), nous conservons la reprise de la didascalie *Diabolus* dans le manuscrit. Pour une synthèse sur ce procédé, voir Introduction, p. 102-104.

[2] Même si l'isométrie a été cherchée (le mot « vivre » est biffé après « porras » au v. 162), la rupture de l'octosyllabe, par la présence de plusieurs possibles heptasyllabes, v. 164, 167, pourraient marquer cette première tirade d'injonction du diable (avec une syncope à « fras »).

Le Diable :
Je vais t'en dire la raison.
Il se moque de tous les fruits
(et il désigne le fruit défendu, en disant à Adam)
sauf de celui qui pend là-haut,
car c'est le fruit de la science, 156
qui de tout donne connaissance.

Le même [après un moment][1]
Si tu le manges, c'est pour ton bien !

Adam :
Vraiment, en quoi ?

Le Diable :
Ah, tu verras !
Tes yeux s'ouvriront aussitôt : 160
l'avenir te sera connu,
tu pourras faire ce que tu veux.
Ce serait bien de le cueillir :
mange-le donc, c'est pour ton bien. 164
De Dieu, tu ne craindras plus rien,
tu seras son égal pour tout.
C'est pourquoi il l'a interdit !
Et ta promesse ? Goûte ce fruit ! 168

Adam :
Je ne peux pas.

---

[1] Voir Introduction, p. 102-103.

Diabolus :

Or oëz deduit.

Nel feras ?

Adam :

Non.

Diabolus :

Kar tu es soz,

encore te membrera des moz.

Tunc recedat Diabolus et ibit ad alios demones, et f[a]ciet[1] *discursum per plateam. Et facta aliquantula mora, hylaris et gaudens redibit ad temptandum Adam et dicet ei :*

Adam, que fais ? Changeras tun sens[2] ? 172
Es tu encore en fol porpens ?
Jol te quidai dire l'autrer :
Deus t'a fait ci sun provender.
Ci t'ad mis por mangier cest fruit. 176
As tu donch altre deduit ?

Adam :
Jo oïl, [...] ne me falt[3].

Diabolus :
Ne munteras james plus halt ?
Molt te porras tenir por chier 180
Quant Deus t'a fet son jardenier.
Deus t'a feit gardein de son ort.
Ja ne querras altre deport ?
Forma il toi por ventre faire ? 184

---

[1] Le manuscrit porte « ficiet » ; nous corrigeons en « faciet », forme que revêt cette expression ailleurs dans le manuscrit.

[2] Syncope possible de « changeras » — ou anisométrie ?

[3] L'encre est très effacée pour ce vers. Le mot manquant peut être « rien », ajouté par tous les éditeurs — que nous suivons dans notre traduction.

Le Diable :

Voyez-vous ça !

Tu ne peux pas ?

Adam :

Non.

Le Diable :

Quel idiot !

Au moins, n'oublie pas mes paroles !

Le Diable s'éloigne et il se rend près des autres démons en courant dans tous les sens. Au bout d'un moment, tout joyeux et souriant, il revient tenter Adam, et il lui dit :

Alors, Adam, toujours pareil ? 172
Es-tu encore plein de folie ?
Comme je te le disais hier,
dans ce jardin, Dieu te nourrit :
tu y es pour manger ce fruit ! 176
As-tu vraiment d'autres plaisirs ?

Adam :
Certainement : rien ne me manque.

Le Diable :
Et jamais tu n'iras plus haut ?
Mais quelle estime as-tu de toi 180
en tant que jardinier de Dieu ?
Dieu t'a fait gardien du jardin,
et toi, tu ne veux rien de plus ?
Ne t'a-t-il fait que pour manger ? 184

Altre honor ne te voldra atraire[1].
Escut, Adam, entent/ a moi! [f°23v°]
Jo te conseillerai en fei
Que porras estre senz seignor 188
E seras per del creatur.
Jo te dirrai tute la summe:
Si tu manjues la pome[2],

Tunc eriget manum contra paradisum,

Tu regneras en majesté, 192
od Deu poez partir poësté.

Adam :
Fui tei de ci.

Diabolus :
Que dit Adam?

Adam :
Fui tei de ci, tu es Sathan!
Mal conseil dones.

Diabolus :
E jo coment? 196

[Adam][3]
Tu me voels livrer a torment,
Mesler me vols o mun seignor,
Tolir de joie, mettre en dolor.
Ne te crerrai! Fui te de ci, 200

---

[1] Le scribe a écrit « voldra il faire », puis biffé « faire » et il l'a remplacé par « atraire » : l'anisométrie semble dans ce cas le signe d'une recherche inaboutie de la norme (sauf à élider « atraire », qui change alors de sens).

[2] Anisométrie, ou « po-me ».

[3] Cette didascalie manque, pour nous selon la même logique que la didascalie *Figura supra*, av. v. 84.

C'est le seul honneur qu'il te fait !
Écoute, Adam, écoute-moi !
Je vais te donner un conseil
pour existe sans ton seigneur 188
et égaler ton créateur.
Mon conseil, le voici, en somme :
si tu manges de cette pomme,
et il lève la main en direction du paradis,
tu règneras en majesté 192
et partageras le pouvoir.

Adam [menaçant] :
Déguerpis. Vite !

Le Diable [en s'esquivant] :
Que dit Adam ?

Adam :
Déguerpis, car tu es Satan !
Mais quel conseil !

Le Diable :

Que veux-tu dire ? 196

Adam :
Tu veux me livrer aux tourments
et m'opposer à mon seigneur,
privé de joie, dans la douleur.
Fi de ma promesse, va-t-en ! 200

ne soies ja mais tant hardi
Que tu ja viengez devant moi !
Tu es traïtres e sanz foi !

Tunc tristis et vultu demisso recedet ab Adam et ibit usque ad portas inferni, et colloquiam[1] *habebit cum aliis demoniis. Post ea vero discursum faciet per populum. De hinc ex parte Eve accedet*[2] *ad paradisum, et Evam letu*[3]*vultu blandiens sic alloquitur* :

Diabolus :
Eva, ça sui venuz a toi. 204

Eva :
Di moi, Sathan, or[4] tu pur quoi ?

Diabolus :
Je vois querant tun pru, tun honor.

Eva :
Ço dunge Deu !

Diabolus :
N'aiez poür !
Mult a grant tens que jo ai[5] apris 208
Toz les conseils de paraïs.
Une partie t'en dirrai.

---

[1] Neutre pluriel pris pour un féminin (et conjugué à l'accusatif, selon la tournure latine classique de *colloquia habere*), M. Bonnet, p. 350 et suiv., Bourgain p. 33. L'hésitation est sensible avec le *post ea* suivant — qui a déjà valeur d'adverbe de temps, plutôt que de reprise d'un *colloquia* neutre pluriel qui n'a pas été respecté.

[2] *Accedat*, subjonctif initialement écrit, cancellé.

[3] *Leto* (pour *laeto*) en latin classique. Voir notes 2 et 10.

[4] Aebischer, Sletsjöe lisent « or » ; Lecoy, Marichal, Noomen, lisent « & », et transcrivent « et ». Nous adoptons « or, » par comparaison avec d'autres « or », isolés ou en fin de mot dans le manuscrit.

[5] Élision de « jo » devant « ai », ou anisométrie.

Et n'aie plus jamais la hardiesse
de reparaître à mes yeux !
Tu es un traître sans parole.

Triste, les yeux baissés, le Diable s'éloigne d'Adam, et il se rend aux portes de l'enfer où il s'entretient avec les autres démons. Après quoi il passe en courant dans le public, puis il s'approche de l'endroit réservé à Ève au paradis, et il s'adresse à elle en souriant, d'un ton caressant :

Ève, bonjour, je te cherchais ! 204

Ève :
Tiens, Satan, toi ici ! Pourquoi ?

Le Diable :
Je veux ton bien, et ton honneur[1].

Ève :
Seul Dieu les donne !

Le Diable :
Non, n'aie pas peur !
Voilà bien longtemps que je sais 208
tous les secrets du paradis.
Je vais t'en dire une partie.

[1] Nous préférons garder cette notion plutôt que lui donner le sens matériel d'« intérêt » qu'il a selon Auerbach, *Mimesis* p. 157.

Eva :
Ore le comence, e jo l'orrai.

Diabolus :
Orras me tu ?

Eva :
Si frai bien. 212
Ne te curcerai de rien.

Diabolus :
Celeras m'en ?

Eva :
Oïl, par foi.

Diabolus :
Iert descovert ?

Eva :
Nenil/ par moi. [f° 24r°]

Diabolus :
Or me mettrai en ta creance, 216
ne voil de toi altre fiance.

Eva :
Bien te pois creire a ta[1] parole.

---

[1] Leçon indéniable du manuscrit (mais Aebischer, Slestjöe, Palustre, Grass, Studer, Noomen, corrigent en « ma »). Nous proposons de lire « pois » comme une P1 (voir aussi Noomen p. 78), ce qui permet de comprendre : « Je peux bien te croire », c'est-à-dire « Je peux (*ie* : j'ai le droit de) me fier à la parole que toi-même viens de prononcer », à savoir le serment sans garantie du diable au v. 216-7. Ici, Ève évite la trahison de la parole donnée à Dieu et à Adam, en s'accommodant de cet aménagement du pacte féodal — ce dont le diable la félicite au vers 219, mais avec ironie, car cette fidélité d'Ève à sa promesse antérieure lui complique la tâche.

Ève :
Alors commence, je suis tout ouïe !

Le Diable :
Tu vas m'écouter ?

Ève :
Eh bien, oui ! 212
Tu seras très content de moi.

Le Diable :
Tu seras muette ?

Ève :
Oui, par ma foi !

Le Diable :
Ça se saura ?

Ève :
Non, pas par moi.

Le Diable :
Alors je m'en remets à toi : 216
je ne veux pas d'autre promesse.

Ève :
Elle me suffit, à moi aussi.

Diabolus :
Tu as esté en bone escole.
Jo vi Adam, mais trop est fols. 220

Eva :
Un poi est durs.

Diabolus :
Il serra mols.
Il est plus dors que n'est emfers[1].

Eva :
Il est mult francs.

Diabolus :
Ainz est mult sers.
Cure nen voelt prendre de soi. 224
Car la prenge sevals de toi !
Tu es fieblette e tendre chose,
E es plus fresche que n'est rose.
Tu es plus blanche que cristal, 228
que neif que chiet sor glace en val.
Mal culpe em fist li criator.
Tu es trop tendre et il trop dur[2].
Mais neporquant tu es plus sage, 232
en grant sens as mis tun corrage.
Por ço fait bon traire a toi.
Parler te voil.

---

[1] Cette ligne semble avoir été ajoutée entre les lignes 5 et 7 du folio : le copiste a donc voulu rétablir la rime. Ce faisant, il a peut-être affadi un rythme et un jeu consignés dans le texte qu'il copie. Sans ce vers, on a un dialogue très vif entre Eve et le serpent, semblable aux échanges à venir entre Abel et Caïn. Porté par une rupture de la rime au v. 223, le terme de « sers » est d'autant plus frappant : le Diable cherche à faire réagir la première femme.

[2] Sur cette rime fameuse, pierre de touche pour la démonstration de l'origine anglo-normande de l'*Ordo*, voir Pope, § 1142, p. 440 ; pour une explication générale, Ian Short, *Manual of Anglo-Norman*, p. 56-59.

Le Diable :
Tu as été à bonne école !
J'ai vu Adam, c'est un vrai fou. 220

Ève :
Un peu rigide…

Le Diable :
Il mollira.
(*aparte*) En enfer, on est moins rigide[1] !

Ève :
Il est très noble.

Le Diable :
C'est un esclave.
S'il ne veut prendre soin de lui, 224
qu'au moins il se soucie de toi !
Tu es si fragile, si tendre,
tu es plus fraîche que la rose,
plus blanche que n'est le cristal, 228
ou que la neige sur le givre.
Vous formez un bien curieux couple.
Tu es trop tendre, lui, trop rigide.
Et cependant tu es plus sage, 232
et toute pleine d'intelligence.
Aussi il vaut mieux te trouver.
Je veux te parler.

[1] L'aparté traduit l'ajout de ce vers dans le manuscrit, et celui, probable du lieu qu'il évoque dans la performance. Voir Introduction, « L'enfer facultatif », p. 85-88.

Eva :

Or i ait fai[1] !

Diabolus :

Nen sache nuls !

Eva :

Qui le deit saver ? 236

Diabolus :

Neïs Adam !

Eva :

Nenil par moi.

Diabolus :

Or te dirrai e tu m'ascute,
n'a que nus dous en ceste rote,
e Adam la, quil ne nus ot. 240

Eva :

Parlez en halt, n'en savrat molt.

Diabolus :

Jo vus acoint d'un grant engin
que vus est fait en cest gardin.
Le fruit que Deus vus ad doné 244
nen a en soi gaires bonté.
Cil qu'il vus ad tant defendu,
il ad en soi grant vertu.
En celui est grace de vie, 248
de poëste e de seignorie,
De tut saver, bien e mal.

---

[1] Vers attribué à Diabolus par Studer sans explication.

Ève :

Vas-y donc !

Le Diable :
C'est un secret.

Ève :

Secret pour qui ? 236

Le Diable :
Mais pour Adam !

Ève :

Alors, *motus.*

Le Diable :
Je te dis tout, écoute-moi.
Ici, il n'y a que nous deux[1]
et là, Adam, qui n'entend rien. 240

Ève :
Plus fort ! Comment veux-tu qu'il sache ?

Le Diable :
Je veux vous avertir d'un tour
qui vous est joué dans ce jardin.
Le fruit que Dieu vous a donné 244
n'a en soi aucune valeur.
Mais celui qu'il a défendu
possède, lui, grande vertu !
Il contient tout : la vie, bien sûr, 248
et le pouvoir ; et il permet
de tout savoir, le bien, le mal.

---

[1] Difficile de donner à « rote » le sens de « champ labouré », Noomen p. 85-6, note 509, si Ève et le Diable se rapprochent. Sur ce vers et le suivant, voir Introduction, « La bipartition par convention », p. 81.

Eva :
Quel savor a[1] ?

Diabolus :
Celestial.
A ton bels cors, a ta figure, 252
Bien coveindreit tel aventure
Que tu fusses dame del mond,
del souverain e del parfont.
E seüsez quanque a estre, [f24v°] 256
Que de tuit fuissez bone maistre.

Eva :
Est tel li fruiz ?

Diabolus :
Oïl, par voir.

Tunc diligenter intuebitur Eva fructum vetitum, quo diucius intuitu[2] dicens :

Ja me fait bien sol le veer.

Diabolus :
Si tu le mangues, que feras ? 260

---

[1] Sur le glissement de « saver », v. 250, à « savor », v 251, innombrables commentaires, qui opposent deux interprétations : la confirmation de la pusillanimité d'Ève et de la différence des sexes, Muir, *Liturgy and Drama*, p. 67 ; ou un jeu de mots dans la tradition de la Vulgate ou des Bibles juives, Joan Tasker Grimbert, « Eve as Adam's pareil : Equivalence and Subordination in the *Jeu d'Adam* », *Literary Aspects of Courtly Culture*, Donald Maddox and Sara Sturm-Maddox éds, Cambridge, Brewer, 1994, p. 29-37. Voir aussi notre lecture, Introduction, « *habitus* et microlectures », p. 109.

[2] Pour Aebischer, *quo diu intuito* ; Breuer, 1931, avait corrigé Grass en *diucius* ; comme Noomen, nous choisissons cette dernière leçon.

Ève :
Quel goût a-t-il ?

Le Diable :
Un goût céleste !
À ta beauté, à ton visage, 252
c'est ce destin qui conviendrait :
devenir la reine du monde,
du ciel comme des profondeurs,
et connaître tout l'avenir, 256
pour dominer tout l'univers !

Ève :
Est-il vraiment si bon ?

Le Diable :
Oh oui !

Ève fixe attentivement le fruit défendu, et après l'avoir longuement examiné, elle dit :
Même sa vue me fait du bien !

Le Diable :
Que feras-tu, si tu le manges ? 260

Eva :
E jo que sai ?

Diabolus :
Ne me crerras ?
Primes le pren e a Adam le done[1] !
Del ciel averez sempres corone.
Al creator serrez pareil 264
ne vus purra celer conseil,
Puis que del fruit avrez mangié ;
Sempres vus iert le cuer changié.
O Deus serrez, sanz faillance, 268
de egal bonté, de egal puissance.
Guste del fruit.

Eva :
Jo n'ai regard[2].

Diabolus :
Ne creire Adam.

Eva :
Jol ferai.

Diabolus :
Quant ?

---

[1] Décasyllabe, isolé dans les octosyllabes : l'anisométrie accompagne ce conseil important. Voir Introduction, « Métrique des contrastes », p. 129.

[2] Le manuscrit donne « jo nai regard » : les éditeurs ont souvent choisi soit de couper l'expression, pour obtenir « j'on ai regard » ou « jo'n ai regard » (Noomen) (j'en ai l'intention). Même si la correction en « regard jo n'ai » pourrait à la rigueur rétablir la rime, nous conservons « jo n'ai regard » (« je ne peux pas avoir cette intention »), comme Luzarche, Palustre et Grass en 1891. Pour une discussion avec l'argument opposé de Chamard (p. 52), selon lequel Eve aurait trop vite changé d'avis au vers suivant pour qu'on conserve le tour négatif du manuscrit, voir Introduction, « Rimes orphelines », p. 109-110.

Ève :
Je n'en sais rien.

Le Diable :
Ah, crois-moi donc,
prends-le, et puis donne-le à Adam !
À vous, la couronne du ciel !
Vous serez comme le créateur, 264
il ne pourra rien vous cacher
quand vous aurez mangé ce fruit :
en un clin d'œil, vous changerez.
Vous serez les égaux de Dieu 268
et en bonté, et en pouvoir.
Goûte ce fruit !

Ève :
Pas même en rêve !

Le Diable :
Oublie Adam !

Ève [au bout d'un long moment][1] *:*
Bon, c'est d'accord.

Le Diable :
Quand ?

[Adam s'approche, menaçant][2]

---

[1] Sur cette didascalie, voir *supra* note 12 et Introduction, p. 103-104.

[2] Adam, qui avait chassé définitivement le Diable de son territoire s'irrite de l'apercevoir encore. Voir Introduction, « *Habitus* et micro-lectures », p. 102.

Eva :

Suffrez moi[1] 272

tant que Adam soit en recoi.

Diabolus :

Manjue le, n'aiez dutan[c]e[2],

le demorer serrat enfance.

Tunc recedat Diabolus ab Eva et ibit ad infernum. Adam vero veniet ad Evam, moleste ferens[3] quod cum ea locutus sit Diabolus, et dicet ei :

Di moi, muiller, que te querroit 276

li mal satan, que te voleit ?

Eva :

Il me parla de nostre honor.

Adam :

Ne creire ja le traïtor !

[4]Il est traïtre.

Eve :

Bien le sai. 280

---

[1] L'ensemble formé par les v. 269-273 est perturbé au plan des rimes et des mètres ; les v. 269 et 270 ont des rimes orphelines, les v. 268 et 273 peuvent être des heptasyllabes. De plus, le v. 272 ne compte que quatre syllabes, mais aucune hésitation n'accompagne cette forte anisométrie dans le manuscrit. Faut-il dès lors imaginer plutôt un lien entre ces perturbations et un événement important de la performance – un déplacement rapide ; un effet de surprise ? Voir Introduction, « Rimes orphelines » et « Les vers brefs, clés du système », p. 109-110 et p. 134.

[2] *Dutante* dans le manuscrit. Anisométrie, ou « n'ai-ez » ou « du-tan-[c]e ».

[3] Tournure classique *moleste ferre*.

[4] Nous transcrivons le passage tel qu'il apparaît dans le manuscrit : nous n'ajoutons que la didascalie [Adam], avant le v. 282. Sur ce passage, aussi célèbre que controversé, voir notre analyse complète dans l'Introduction, p. 100-102.

Ève :

Mais laisse-moi attendre 272
au moins qu'Adam se soit calmé !

Le Diable :
Mange-le, Ève, et sois sans crainte !
Tarder, c'est de l'enfantillage.

Le Diable s'éloigne d'Ève et se rend en enfer, tandis qu'Adam s'approche d'elle. Supportant mal que le Diable lui ait adressé la parole, il lui dit :

Dis-moi, ma femme, que te voulait 276
Satan le Diable ? Que t'a-t-il dit ?

Ève :
Il m'a parlé de notre honneur.

Adam :
Ne te fie jamais à ce traître !
C'est ce qu'il est.

Ève :

Oh, je le sais. 280

Adam :
E tu coment ?

Eva :
Car jo l'ai oi[1].

[Adam] :
De ço qu'en chat[2] me del veer,
il te ferra changer saver.

Eva :
Nel fra par, car nel crerai 284
De nule rien tant que la sai.[3]

Adam :
Nel laisser mais venir sor toi,
Car il est molt de pute foi. [f25r°]
Il volst traïr ja son seignor 288
E so poser al des halzor.
Tel paltonier qui ço ad fait
ne voil que vers vus ait nul retrait.

---

[1] Certains (Chamard, Aebischer) ont lu ici car *io sai oi* ; d'autres adoptent une émendation devenue traditionnelle (Noomen, p. 78-9) *car l'asaiai.* Comme Sletsjöe et Noomen avant correction, nous lisons car *jo lai oi* ; mais nous conservons cette leçon par cohérence avec le contexte immédiat.

[2] Nous lisons « chat » comme « chalt » (du verbe « chaloir »). Voir Noomen, p. 87 note à 585. Sur la vocalisation précoce du l pré-consonantique en anglo-normand, voir Short, § 21.1 p. 101 et Pope § 390.

[3] A la lecture « tant que l'asai » (en relation avec « asaer » v. 360), nous préférons « tant que la sai ». Mais faut-il comprendre « saier », séjourner, ou « saver » (savoir) ? En choisissant « savoir », nous avons pris le parti d'accorder à Eve une réponse liée au déroulement de l'action. Eve vient d'apprendre, c'est-à-dire de savoir, quelque chose : ce qu'Adam a dit à Satan. Choisir « saier », ce serait opter pour une irrépressible tension vers l'interprétation symbolique de son sort, alors qu'elle ne sait pas encore que sa punition sera de ne pas pouvoir « saier », « séjourner », au paradis, et qu'elle n'a nulle part donné signe de vouloir le quitter.

Adam :
Ah oui, comment ?

Ève :
Je l'ai écouté.

Adam :
Comme je refuse de le voir,
il te fera tourner la tête !

Ève :
Non, car je me défierai de lui 284
maintenant que je sais cela.

Adam :
Ne le laisse pas s'approcher,
car sa parole ne vaut rien ! [f 25r]
Le Dieu Très-Haut, il a déjà 288
voulu le trahir, le combattre !
Un vagabond de cette espèce,
pas question qu'il te tourne autour !

Tunc serpens artificiose compositus ascendit juxta stipitem arboris vetito[1], *cui Eva proprius*[2] *adhibebit aurem, quasi ipsius auscultans consilium. Dehinc accipiet Eva pomum, porriget Ade. Ipse vero nondum eam*[3] *accipiet, et Eva dicet ei*:

Manjue, Adam, ne sez que est ?[4] 292
pernum ço bien que nus est prest.

Adam :
Est il tant bon ?

Eva :
Tu le saveras,
nel poez saver sin gusteras.

Adam :
J'en duit.

Eva :
Lai le.

Adam :
N'en frai pas. 296

Eva :
Del demorer fai tu que las.

Adam :
E jo le prendrai.

---

[1] *Vetite* (pour *vetitae*) en latin classique. Souplesse de la déclinaison (ici, genre et cas affectés). Voir notes 2 et 10.

[2] Voir note 8 p. 180.

[3] Nous gardons *eam* : le neutre de *pomum* classique a été remplacé par le féminin de *pome* en français. Voir Breuer, 1931, p. 640, Noomen, p. 87, note sur 601.

[4] Point d'interrogation souvent négligé dans les éditions (Grass, 1891, 1907, 1928 ; Studer ; Chamard ; Aebischer ; Noomen ; Van Emden).

Un serpent fabriqué avec art grimpe le long du tronc de l'arbre interdit. Ève approche de la bête son oreille, comme à l'affût d'un conseil. C'est ce dernier qui lui fait prendre la pomme, et la tendre à Adam. Mais dans un premier temps, celui-ci ne la prend pas, alors Ève lui dit :

Mange, Adam ! Sais-tu ce que c'est ? 292
Prenons ce bien, il est pour nous !

Adam :
Est-il si bon ?

Ève :
Tu verras bien !
Comment le savoir sans goûter ?

Adam :
J'ai peur.

Ève :
Mais non !

Adam :
Je ne peux pas ! 296

Ève :
C'est vraiment stupide d'attendre !

Adam :
Je vais le prendre.

Eva :

Manjue t'en,
par ço savras e mal e bien.

Eva[1] *:*
Jo en manjerai premirement. 300

Adam :
E jo aprés.

Eva :

Seürement[2].

Tunc commedet Eve[3] *partem pomi et dicet Ade :*

Gusté en ai. Deus, quele savor.
Unc ne tastai d'icel dolçor.
D'itel savor est ceste pome... 304

Adam :
De quel ?

Eva :

D'itel n'en gusta home.
Or sunt mes oil tant cler veant
Jo semble Deu le tuit puissant.
Quanque fu, quanque doit estre, 308
Sai jo trestut : bien en sui maistre !
Manjue, Adam, ne faz demore.
Tu le prendras en mult bon ore.

Tunc accipiet Adam pomum de manu Eve, dicens :

---

[1] Sur la reprise de la didascalie *Eva*, voir note 1 p. 210.

[2] Point d'interrogation chez Odenkirchen, Aebischer, Noomen. Il est absent du manuscrit, comme l'avait déjà remarqué Van Emden, *Jeu d'Adam*, 1996, p. 69 note à 302.

[3] *Eva* en latin classique ; Eve est la forme française.

Ève :

Et manges-en,
tu connaîtras le bien, le mal !

La même [après un moment][1] :
Je vais en manger la première. 300

Adam :
Et moi ensuite.

Ève :

À la bonne heure.

Ève mange un morceau de pomme, et elle dit à Adam :
J'en ai mangé. Seigneur, quel goût !
Je ne connais rien d'aussi suave !
Cette pomme, elle a un tel goût… 304

Adam :
Quel goût ?

Ève :

Un goût très neuf !
Maintenant, mes yeux y voient clair,
je suis comme Dieu, le tout-puissant.
Ce qui fut et ce qui sera, 308
tout, je sais tout, j'en suis maîtresse !
Mange, Adam, sans plus tarder.
Ce sera pour ton plus grand bien.

Adam lui prend la pomme des mains, en disant :

[1] Sur cette didascalie, voir *supra* note 1 p. 234 et Introduction, p. 103-104.

Jo t'en crerra[1], tu es ma per. 312

Eva :
Manjue, nen poez doter[2].

Tunc commedat Adam partem pomum[3]. *Quo commesto cognoscet statim peccatum suum/* [f25v°] *et inclinabit se,* [4]*non possit a populo videri. Et exuet sollempnes*[5] *vestes, et induet vestes pauperes consutas foliis ficus, et maximum simulans dolorem incipiens*[6] *lamentacionem suam :*

[7]Allas, pecchor, que ai jo fait,
or sui mort sanz nul retrait[8] !
Senz nul rescus sui jo mort[9], 316
tant est chaite mal ma sort.
Mal m'est changé ma aventure
Mult fu ja bone, or est mult dore.
Jo ai guerpi mun criator 320
par le [10]conseil de mal uxor.

---

[1] Sur « a » mis pour « ai », voir note 1 p. 204.

[2] Anisométrie.

[3] Souplesse de la déclinaison, orthographe peu fixée (v. note 10, et av. 302), mais aussi sens métonymique de la pomme fatale – la partie pour le tout ? *Partem pomum* est « vécu » comme un accusatif global par Adam plus que par sa femme.

[4] Ici, *ut* en latin classique pour introduire la conséquence. Sur les remplacements de *ut* trop ambigu, susceptible d'introduire différentes propositions circonstancielles, voir Bourgain p. 97.

[5] Sur le *p* transitoire entre toutes sortes de consonnes latines, voir Bourgain, p. 123.

[6] Sur l'importance des participes présents dans le texte (et leur possible conservation), voir note 2 p. 192.

[7] À partir de cette réplique, le copiste a transcrit les vers les uns au-dessous des autres ; au sens technique, la mise en page est justifiée, et la marge, un peu plus importante. Voir Introduction, « Après l'Ordo » et « La musique, dénominateur commun », p. 41 et p. 43.

[8] Anisométrie, ou « ore » dissyllabique ?

[9] Anisométrie, ou « sui » dissyllabique ?

[10] « Mal » devant « conseil » a été copié puis biffé. Cas à rapprocher du v. 139, où « mal mal » est resté ?

Je te fais confiance, ma femme. 312

Ève:
Manges-en donc, et sois sans crainte !

Adam mange un morceau de pomme. Aussitôt, il prend conscience de son péché, et il se baisse pour disparaître aux yeux du public. Il ôte alors ses beaux vêtements, revêt un humble costume fait de feuilles de figuier cousues, et comme en proie à une immense douleur, il commence sa plainte :
Pauvre pécheur, qu'ai-je donc fait ?
Maintenant, c'est certain, je meurs !
Si on ne m'aide, je suis mort, 316
car toute chance m'a quitté !
Oh, que mon destin a changé,
jadis si doux, et là, si dur !
J'ai déserté mon créateur, 320
sur l'avis d'une mauvaise épouse.

Allas, pecchable, que frai,
Mun criator cum atendrai?
Cum atendrai mon criator 324
Que jo ai[1] guerpi por ma folor.
Unches ne fis tant mal marchié,
or sai jo ja que est pecchié.
Ai mort! Por quoi me laisses vivre? 328
Que n'est li monde de moi delivre?
Porquoi faz encombrer al mond,
d'emfer m'estoet tempter le fond!
En emfer serra ma demure, 332
tant que vienge qui me sucure.
En emfer si irrai[2] ma vie:
dont me vendra iloc aïe,
dont me vendra iloec socors? 336
Ki me trara d'itel dolors? [f26r]
por quei vers mon seignor mesfis?
Ne me deit estre nul amis.
Non iert nul que gaires vaille. 340
Jo sui perdu, senz nule faille.
Vers mon seignor sui si mesfait,
Nen puis contre lui entrer em plait,
Car jo ai tort e il ad droit: 344
Deu! tant a ci mal plait![3]
Chi avrad mais de moi memorie?
Car sui mesfet au roi de gloire!
Au roi del ciel sui si mesfait 348
De raison n'ai vers lui un trait.

---

[1] L'élision de «jo» devant «ai» est contradictoire avec le même groupe de mots au v. 320.

[2] Mot de lecture difficile. Le manuscrit donne «si irrai» (mot comparé avec les v. 672, 676). Studer, Chamard et Aebischer proposent de corriger en «avrai»; Noomen (voir p. 79) émende en «vivrai».

[3] La remarque de Noomen, selon laquelle «plait» serait une graphie de «ploit» («situation»), et rimerait avec «droit», p. 88 note 682, est possible. Mais nous proposons en cohérence avec notre approche globale des rimes (voir Introduction, «Rimes», p.) la répétition du terme «plait» au sens de «procès» déjà employé v. 343, et la conservation de la rime fautive, qui rejoint la faute du mètre.

Hélas, pécheur, que vais-je faire ?
Comment faire face au créateur ?
Mon créateur, moi, lui faire face, 324
lui que j'ai fui par ma folie !
Jamais je n'aurai tant perdu,
et je sais ce qu'est le péché.
Mort, Mort, pourquoi me laisser vivre ? 328
Libère le monde de ma présence !
Pourquoi l'encombrer avec moi,
en enfer il faut qu'on me noie !
L'enfer, l'enfer, c'est ma demeure, 332
jusqu'à ce que vienne un secours.
En enfer passera ma vie ;
et qui viendra m'aider, là-bas,
d'où viendra-t-il, ce grand secours ? 336
Qui me tirera de douleur ?
Pourquoi, seigneur, t'avoir trahi[1] ?
Je ne peux plus avoir d'ami
qui s'engagerait pour ma cause. 340
Je suis perdu, sans aucun doute.
Mon seigneur, je l'ai tant trahi
qu'un procès serait mal venu,
car j'ai tort, et il a raison : 344
ah, mon Dieu, quel mauvais procès !
Et qui se souviendra de moi,
moi, le traître du roi de gloire ?
J'ai tant trahi le roi des cieux, 348
et sans une once de raison !

---

[1] Nous choisissons ici pour « mesfaire », « « trahir », acte de déviance majeur dans le code féodal. Voir des choix plus littéraux *infra*, v. 559, 560, 561.

Nen ai ami ne nul veisin
Qui me trai del plait a fin.
Qui preirai jo ja qui m'aït 352
Quant ma femme m'a traït[1] ?
Qui Deus me dona por pareil,
ele me dona mal conseil[2] !
Ai, Eve !

Tunc aspiciet Evam uxorem suam et dicet :

Ai, femme deavee, 356
mal fussez vus de moi nee !
Car fust arse iceste coste
Qui m'ad mis en si male poeste[3] !
Car fust la coste en fu brudlee 360
Qui m'ad basti si grant meslee !
Quand cele coste de moi prist,
por quei nel arst, e moi oscist ? [f26v°]
La coste ad tut le cors tra[ï][4] 364
e afolé e mal bailli.
Ne sa[5] que die ne ken face

---

[1] Anisométrie. Ou alors, faut-il comprendre « ma femine », résurgence du latin ? Au plan du sens, Adam se souviendrait des paroles de la Figure, aux v. 10-11 ; au plan linguistique, il peut restituer le *feminam* entendu dans la *lectio*.

[2] Au lieu d'une virgule après le v. 353 et d'un point d'interrogation après le v. 354, suivis d'un v. 355 isolé voire exclamatif (Aebischer), nous proposons cette lecture syntaxique pour les raisons suivantes. Aucun point d'interrogation ne figure à la fin d'aucun de ces trois vers dans le manuscrit. Celui que nous ajoutons à la fin du v. 353 est, comme l'ensemble du discours d'Adam, rhétorique plus que logique. De plus, il n'y a pas de majuscule à *ele* en tête du v. 355 ; et les v. 354-5 forment déjà une unité par la rime. Ce qui indigne Adam, c'est l'inconciliable : le cadeau d'une « pareille » que Dieu lui a fait au début de l'action, et son « conseil » dénaturé.

[3] La correction en « poste », non attesté en ancien français (Noomen, p. 79), s'impose-t-elle ? Chamard ne la fait pas. Nous conservons également « poeste », attesté.

[4] Encre pâlie, mot indistinct en fin de vers ; correction habituelle.

[5] Pour « sai ». Sur les finales en « a » mises pour « ai » et pour le son [e], voir note 1 p. 204.

Aucun ami, aucun voisin,
ne pourra être mon recours.
Et à qui demander appui, 352
quand même ma femme m'a trahi ?
Ma pareille, cadeau de Dieu,
c'est d'elle que vint ce conseil.
Ah, Ève !

Apercevant son épouse, il lui dit :
Ève, insensée ! 356
Quel malheur d'être de moi née !
Que n'a-t-elle brûlé, la côte
qui m'a mis sous un joug si rude !
Que ne s'est-elle consumée, 360
celle qui me vaut cette querelle !
Quand dans mon flanc elle fut saisie
que n'avons-nous tous deux péri !
La côte a trahi tout le corps, 364
elle l'a frappé, et mis à mort.
Je ne sais que dire, que faire,

Si ne me vient del ciel la grace.
Nem puis estre gieté de paine, 368
Tel est li mals que me demaine.
Ai, Eve ! Cum a mal ore,
cume grant peine me curut sore,
Quant onches fustes mi parail ! 372
Or sui perriz par ton conseil.
Par ton conseil sui mis a mal,
de grant haltesce sui mis a val !
N'en serrai trait por home né 376
Si Deu nen est de majesté.
Que di jo, las ! Porquoi le nomai ?
Il me aidera ? Corocé l'ai.
Ne me ferat ja nul aïe 380
For le filz que istra de Marie.
Ne sai de nus prendre conroi
Quant a Deu ne portames foi.
Or en soit tot a Deu plaisir. 384
N'i ad conseil que del morir.

Tunc incipiat chorus R. : « **Dum deambularet Dominus** in paradisum ad auram post meridiem, clamavit et dixit : Adam, ubi es ? Audivi, Domine, vocem tuam, et abscondi me. *Versus :* Domine, audivi auditum tuum et timui. Et abscondi me. »[1]

Quo dicto[2], *veniet Figura stola*[3] *habens et ingredietur paradisum circumspicientes*[4], *quasi quereret ubi esset Adam. Adam vero et Eva latebunt in angulo paradisi, quasi suam cognoscen/* [f 27°]*tes miseram*[5], *et dicet Figura :*

---

[1] CAO n° 6537, *versus* B.

[2] Cet ablatif absolu pourrait se rapporter aussi à *Figura* : elle participe au chant avant de se rendre dans le Paradis. Voir aussi sa participation probable au chœur note 5 p. 258.

[3] *Stolam* en latin classique (v. note 10) ; *circumspiciens.*

[4] *Circumspiciens* en latin classique. Contiguïté avec *cognoscentes* ?

[5] *Miseriam* en latin classique. Sur la disparition des voyelles *i* et *e* en hiatus, voir Norberg, p. 21.

si du ciel ne me vient la grâce.
On ne peut me tirer de peine : 368
tel est le mal qui me torture.
Ève, Ève, quel grand malheur,
quelle immense peine pour moi
que ta création, ma pareille ! 372
Je vais mourir de ton conseil.
C'est ce conseil qui me torture.
Ah ! Je suis tombé de bien haut !
Nul ne pourra me relever, 376
sinon le Dieu de majesté.
Mais comment ! Pourquoi le nommer ?
Il m'aidera ? Je l'ai fâché.
Personne ne m'aidera plus 380
si ce n'est le fils de Marie.
Nul ne peut prendre soin de nous
qui n'avons pas tenu parole.
Qu'il en soit selon son plaisir ! 384
Il ne nous reste qu'à mourir.

Le chœur commence le répons « Dum deambularet »

Ensuite, vêtue de l'étole du juge, la Figure entre au paradis, et elle le scrute comme si elle cherchait Adam. Mais Adam et Ève se cachent dans un coin, comme conscients de leur misère, tandis que la Figure dit :

Adam, ubi es[1] ?

Tunc ambo surgent, stantes contra Figuram, non tamen omnino erecti, sed ob verecundiam sui peccati aliquantulum curvati et multum tristes, et respondeat Adam :

Ci sui jo[2], beal sire,
repost me sui ja por ta ire
E por ço que sui tut nuz 388
Me sui jo ici si embatuz.

Figura[3] :
Ke as tu fet, cum as erré ?
Qui t'a toleit de ta bonté ?
Que as tu feit, por quei as honte ? 392

Adam :
Cum entrerai od toi en conte ?

Figura :
Tu n'avoies rien l'autrier

---

[1] Étant donné la langue et la position de cette phrase — en latin et en fin de ligne, c'est-à-dire non justifiée comme le reste des répliques en vers —, *a priori* elle ne fait pas partie du texte mais de la didascalie. Comme nous le suggérons avec sa disposition et celle de « ci sui jo… », il est cependant possible de la considérer comme la première moitié du vers 386 : le latin, indicateur de l'autorité du propos, revient au moment de la punition d'Adam et Eve, sous la forme d'une farciture latin/français au sein d'un vers, comme c'était le cas au tout début de l'action au v. 2. *Mutatis mutandis*, le vers 386 en langue vernaculaire est bref : et cette variation métrique souligne l'importance de la gestuelle à ce moment de l'action (Adam se cache dans un coin du paradis). Voir Introduction, « Paradis imaginaire ? », p. 81.

[2] Le « jo » a été ajouté en petites lettres entre « sui » et « beal ». Il n'était peut-être pas indispensable, ni noté dans le texte copié par le scribe du BM Tours 927. En effet, nombreux sont ces demi-vers qui indiquent des moments fortement marqués d'émotion, qu'on peut donc tout particulièrement imaginer relayés par une gestuelle ou un déplacement dans le jeu. Voir Introduction, « Les vers brefs, clés du système », p. 133-134.

[3] À partir de celle-ci, toute didascalie précisant le nom du locuteur ou son abréviation est placée à droite du texte justifié, et avant la réplique de ce locuteur – c'est-à-dire au niveau du dernier vers du locuteur précédent.

Adam, ubi es?

Tous deux se lèvent alors et ils prennent place devant la Figure. Ils ne se tiennent pas droits, mais sont un peu courbés et très tristes, parce qu'ils ont honte de leur péché. Adam répond alors :

Ici, cher seigneur !
Je me protège de ton ire.
Et parce que je suis tout nu, 388
je me suis caché dans un coin.

La Figure :
Qu'as-tu donc fait ? Où t'es-tu mis ?
Qui t'a privé de ta bonté ?
Qu'as-tu fait, pourquoi as-tu honte ? 392

Adam :
Ah, comment te le raconter ?

La Figure :
L'autre jour, il n'y avait rien

dunt tu duses vergunder.
Or te voi mult triste e morne 396
Mal sen joïst qui ensi sojorne.

Adam :
Tel vergoine ai jo sire de toi ?[1]

Figura :
E tu por quoi[2] ?

Adam :
Si grant honte mon cors enlace 400
Ne t'os veer en la face !

Figura :
Por quei trespassas mon devé ?
As tu gaires gainnié[3] ?
Tu es mon serf e jo ton sire ! 404

Adam :
Nel te puis pas contredire.

Figura :
Jo te formai a mon semblant,
Por quei trespassas mon comant ?
Jo toi plasmai, dreit a ma ymage[4], [f 27v°] 408
Por ço me fis cel oltrage[5] ?
Mun defens un pas ne gardas,
delivrement le trespassas.

---

[1] Le point d'interrogation est indéniable dans le manuscrit. Adam fait de la lexicologie : avoir honte, c'est *vergunder*, éprouver de la *vergoine*. Comme à l'ouverture de l'action, il apprend à nommer les choses. *In situ*, il procrastine aussi le moment d'en venir au *conte*, c'est-à-dire à la formulation de sa faute.

[2] Anisométrie (tétrasyllabe), cri de Dieu exaspéré, qui coupe court à la conversation. Voir Introduction, « Les vers brefs, clés du système », p. 134.

[3] Anisométrie – ou il faut compter quatre syllabes pour « gainnié » !

[4] Anisométrie, sans l'élision du « a » devant « image » ?

[5] Anisométrie – heptasyllabe, ou « fis » mis pour « feïs » ?

pour t'inspirer de la pudeur.
Mais je te vois tout triste et morne. 396
C'est vivre mal que vivre ainsi !

Adam :
Seigneur, c'est donc de la pudeur ?

La Figure :
Sais-tu ce qu'il y a ?

Adam :
J'éprouve une si grande honte 400
que je n'ose te regarder.

La Figure :
Pourquoi m'as-tu désobéi ?
Mais enfin, qu'y as-tu gagné ?
Tu es le serf, moi, le seigneur ! 404

Adam :
Impossible de le nier.

La Figure :
Je t'ai formé à ma semblance.
Pourquoi m'avoir désobéi ?
À mon image je t'ai fait, 408
et cela me vaut cet outrage ?
Tu n'as pas respecté mon ordre :
librement, tu l'as transgressé.

Le fruit manjas, dunt jo t'oi[1] dit[][2] 412
Que jo t'avoie contredit[3].
Por ço quidas estre mon per:
Ne sai si tu voldras gabber.

Tunc Adam manu[4] extendet contra Figuram, post ea[5] contra Eva[6], dicens:

La femme que tu me donas, 416
ele fist prime icest trespas;
Donat le moi e jo mangai.
Or m'est avis que tornez est a gwai[7]
Mal acontai icest mangier. 420
Jo ai mesfait par ma moiller.

Figura:
Ta moiller creïstes plus que moi!
Manjas le fruit sanz mon otroi;
Or te rendrai itel guerdon: 424
La terre avrat maleïçon.
Ou tu voldras ton blé semer,
il te faldrat al fruit porter.
Ele est maleite so[z][8] ta main, 428
Tu le cotiveras en vain.
Son fruit a toi devendrat[9]

---

[1] «Oi» mis pour «ai».

[2] Point d'interrogation à la fin de ce vers: nous ne savons comment l'interpréter.

[3] Anisométrie? Heptasyllabe si «avoie» dissyllabique.

[4] *Manum* en latin classique – contamination des fréquentes tournures verbes + *manu* à l'ablatif *supra*?

[5] Sur *post ea* à valeur adverbiale, voir note 43.

[6] *Evam* en latin classique — ou *Eva* en provençal?

[7] Voir Littré, «a vae», «a weh» en allemand: «à mal», «pour mon malheur», en français, *Histoire de la langue française,* p. 88.

[8] «Sor» dans le manuscrit, correction traditionnelle.

[9] Nous ne corrigeons pas en «deveerat» (Grass, Studer, Noomen, Lecoy); et nous plaçons la virgule après «espines», d'autant qu'il n'y a pas de majuscule à ce terme en tête de vers.

Tu as osé manger du fruit, 412
ce fruit que j'avais interdit.
Tu croyais ainsi m'égaler !
Veux-tu aussi me provoquer ?

Adam tend la main vers Dieu, puis vers Ève, en disant :
La femme que tu m'as donnée 416
a désobéi la première !
Elle l'a donné, je l'ai mangé,
et cela m'a porté malheur.
Ah, cette pomme, la belle affaire ! 420
Si j'ai trahi, c'est par ma femme.

La Figure :
À elle, tu lui as fait confiance,
et sans mon droit, tu as mangé le fruit !
Eh bien, voici ta récompense. 424
Maudite soit pour toi la terre !
Là où tu sèmeras le blé,
il refusera de mûrir !
Je maudis la terre que ta main 428
voudra cultiver, mais en vain !
À toi, elle ne pourra donner

espines, e chardons te rendrat.
Changer te voldra ta semence, 432
Malait iert por ta sentence:
od grant travail, od grant hahan [f28r°]
Toi covendra manger ton pan.
Od grant paine, od grant suor 436
Vivras tu noit e jor[1].

Tunc Figura vertet se contra Evam, et minaci[2] vultu ei dicet:

Et tu, Eve, mala[3] muiller,
Tost me començas de guerreer:
Poi tenis mes commandemenz. 440

Eva:
Ja m'engingna li mal serpenz!

Figura:
Par lui quidas estre mon per:
Ses tu ja bien devineir?
Or einz aviez la maistrie 444
de quanque doit estre en vie:
Cum l'as tu ja si tost perdue?
Or te voi triste e mal venue.
As tu fet gain ou perte? 448
Jo toi rendrai ta deserte,
Jo t'en donrai por ton servise.
Mal te vendra en tote guise:
En dolor porteras emfanz 452
E em paine vivront tot lor anz[4].
Te[s][5] emfanz en dolor naistront

---

[1] Anisométrie.

[2] Cette fois le *minaci* à l'ablatif est classique — mais il forme une orthographe cohérente avec les ablatifs en *i* au lieu de *s* (voir note 1).

[3] Forme provençale.

[4] Elision du « e » initial — ou anisométrie.

[5] « Test » dans le manuscrit.

que des épines, et des chardons.
Ta semence sera changée, 432
maudite par ton jugement !
Dans le travail et dans la peine
il te faudra manger ton pain.
C'est dans la douleur et la sueur 436
que tu vivras, nuit comme jour.

Alors la Figure se tourne vers Ève, et d'un air menaçant, lui dit :
Et toi, Ève, mauvaise femme,
tu m'as bien vite fait la guerre,
et fait peu de cas de mes ordres. 440

Ève :
C'est le serpent qui m'a trompée.

La Figure :
Par lui tu as cru m'égaler.
Mais sais-tu bien à quoi t'attendre ?
Auparavant, vous étiez maîtres 444
de toute parcelle de vie.
Comment, si vite, ne l'être plus ?
Je te vois triste et malheureuse :
as-tu gagné, ou bien perdu ? 448
Je vais te payer de retour,
et te donner ta récompense.
Tu seras cernée par le mal,
tu souffriras de tes grossesses, 452
dont les fruits vivront dans la peine.
Dans la douleur ils seront nés

e en grant anguisse finerunt[1].
En tel hahan, en tel damage 456
as mis toi e tun lignage[2].
Toit ceals qui de toi istront
li ton pecché ploreront[3].

Et respondebit Eva dicens : [f28v°]

Go sui mesfait, ço fu par folage. 460
por une pome soffrirai si grant damage
que en paine met moi e mon lignage[4] :
petit aquest me rent grant traüage.

Si jo mesfis, ne fu merveille grant 464
Quant traï moi le serpent suduiant.

Mult set de mal, n'en semble pas oëille.
Mal est bailliz qui a lui se conseille[5] !

La pomo pris : or sai que fis folie ; 468
Sor ton defens : de ço fis folonie.
Mal en gustai : or sui de toi haïe,
por poi de froit moi covient perdre[6] la vie !

---

[1] Elision du « e » initial ou « an-guis-(se) », — ou anisométrie.

[2] Anisométrie : heptasyllabe.

[3] Pour les v. 458-9, anisométrie.

[4] Anisométrie aux v. 460-2. Après un ennéasyllabe, selon qu'on effectue la césure féminine après « pome » ou non, on a un vers de 11 syllabes ou un alexandrin ; quant au v. 462, c'est un décasyllabe seulement si on n'élide pas le « que », et si on fait la césure lyrique après « paine »…

[5] Sur cette disposition en doublets d'octosyllabes des vers 464-7, qui remet en question l'existence d'un quatrain, voir Introduction, « Les strophes en question », p. 114-115.

[6] « Perdre » est cancellé et suivi de « la vie » — une tentative pour éviter l'hypermétrie ?

et dans les affres ils finiront.
Voici les peines et les dommages 456
où tu as plongé ton lignage.
Tous ceux qui de toi sortiront
Ève, ton péché pleureront !

Ève lui fait cette réponse :
Que j'aie agi en folle, j'en conviens. 460
Mais pour un fruit, c'est un bien grand dommage
que la souffrance, pour moi et mon lignage.
Quelle lourde perte, pour un tout petit gain !

Comment s'étonner que j'aie mal agi 464
quand le serpent, ce menteur, m'a trahie ?

Il sait le mal, ce n'est pas un agneau !
Malheur à qui écoute ses conseils !

Prendre la pomme : telle fut ma folie. 468
Malgré ta loi : c'est de la félonie.
L'avoir goûtée m'a attiré ta haine,
et pour cela, je dois perdre la vie !

Tunc minabitur Figura serpentis[1] *dicens :*

E tu, serpe[n]t[2], soiez maleit, 472
de toi reprendrai bien mon droit.
Sor ton piz te traïneras
A tuz les jors que ja viveras.
La puldre iert tut dis ta viande 476
En bois, en plain, en lande.
Femme te portera haïne :
Oncore te iert male veisine.
Tu son talon aguaiteras, 480
Cele te sachera le ras[3] ;
Ta teste ferra de itel mail
Que te ferra m[ult][4] grant trav[a]il[5].
Encore en prendra bien conrei 484
Cum porra vengier de toi.
Mal acointas tu sun traïn [f29r°]
Ele te fra le chief enclin.
Oncore raiz de lui istra 488
Qui toz tes vertuz confundra.

---

[1] *Serpenti* en latin classique. Voir note 1 p. 180.

[2] « Serpet » dans le manuscrit.

[3] Sur « ras », et « raïz », *infra* (v. 876), voir le débat entre Albert Henry et Pierre Gardette. Pour Albert Henry, « Ancien français *raiz* (*JA* v. 860) », *Romania* 92, 1971, p. 388-91, le « raiz » de notre v. 876 est rapproché de *reiz* et signifie « créature ». Mais dans « Latin chrétien *radix*, ancien français "raiz", *Jeu d'Adam*, v. 489 et 878 », *Mélanges Lecoy*, Paris, Champion, 1973, p. 138-146, Gardette rapproche *raiz* du v. 878 et *ras* de notre v. 481, qui signifient *radix*, « souche », « origine » (en relation avec l'arbre de Jessé). Henry répond en donnant le sens de « créature » aux deux occurrences, « Encore *raiz* (*JA* v. 489) », *Romania* 96, 1975, p. 561-565. Nous choisissons « dard », plus proche du sens de « tête » dégagé par Noomen (voir *Jeu d'Adam*, note p. 88-9). Mais est-ce un *hapax* ? Pour nous, c'est la désignation par métonymie du mal distillé par le serpent.

[4] Le mot après *m* est effacé dans le manuscrit : « mult » mais aussi « un » ont été proposés.

[5] « Travil » dans le manuscrit.

La Figure menace maintenant le serpent:
Quant à toi, serpent, sois maudit! 472
Je reprends tous mes droits sur toi.
Tu te traîneras sur le ventre
tous les jours qu'il te reste à vivre!
Tu ne vivras que de poussière, 476
dans les plaines, les bois, la lande.
Tu seras haï de la femme,
qui te mènera la vie dure.
Toi, tu viseras son talon, 480
mais elle t'arrachera le dard.
Frappant ta tête de ses coups,
elle causera maintes douleurs.
Des moyens, elle en cherchera 484
afin de se venger de toi!
Tu l'as connue pour ton malheur,
elle te fera courber la tête.
Un jour, il lui naîtra un fils 488
qui vous vaincra, toi et les tiens[1]!

---

[1] Sur la valeur ironique de cet usage de «vertuz», voir Introduction, «"Didascalies internes" et Dit des Quinze Signes», p. 95.

Tunc Figura expellet eos de paradiso dicens :

Ore issé hors de paradis !
Mal change avez fet de païs.
En terre vus frez maison, 492
En paradis n'avez raison,
N'i avez rien que chalengier,
Fors isterez sen recoverer.
N'i avez rien par jugement, 496
Or pernez aillors chasement.
Fors en issez de bon aürté,
Ne vus falt mais faim ne lasseté[1]
Ne vus falt mais dolor ne paine 500
A toz les jors de la semaine.
En terre avrez malvais sojor
Aprés morrez al chief de tor.
Despois qu'averez gusté mort, 504
En emfer irrez sanz deport.
Ici avront les cors eissil,
les almes en emfern peril :
Satan vus avra en baillie ! 508
N'est hom que vus en face aïe
Par cui soiez vus ja rescos,
Se moi nen prenge pité de vus.

Chorus cantet R) « **In sudore vultus tui** vesceris pane tuo, dixit Dominus ad Adam : cum operatus fueris terram, non dabit fructus suos, sed spinas et tribulos germinabit tibi. *Versus :* Pro eo quod oboedisti vocem uxoris tuae plus quam me, maledicta terra in opere tuo. Non dabit fructus suos, sed spinas et tribulos germinabit tibi. »[2]

---

[1] Compter « lasseté » dissyllabique — ou anisométrie.

[2] CAO n° 6397, *versus* A.

Alors la Figure les chasse du paradis, en disant:
Et maintenant, sortez d'ici!
Quel piètre échange de pays!
La terre sera votre maison, 492
et non le paradis – ah non,
il n'y a rien à réclamer,
et vous le quittez sans retour!
Mon jugement est sans appel: 496
trouvez-vous donc un autre fief.
C'est le bonheur que vous quittez.
Désormais ni faim, ni fatigue,
ni douleur ne vous manqueront, 500
tous les jours de chaque semaine.
Sur terre, vous vivrez dans la peine,
et pour finir, viendra la mort.
Dès que vous y aurez goûté, 504
direction: l'enfer, sans répit!
[montrant la terre]
Voici le séjour de vos corps.
Pour vos âmes, ce sera l'enfer,
avec Satan comme bailli! 508
Et pas un homme ne pourra
ni vous aider, ni vous sauver,
si je ne prends pitié de vous.

Le chœur chante le R): «In sudore vultus tui»

[f29v°] *Interim veniet Angelus, albis*[1] *indutus, ferens radientem gladium in manu, quem statuet Figura ad portam paradisi, et dicet ei :*

Gardez moi bien le paradis ! 512
Que mais n'i entre icist faudis.
Qu'il n'ait mais poeir ne baillie
Ne de tocher li fruit de vie.
O cele spee qui flamboie[2] 516
Si li defendez tres bien la voie[3].

Cum fuerit[4] *extra paradisum, quasi tristes et confusi incurvati erunt solo tenus super talos suos, et Figura manu eos demonstrans, versa facie contra paradisum, et eorum*[5] *incipiet R.) :* « **Ecce Adam quasi unus** ex nobis factus est, sciens bonum et malum : videte ne forte sumat de ligno vitae, et vivat in aeternum. *Versus :* Cherubim et flammeum gladium atque versatilem ad custodiendam viam ligni vitae. Videte ne forte sumat de ligno vitae, et vivat in aeternum.[6]

---

[1] *Alba* en latin classique. Jolie remarque de Lynette Muir, *Liturgy and Drama*, p. 35-6, selon laquelle les anges viennent toujours par deux (scène du *Quem Quaeritis*), d'où le pluriel *albis*… Cette remarque conforte la thèse d'une orthographe latine variant au gré des contextes connus du scribe.

[2] Anisométrie – ou « o cele espee » ?

[3] Anisométrie – ennéasyllabe.

[4] Ce *fuerit* au singulier pourrait se rapporter à l'ange qui vient de se poster au-dehors du Paradis ; Adam et Eve sortent dès l'injonction de Dieu, à partir du v. 490. La syntaxe latine et la syntaxe française se mêlent ici : ce qui éclaire aussi l'omission d'*Adam et Eva* comme sujets de *incurvati erunt*.

[5] Nous ne corrigeons pas *eorum* en *corus* (voir Noomen p. 50, Aebischer p. 65). En effet, ce mot apparaît avec les mêmes abréviations et les mêmes référents neuf lignes plus bas dans le même folio, dans la didascalie suivante. Dans la phrase, *eorum* nous paraît renvoyer de façon cohérente à la scène vue aussi bien que chantée (Adam et Eve chassés du paradis, l'ange gardant cette porte). Cette construction grammaticale a l'avantage de faire participer *Figura* au chant (voir *supra* note 2 p. 242) : or, dans la phrase latine, *Quo finito **et** Figura ingredietur*, le *et* ne souligne-t-il pas que la Figure se dissocie seulement après avoir chanté du groupe des chanteurs pour rejoindre son *ecclesia* – début d'un nouveau paragraphe ? Voir aussi Breuer, 1931, p. 654 § 76 et Introduction, p. 76-77.

[6] CAO n° 6571, *versus* A.

Pendant le chant, un ange s'avance. Il est vêtu d'une aube, et il porte une épée étincelante. La Figure le poste à la porte du paradis et lui dit :

Garde-moi bien le paradis. 512
Qu'on n'y voie plus ce hors-la-loi !
Et qu'il ne puisse au grand jamais
s'approprier le fruit de vie[1] !
Avec cette épée qui flamboie, 516
barre-lui pour toujours la route.

Une fois sortis du paradis, Adam et Ève, pieds nus, se courbent vers le sol comme s'ils étaient tristes et malheureux. La Figure les montre du doigt, et, en regardant le paradis, elle entonne le répons à leur sujet : « Ecce Adam quasi unus… »

[1] Voir le répons qui suit et qui développe ce même thème.

Quo finito et Figura regredietur ad ecclesiam.
Tunc Adam fossorium et Eva rostrum[1], *et incipiet*[2] *colere terram et seminabunt in ea triticum. Postquam seminaverint, ibunt sessum in loco aliquantulum, tanquam fatigari*[3] *labore, et flebiliter respicient sepius paradisum, percucientes pectora sua. Interim veniet Diabolus et plantabit in cultura eorum spinas et tribulos, et abscedet. Cum venerint Adam et Eva ad culturam suam et viderint ortas spinas et tribulos, vehementi dolore percussi prosternent se in terra* [f30r°] *et residentes percucient pectora sua et femora sua, dolorem gestum fatencentes*[4], *et incipiet lamentacionem*[5] *suam :*

Allas, chaitif, tant mal vi unches l'ore
Que mes pecchez me sunt coru sore,
Que jo guerpi le seignor que hom aüre. 520
Qui requerra ja més qu'il me socore ?

---

[1] Il faut probablement imaginer un verbe sous-entendu : mais est-ce *habebit* (Aebischer, Noomen) ou bien *datur* — un passif, comme on a eu *constituatur, circumponantur, servantur, instruantur* dans la première didascalie ? La difficulté tient peut-être ici à la régie, qui suppose une intervention extérieure à l'action, décoration ou mise en scène, mais aussi au nombre de personnes à qui on donne ces instruments. Pour la résoudre, faut-il absolument transformer *rostrum*, pointe d'un instrument, en *rastrum* — terme peu attesté ? L'idée qu'Eve cultive la terre avec un outil peu approprié ne manque pas tout à fait de pertinence ; ou bien, *rostrum* est effectivement une pointe — celle de la quenouille que Dieu donne parfois à Eve, alors qu'il donne toujours une bêche à Adam. Sur la fortune iconographique des instruments distincts donnés à Adam et à Eve, voir Louis Réau, *Iconographie de l'art chrétien*, Paris, PUF, 1956, tome 2/1, « Iconographie de la Bible : Ancien Testament », p. 88.

[2] Là encore, pourquoi corriger ce singulier en pluriel ? C'est à Adam qu'il vient d'échoir de cultiver la terre (v. 425-435), non à sa femme : dès lors, celle-ci peut être affublée d'un outil peu approprié aux travaux des champs, mais utile à sa vengeance contre le serpent. Elle pourrait aussi ne pas avoir changé de vêtements, et semer sans bêcher. Cf. remarques de Van Emden sur cette incohérence du scénario de la Faute.

[3] *Fatigati* en latin classique.

[4] Sur les participes présents, voir *supra* note 2 p. 192. En latin classique, *dolor**em** gest**u** fatentes*… ou *facientes gest**um** dolor**is***? Tout dépend de la faute qu'on décèle dans *fatencentes* (participe présent de *fateor*, « avec une dittographie provoquée par la coupure en fin de ligne », Lecoy, Compte rendu de l'édition Aebischer, p. 277, ou faute sur le participe présent de *facere*).

[5] Corrigé en fonction du même mot *supra* ap 313.

Puis La Figure regagne le groupe des chrétiens.
Adam prend une bêche, Ève, une quenouille. Il commence à cultiver la terre, et ils y sèment du grain. Après qu'ils ont semé, ils vont s'asseoir à l'écart, comme s'ils étaient épuisés par leur tâche, et ils jettent de fréquents regards vers le paradis, en pleurant et en se frappant la poitrine. Pendant ce temps, le Diable vient semer des épines et des chardons dans leurs plantations, puis disparaît. De retour, Adam et Ève, en voyant que des épines et des chardons ont poussé dans leurs plantations, se jettent par terre en proie à une violente douleur ; là, ils se frappent la poitrine et les cuisses, manifestant leur douleur par le geste ; puis la lamentation d'Adam commence :

Pauvre de moi ! Que maudite soit l'heure
où j'ai subi le poids de mes péchés,
où j'ai trahi le Seigneur adoré ! 520
Qui voudra jamais l'implorer pour moi ?

Hic respiciat Adam paradisum et ambas manus suas elevabit contra eum et capud pie inclinans dicens :

Oi, paradis, tant bel maner[1] !
Vergier de glorie, tant vus fet bel veer.
Jotez en sui par mon pecchié par voir, 524
del recovrer tot ai perdu l'espoir.

Jo fui dedenz, n'en soi gaires joïr,
Creï conseil chi me fist tost partir.
Or m'en repent, droit est que m'en aïr, 528
Ço est a tart, rien nen valt mon sospir.

Ou fu mon sens, que devint ma memoire,
Que por Satan guerpi le roi de gloire ?

Or men travail, si men valt mult petit : 532
li mien pecchié iert en estoire escrit[2].

Tunc manum contra Eva[3] levabit, que aliquantulum alto[4] erit remota, et cum magna indignacione movens caput dicens ei :

Oi, male femme, plaine de traïson,
tant m'as mis tost en perdicion ![5]
Cum me tolis le sens e la raison, 536
Or m'en repens, ne puis aver pardon. [f30v°]

---

[1] La prière décrite dans la didascalie est le socle d'une gestuelle de la déploration et de la supplication qui accompagne cet octosyllabe isolé dans les décasyllabes (Adam pleure le paradis perdu). Voir Introduction, « Métrique des contrastes », p. 128.

[2] Sur cette disposition des vers, voir note aux vers 464-7 et Introduction, p. 106.

[3] *Evam* en latin classique. Lecoy et Noomen corrigent en *ab eo*. Nous proposons de garder le cas-régime de la préposition *contra* — contra *eum*.

[4] Avec l'idée de profondeur de champ.

[5] Anisométrie — octosyllabe en contexte de décasyllabes.

Adam se tourne vers le paradis. Mains levées dans sa direction, tête pieusement inclinée, il dit :
O paradis, séjour si doux !
Glorieux jardin, dont la vue fait ma joie,
c'est mon péché qui m'a chassé de toi, 524
et j'ai perdu tout espoir de retour.

Je l'habitai, mais ne sus pas en jouir,
un conseil m'en a bien vite chassé.
Je m'en repens, et me mets en colère, 528
mais c'est trop tard ! Tous mes regrets sont vains.

Où étais-tu, Raison, et toi, Mémoire,
quand pour Satan j'ai fui le roi de gloire ?

Inutile de pleurer maintenant : 532
mon péché, on en fera des histoires.

Il lève la main vers Ève, qui s'est un peu reculée, en secouant la tête avec indignation et en disant :
Mauvaise femme, pleine de trahison !
Tu m'as mené sans tarder à ma perte !
Tu m'as privé de jugement, de raison. 536
Je me repens — trop tard pour le pardon !

Eve dolente, cum fus a mal delivre,
Quant creütes si tost conseil de la guivre[1] !
Par toi sui mort, si ai perdu le vivre. 540
Li toen pecchié iert esscrit en livre.

Veez tu le signes de grant confusion[2],
la terre sent la nostre maleïçon :
forment semames, or i naissent chardons[3] ! 544

De nostre mal veïste le comencement,
Ço est nostre grant dolors, mais grainior nus atent.
Menez en serroms en emfer ; la, ço entent[4],
Ne nus faldra ne poine ne torment. 548

Eve, chaitive, que t'en est a viaire ?
Cest as conquis, donez t'est en duaire.
Ja ne saveras vers home bien atraire,
Més a raison serras tot tens contraire. 552

Tuz cels que istront de nostre lignee[5]
del toen sorfait sentirunt[6] la hascee.
Tu forfis[7], a toz eals[8] est jugee.
Mult tazera por qui il iert changee. 556

Tunc respondeat Eva ad Adam :

Adam, bel sire, mult m'avé blastengé,

---

[1] Anisométrie — ou « cre-üt(es) » dissyllabique avec apocope.

[2] Pas de point d'interrogation à la fin du v. 542, une minuscule au début du v. 543 : l'inversion « veez tu » participe du tour rhétorique donné par Adam à ses lamentations. Il admoneste Eve, plutôt qu'il ne la questionne.

[3] Sur ces trois vers, voir Introduction, « Les strophes en question », p. 115-116.

[4] Anisométrie des v. 545 à 547 : décasyllabes allongés d'une à trois syllabes.

[5] « Que » (mis pour « qui ») non élidé devant « i » — évite l'anisométrie ?

[6] L'abréviation du « u » se trouve sur le « t », comme dans les v. 812, 849, 851 et 854.

[7] Lire « forfeïs » (Grass, 1928, p. xxxiii) — ou anisométrie ?

[8] Nous comprenons « a toz eals », tous les héritiers.

Malheureuse Ève, comme tu fus prompte au mal,
quand tu suivis le conseil du serpent !
Par toi je meurs, oui, j'ai perdu la vie ! 540
De ton péché, on en fera des livres.

Quelle confusion ! Vois-en les signes.
La terre sent notre malédiction !
Quand nous semons, il pousse des chardons. 544
[Il se jette sur ses cultures saccagées, désespéré][1]

Et ce n'est que le début de nos maux,
cette douleur : nous connaîtrons bien pire !
Car, tu entends, nous irons en enfer,
là où ne manquent ni peines ni tourments. 548

Ah, ma pauvre Ève, quel est ton sentiment ?
Voici ton prix, voici toute ta dot !
Jamais pour l'homme tu ne feras le bien,
et tous tes actes seront déraison. 552

Enfin, tous ceux qui descendront de nous
devront porter le poids de ton outrage.
De cette faute, ils peuvent tous juger.
Son rédempteur, il se fera attendre ! 556

Ève répond à Adam :
Mon cher mari, quelle réprobation !

---

[1] Cette didascalie donne à l'altération du quatrain un équivalent gestuel. Voir Introduction, « Strophes en question », p. 116.

Ma vilainnie retraite et reproché[1].
Si jo mesfis, jo en suffre la haschee.
Jo sui copable, par Deu serrai jugee. 560

Jo sui vers Deu e vers toi mult mesfeite,
Le mien mesfait mult iert longe retraite.
Ma culpe est grant, mes pecchiez me dehaite,
Chaitive sui, de tut bien ai suffraite. [f 31r°] 564

Nen ai raison que vers Deu me defende,
Que peccheriz culpable ne me rende;
Pardonez le moi, kar ne pui faire amende[2];
Si jo poeie, jo frai par offrende. 568

Jo peccheriz, jo lasse, jo chaitive,
Por forfet sui jo vers Deu si eschive!
Mort, car[3] me pren, ne suffret que jo vive,
em peril sui: ne puis venir a rive! 572

Li fel serpent, la guivre de male aire,
Me fist mangier la pome de contraire.
Jo t'en donai, si quidai por bien faire,
E mis toi en pecchié dont ne te pois retraire[4]. 576

Porquei ne fui al criator encline?
Porquei ne tien jo, sire, ta discipline?
Tu mesfesis, més jo sui la racine;
de nostre mal, long n'est[5] la mescine! 580

---

[1] Les v. 557-8 ne comportent qu'un e à la rime, et les v. 559-560, deux... mise en question de la strophe monorime?

[2] Anisométrie – vers de 11 syllabes.

[3] Au-dessus du « q » abrégé, est écrit « car », que nous avons choisi.

[4] Anisométrie – alexandrin!

[5] Nous conservons la négation. *Tu, jo, la mescine*: Eve fait la synthèse des trois rôles principaux de cette section, peut-être en les montrant du doigt. *Long n'est la mescine*, elle peut désigner la Figure, c'est-à-dire le Sauveur, « proche d'elle » dans l'espace de jeu. Le v. 580 annonce alors l'ultime quatrain, où Eve déclare son espérance du salut.

Me voilà blâmée pour mon infamie.
Mais de ma faute, je porte aussi le poids.
Je suis coupable : laisse Dieu me juger ! 560

J'ai mal agi envers Dieu, envers toi,
et pour ce crime, je serai blâmée.
Grande est ma faute, affligeant mon péché !
Pauvre de moi, je n'aurai plus de joie ! 564

Si devant Dieu je ne puis me défendre,
ni de mon péché être disculpée,
pardonne, toi, ce qui est sans remède !
Ah ! Racheter ce péché d'une offrande ! 568

Pauvre de moi ! Pécheresse, misérable,
Ma propre faute m'a éloignée de Dieu.
Viens me chercher, Mort, ne me laisse pas vivre,
car je me noie, et n'atteins pas la rive ! 572

C'est le serpent, le félon, le maudit,
qui malgré moi me fit manger la pomme.
Croyant bien faire, je t'en ai donné,
et t'ai conduit au péché sans retour. 576

Pourquoi avoir désobéi à Dieu ?
Pourquoi m'être dérobée à tes ordres ?
Tu as trahi, mais je suis la racine
de notre mal, [*en montrant la Figure*] dont le remède est
proche ! 580

Le mien mesfait, ma grant mesaventure
Compera chier la nostre engendreore.
Li fruiz fu dulz, la paine est dure[1],
Mal fu mangiez; nostre iert la fraiture. 584

Mais neporquant en Deu est ma sperance
d'icest mesfait, char tot iert acordance.
Deus me rendra sa grace e sa mustrance,
Gieter nus voldra d'emfer par pussance. 588

Tunc veniet Diabolus et tres vel IIIIor diaboli cum eo, deferentes in manibus chatenas et junctos ferreos[2]*, quos ponent in colla Ade et Eve. [f31v°] Et quidam eos impellunt, alii eos trahant ad infernum. Alii vero diaboli erunt juxta infernum obviam venientibus et magnum tripudium inter se faciunt de eorum perdicione; et singuli alii diaboli illos venientes monstrabunt et eos suscipient et in infernum mittent. Et in eo facient fumum magnum exurgere, et vociferabuntur inter se in inferno gaudentes et collident caldaria et lebetes suos, ut exterius audiantur. Et facta aliquantula mora exibunt diaboli discucientes*[3] *per plateas. Quidam vero remanebunt in infernum.*
Deinde veniet Chaym, Abel. Chaym sit indutus rubeis vestibus, Abel vero albis, et colent terram preparatam. Et cum aliquantulum a labore requieverit, alloquatur Abel Chaym, fratrem suum, blande et amicabiliter, dicens ei :

Frere Chaym, nus sumes dous germain,
e sumes filz del home premerain.
Ce fu Adam, la mere ot non Evain.
De Deu servir ne seom pas vilain. 592

---

[1] « Dore », « o » exponctué et corrigé en « dure ». Anisométrie : octosyllabe au milieu des décasyllabes.

[2] Souvent lu *vinctos ferreos*, et corrigé en *vincula ferrea*. Mais ne vaut-il pas mieux lire avec Breuer, 1931, p. 644, *iunctos ferreos* ? *Iunctus, a, um*, participe passé de *jungo, junxi, junctum*, lier, attacher, enchaîner ; employé comme substantif, pour lien, joug à deux têtes ; *ferreus, a, um*, adj., s'accorde alors sans difficulté.

[3] Mis pour *discursientes*.

Car ce péché, mon immense malheur,
coûtera cher à notre descendance.
Doux fut le fruit, qui nous sera si rude !
Bouchée fatale, qui nous brisera tous ! 584

Et cependant, mon espoir est en Dieu,
et mon méfait, il sera racheté.
Dieu reviendra, il me rendra sa grâce,
et il viendra nous tirer de l'enfer. 588

Le Diable arrive, avec trois ou quatre démons. Ils portent des chaînes et un joug en fer à deux têtes, qu'ils attachent au cou d'Adam et d'Ève. [f31v°]Ces derniers sont poussés et tirés jusqu'à l'enfer. D'autres démons sont postés près de l'enfer pour les accueillir, et ils dansent une sarabande pour célébrer la perdition d'Adam et Ève. D'autres encore, un par un, les montrent du doigt, se jettent sur eux, et les envoient en enfer. Ils en font sortir beaucoup de fumée, ils crient et se réjouissent bruyamment, en frappant sur leurs chaudrons et sur leurs casseroles pour être entendus à l'extérieur. Au bout d'un moment, certains démons s'éparpillent au-dehors, tandis que certains restent en enfer.
Caïn s'avance, puis Abel. Caïn est habillé de rouge, Abel de blanc, et ils cultivent la terre déjà travaillée. Après s'être un peu reposé de ce labeur, Abel s'adresse à son frère sur un ton aimable et caressant, et il lui dit :

Caïn, mon cher, toi et moi sommes frères.
Du premier homme, nous sommes les deux fils
— d'Adam, le père, et d'Ève notre mère.
Il nous faut donc être bons serfs de Dieu. 592

Seum tot tens subject al criator !
Ensi servum que conquerroms s'amor,
Que nos parenz perdirent par folor.
Entre nos si soit bien ferm amor[1] ! 596

Si servum Deu que li vienge a plaisir.
Rendom ses droiz, n'en soit riens del tenir.
Se de bon cuer le volons obeïr,
N'averont nos almes poür de perir. [f32r°] 600

Donum sa disme e tute sa justise,
Primices, offrendes, dons, sacrifice.
Si del tenir nos prent acoveitise,
Perdu serrom en emfer sen devise. 604

Entre nos deus ait grant dilection
N'i soit envie, n'i soit detraction ;
Por quei avra entre nus dous tençon ?
Tote la terre nos est mis a bandon. 608

Tunc respiciet Chaym fratrem suum Abel[2], quasi subsans[3], et dicei ei :

Beal frere Abel, bien savez sermoner,
Vostre raison asaer e mustrer.
Vostre doctrine [4]si est qu'il vueille escoter
En poi de jorz avrai poi que doner ! 612

Disme doner ne me vint onches a gré.
Del toen aver poez faire ta bonté,

[1] Anisométrie – ennéasyllabe.

[2] *Abel* est invariable dans tout l'*ORA*.

[3] Correction habituelle en *subsannans* difficile à refuser ; *subsans* est peut-être un néologisme de même sens. Pour la conservation du participe présent, voir note 2 p. 192.

[4] Nous supprimons ici un « q » qui montre l'hésitation du scribe à poursuivre le vers – signe qu'il le sait inexact au plan métrique, mais ne parvient pas à le rétablir ? En l'état, vers de onze ou de douze syllabes.

Soyons toujours soumis au créateur !
En le servant, nous aurons son amour,
que nos parents par leur folie perdirent.
Mais entre nous, l'amour devra régner ! 596

Servons donc Dieu selon son bon plaisir,
en respectant ses droits, sans rien garder.
Si nous acceptons de lui obéir,
nos âmes n'auront pas peur de mourir. 600

Donnons-lui sa dîme et ses autres dus,
primeurs, offrandes, dons, voire sacrifice.
S'il nous prenait de garder quelque chose,
l'enfer, c'est sûr, serait notre demeure ! 604

Mais nous devons prendre soin l'un de l'autre,
sans jalousie, ni autre mauvais coup.
D'ailleurs, pourquoi nous querellerions-nous ?
La terre entière, nous en disposons ! 608

Caïn se tourne vers son frère, plein d'ironie :
Mon cher Abel, voilà un beau discours,
quels arguments, quelle démonstration !
Si quelqu'un veut écouter ta leçon,
rapidement, il sera nu comme Job ! 612

Je n'ai jamais aimé donner la dîme.
Donne ton bien, si tel est ton plaisir.

E jo del mien frai ma volenté!
Par mon mesfait ne serras tu dampné. 616

De nus amer nature nus enseigne,
Entre nos dous n'ait nul que se feigne.
Qui entre nus comencera la guerre
Tres bien l'achat, ke droit est qu'il s'en pleingne! 620

Iterum alloquatur Abel fratrem suum Chaim quo[1] *micius solito respondit. Dicet*[2] *Abel*[3] *:*

Chaim, bel frere, entent a moi!

Chaim :
Volentiers : ore d[i][4] de quoi?

Abel :
Ço est de ton pru. [f32v°]

Chaim :
Tant m'est plus bel ?[5]

Abel :
Nen fai ja vers Deu revel! 624

---

[1] Mis pour *qui* en latin classique? Voir Breuer, 1931, pour *quo* en latin médiéval, compris comme « damit », « afin de » (+ indicatif), p. 641.

[2] *Respondit* et *dicet* sont tachés.

[3] De *Dicet Abel* à « « Or di de quoi ? », léger bouleversement dans la notation des didascalies par rapport aux répliques observée depuis le folio 27 (voir note 3 p. 244). Au lieu d'être alignée avec le dernier vers de la réplique de Caïn, la didascalie *Abel* est placée sur la même ligne que le texte qu'il prononce, v. 621 ; puis la didascalie *Chaim* est mêlée au texte prononcé par les deux frères. On a ainsi « *Abel* : Chaim bel frere entent/ a moi. *Chaim* : Volentiers ore di de/ quoi ? *Abel* », puis on passe au *verso*, où le copiste revient au système adopté depuis le folio 27 dans les dialogues rapides. Comme tous les éditeurs, nous rétablissons les deux octosyllabes (v. 622 et 623). Même chose *infra* folios 33v° et 34.

[4] « De » dans le manuscrit.

[5] Souvent négligé point d'interrogation est dans le manuscrit. C'est par pur intérêt que Caïn répond *mitius solito,* ce qui provoque les avertissements de son frère.

Moi, j'agirai comme il me conviendra.
Et ce n'est pas ma faute qui te perdra ! 616

Selon Nature, nous devons nous aimer ?
Eh bien, au moins, soyons vraiment honnêtes.
Que celui qui déclarera la guerre
en soit payé, selon ce qu'il mérite ! 620

À nouveau Abel s'adresse à son frère, qui lui répond de façon plus douce qu'à l'accoutumée[1]*. Il lui dit :*

Caïn, mon frère, écoute-moi !

Caïn :
Aucun problème, à quel sujet ?

Abel :
C'est pour ton bien.

Caïn :
Pour y gagner ?

Abel :
Pour Dieu, tu devrais ravaler 624

---

[1] *Solito* : habitué à la rudesse de Caïn, Abel a dès le début du discours adopté une position défensive. Rétrospectivement, cela permet de comprendre sa première tirade, v. 589-608, comme une entrée en scène *in medias res* plus que comme une leçon de morale : ce n'est pas la première fois qu'il discute ces points avec son frère. Au plan dramatique, ces échanges entre les frères sont aussi la version amplifiée d'un procédé souvent utilisé dans les *Ordines* : la *disputatio*, dont on a un exemple *infra* entre Ysaïe et les Juifs, v. 882-911.

Nen aez en vers lui orguil !
Jo t'en chasti !

Chaim :

Jo bien le voil.

Abel :
Creez mon conseil, aloms offrir
A dampne Deu por lui plaisir. 628
S'il est vers nos apaiez[1],
Ja ne nus prendra pecchiez,
Ne sor nus ne vendra tristor :
Mult fait bon porchacer s'amor. 632
Alons offrir a son altier
Tel don que il voille regarder ;
Preom lui qu'il nus doinst s'amor,
E nus defende de mal noit e jor. 636

Tunc respondebit Chaim quasi placuerit ei consilium Abel, dicens :
Bel frere Abel, mult as bien dit,
Icest sermon as bien escrit
E jo crerai bien ton sermon.
Alom offrir, bien est raison. 640
Quoi offriras tu ?

Abel :

Jo, un aignel ?[2]
Tuit le meillor e le plus bel
Que porrai trover a l'ostel !
Icel offrirai, nen frai el. 644

---

[1] Anisométrie — heptasyllabe.

[2] Un signe qui pourrait être un point d'interrogation se trouve à la fin de ce vers. Le tour grammatical est bousculé, avec une phrase sans verbe aux v. 643-4. Abel mime *in situ* le choix de la meilleure bête, face à un public témoin de sa soumission, auquel le « vos » du v. 646 peut faire référence.

et ta révolte, et ta superbe,
je te le dis !

Caïn :

Eh bien, d'accord.

Abel :
Crois-moi, allons faire une offrande
au seigneur Dieu, pour son plaisir. 628
Si avec nous il est en paix,
nous échapperons au péché,
et aussi bien, à la tristesse.
Avoir son amour, c'est utile ! 632
Sur son autel, nous devrions
faire une offrande à son goût.
Demandons-lui sa protection
contre le mal, nuit comme jour. 636

Caïn répond comme s'il était du même avis que son frère :
Mon cher Abel, c'est bien parlé !
Ton discours est très bien écrit,
j'accepte de m'y conformer.
Faire une offrande, quelle bonne idée ! 640
Qu'offriras-tu ?

Abel :

Moi… un agneau ?
Le meilleur et le plus joli
que je trouverai au logis !
Tiens, celui-ci ! C'est le plus beau. 644

Si li offrirai encens.
Or vos ai dit tot mon porpens.
Tu, que offriras? [f33r°]

Chaim :

Jo, de mon blé,
Itel cum Deus le m'a doné. 648

Abel :
Iert del meillor[1].

Chaim :

Nenil, por voir,
de cel frai jo pain al soir.

Abel :
Tel offrende n'est pas aceptable.

Chaim :
Ja est ço fable[2]. 652

Abel :
Riches hom es e mult as bestes.

Chaim :
Si ai.

Abel :

Por quei ne contes toit par testes

---

[1] Ici, pas de point d'interrogation (introduit par Aebischer, Noomen, Van Emden) : c'est une injonction.

[2] Anisométrie ou vers coupés ? L'abondance de vers brefs, caractéristique du folio 33, semble correspondre à la copie de vers coupés par moitié qu'on a coutume de reconstituer dans les manuscrits de la même époque (voir le BnF, fr. 25566, alexandrins copiés par hémistiches du *Jeu de Saint Nicolas*). Mais comme c'est aussi le cas dans la partie précédente, elle peut renvoyer à l'organisation, mentale ou réelle, du dialogue. Voir Introduction, « Brouillages continus et micro-lecture 651-664), p. 131-133.

Avec de l'encens, c'est parfait.
Voilà ce que je compte faire.
Et toi ?

Caïn :

Je donnerai du blé,
tout comme Dieu me l'a donné. 648

Abel :
Mais le meilleur.

Caïn :

Certainement pas,
il est pour mon pain de ce soir !

Abel :
Mais cette offrande, elle ne vaut rien !

Caïn [en riant][1] *:*
N'importe quoi ! 652

Abel :
Tu es un homme et un berger puissant.

Caïn :
C'est vrai.

Abel :

Alors, pourquoi ne pas

---

[1] Ajoutée, cette didascalie accompagne l'effet supposé par le tétrasyllabe qui suit.

E de totes donez las dismes[1] ?
Si offriras a Deu maïmes 656
Offrez le lui de bon cuer,
Si recevras bon lüer.
Fras le tu ensi ?

Chaim :

Or oez furor[2] : 659
de dis ne remaindront que noef !
Icist conseil ne vealt un oef !
Alom offrir de ça :
chescons par soi, qu'il voldra !

Abel :
E jo l'otrei[3]. 664

Tunc ibunt ad duos magnos lapides qui ad hoc erunt parati. Alter ab altero lapide erit remotus ut, cum aparuerit Figura, sit lapis Abel ad dexteram ejus, lapis vero Chaim ad sinistram. Abel offeret agnum et incensum, de quo faciet fumum ascendere. Chaym of[f33v°]ferret maniplum messis. Apparens itaque Figura benedicens munera Abel et munera vero Chaim despiciet, unde[4] *post oblacionem Chaim torvum vultum geret contra Abel ; et factis oblacionibus suis ibunt ad loca sua. Tunc veniet Chaym ad Abel volens educere callide foras ut occidat, et dicet ei :*

---

[1] Provençalisme ? Le « s » de « las » est ajouté ; « d » et « z » sont aussi des ajouts. La leçon de Marichal, *Livret-Annuaire*, 1969-70, est : « e de totes ove[s] la disme », nous ne l'avons pas adoptée. *Ove* pour *ovis* en francien est rare, et le sens du vers n'en est pas changé.

[2] « d » minuscule à « de dis », qui laisse supposer plutôt un enchaînement qu'une lacune : nous conservons la rime orpheline, et n'ajoutons pas de vers blanc. Voir Introduction, « Rimes orphelines », p. 112 et « Conclusion : un *Ordo Ade* de 1302 vers », p. 117.

[3] 662 et 663 peuvent être anisométriques pour les mêmes raisons que le v. 652. Ils sont néanmoins unis par la rime. Aussi nous choisissons de les considérer comme deux vers. Voir Introduction, « Brouillages continus et microlecture, 651-664 », p. 132-133.

[4] Breuer 1931, « deshalb », p. 644.

compter tes bêtes, prendre la dîme,
et en faire l'offrande à Dieu ? 656
Si tu la fais de ton plein gré,
tu en seras très bien payé.
Vas-tu le faire ?

Caïn [en comptant][1] *:*
Mais tu es fou !
Sur dix, il m'en resterait neuf. 660
Ton conseil ne vaut rien du tout !
Allons ! De tout cela,
Que chacun offre ce qu'il voudra !

Abel [après un temps]
Eh bien, d'accord. 664

Ils se rendent près de deux grosses pierres préparées pour l'occasion. Ces pierres sont à quelque distance l'une de l'autre, et disposées de façon que, quand la Figure apparaît, la pierre d'Abel soit à sa droite et celle de Caïn à sa gauche. Abel offre l'agneau et l'encens, et il en fait monter de la fumée. Caïn offre une gerbe de sa récolte. La Figure apparaît alors ; elle bénit les présents d'Abel, et dédaigne ceux de Caïn. Aussi, après l'offrande, Caïn tourne vers son frère un visage courroucé. Chacun regagne sa place après avoir fait ses offrandes.
Caïn s'approche de son frère. Voulant l'attirer dehors par la ruse afin de le tuer, il lui dit :

---

[1] Ajoutées, ces didascalies accompagnent les effets de rupture de la rime et du mètre dans ce passage.

Beal frere Abel, issum ça fors !

Abel :
Por quoi ?

Chaim :
Por deporter nos cors[1],
E por reguarder nostre labor,
cum sunt creü, s'il sunt em flor, 668
as prez puis en irrums
Plus leegier après en serroms[2].

Abel :
Jo irrai ovec[3] toi ou tu voldras.

Chaim :
Or en vien donc : bon le fras ?[4] 672

Abel :
Tu es mi freres li ainez,
Jo en sivrai tes volentez.

Chaim :
Or va avant, jo irrai aprés,
le petit pas, a grant relais. 676

Tunc ibunt ambo ad locum remotum et quasi secretum, ubi Chaim quasi furibundus irruet in Abel volens eum occidere, et dicet ei :

---

[1] Comme au v. 621 et 622, le v. 666 place sur un même vers le texte et la didascalie, et on a : « Por quoi ? — C. por deporter nos cors ». Voir note 3 p. 272.

[2] Anisométrie pour les v. 667-670, voir Introduction, p. 133.

[3] « Ovec » est peut-être mis pour « avec », comme précédemment.

[4] Le point d'interrogation se trouve dans le manuscrit. Il justifie la réplique suivante d'Abel : suivre Caïn, c'est respecter le droit d'aînesse.

Abel, mon frère, allons dehors !

Abel :
Pourquoi ?

Caïn :
Juste pour le plaisir,
et pour admirer nos récoltes,
voir si elles poussent, ou sont en fleur. 668
Puis nous irons dans les prairies,
et reviendrons, le cœur léger !

Abel :
Je t'accompagne où tu voudras.

Caïn :
Alors tu viendras avec moi ? 672

Abel :
Caïn, tu es mon frère aîné :
j'obéirai à ta volonté.

Caïn :
Passe devant, je te suivrai
tout doucement, tranquillement. 676

Ils gagnent un lieu retiré, presque caché. Là, Caïn se jette plein de rage sur son frère pour le tuer, et il lui dit :

[1]Abel, morz es.

Abel:

E jo por quoi?

Chaim:

Jo men voldrai vengier de toi.

Abel:

Sui jo mesfait?

Chaim:

Oïl, asez!

Tu es traïtres tot provez! 680

Abel:

Certes, non sui.

Chaim:

Dis tu que non?

Abel:

Unches n'amai de fere traïson[2].

Chaim:

Tu las fesis[3]. [f 34r°]

Abel:

E jo coment?

Chaim:

Tost le saveras.

---

[1] Des v. 677 à 688, répliques et didascalies sont mêlées, mais sur un régime plus régulier (qui correspond à la moitié des octosyllabes).

[2] Décasyllabe en contexte d'octosyllabes.

[3] Nous corrigeons « tun » en « tu » comme tous les éditeurs : le début du mot est parti avec un morceau du parchemin ! « Las » au lieu de « la » : provençalisme – et indication de plusieurs chefs d'accusation d'Abel ?

Mort à toi, Abel !

Abel :
Oh, pourquoi ?

Caïn :
Car je veux me venger de toi !

Abel :
Que t'ai-je fait ?

Caïn :
Du mal, pour sûr !
Tu es un traître patenté ! 680

Abel :
C'est faux !

Caïn :
Comment peux-tu le nier ?

Abel :
J'ai toujours détesté trahir !

Caïn :
Tu m'as trahi !

Abel :
Vraiment, comment ?

Caïn :
Attends un peu.

Abel:

Jo nel entenc[1]. 684

Chaim:

Jol toi frai mult tost savoir.

Abel:

Ja nel porras prover por voir.

Chaim:

La prove est pres.

Abel:

Deus m'aidera.

Chaim:

Jo te occirai[2].

Abel:

Deu le savra. 688

Tunc eriget Chaim dextram minacem contra eum, dicens:

Veez ci qui fra la provence!

Abel:

En Deu est tote ma fiance!

Chaim:

Vers moi t'avra il poi mestier.

Abel:

Bien te poet faire destorber. 692

---

[1] Grass, Aebischer et Noomen, donnent « entenc », « finesse exagérée » selon Lecoy, compte rendu de l'édition Aebischer, 1963. Le manuscrit est très effacé, mais la finale en « c » est peut-être lisible.

[2] Ici, deux traits obliques dans le manuscrit – signes d'un élément à imaginer dans le jeu ?

Abel:

Que veux-tu dire? 684

Caïn:
Je vais bientôt te l'expliquer.

Abel:
Mais tu ne pourras rien prouver.

Caïn:
Rien de plus simple!

Abel:

Dieu m'aidera.

Caïn:
Je vais te tuer.

Abel:

Dieu le saura. 688

Alors Caïn lève la main sur son frère en disant:
Des preuves, je vais t'en donner!

Abel:
Je m'en remets pour tout à Dieu!

Caïn:
Contre moi, ça ne sert à rien.

Abel:
Dieu pourra arrêter ton bras. 692

Chaim :
Ne porra de mort guenchir[1] !

Abel :
Del tut me met a son plaisir.

Chaim :
Vols oïr por quoi te oscirai ?[2]

Abel :
Or le me di : por quoi ?

Chaim :
Jol toi dirrai[3]. 696
Trop te faïs de Deu privé :
Por toi m'a il tot refusé ;
Por toi refusa il ma offrende[2].
Pensez vus donc que nel te rende ? 700
Jo t'en rendrai le gueredon,
Mort remaindras oi au sablon !

Abel :
Si tu m'ocies, ço iert a tort,
Deu vengera en toi ma mort. 704
Ne mesfis, Deu le set bien.
Vers lui ne te meslai de rien,
Ainz te dis que fesis tel faitz

---

[1] Anisométrie – heptasyllabe.

[2] Élisions probables.

[3] Le « por quoi » qui vient après « or me le di » est très effacé (écrit d'une autre encre selon Marichal, 1969-70, p. 386) ; il a d'ailleurs été supprimé par plusieurs éditeurs (Palustre, Grass, Studer, Aebischer). Selon Noomen : « A : Or me le di : por quoi ? – C : Jol toi dirrai » forme un seul vers, décasyllabe qui rime avec « oscirai. Nous adoptons nous aussi cette solution, d'autant que sans le « por quoi ? », qui a été ajouté, ce vers est un octosyllabe, en harmonie avec les stichomythies précédentes. Ce « jol toi dirai » rappelle le « Jol te dirai » souvent énoncé par Adam face au Diable. Ce détail linguistique cautionnerait-il l'idée que Chaïm pouvait être joué par Adam ? Voir Introduction, p. 139-140.

Caïn:
Il ne peut éviter la mort.

Abel:
Qu'il en soit fait comme il lui plaît.

Caïn:
Veux-tu savoir pourquoi tu meurs?

Abel:
Oui, dis-le-moi: pourquoi?

Caïn:
Voilà. 696
Tu es trop ami avec Dieu.
Pour toi, il m'a tout refusé,
il a refusé mon offrande!
Comment ne pas chercher vengeance? 700
Alors, voici ta récompense:
Tu mourras ici, sur ce sable!

Abel:
Tu aurais tort de me tuer.
Dieu vengera sur toi ma mort. 704
Je suis innocent, il le sait!
Je ne t'ai pas monté contre lui,
mais je t'ai dit de lui donner

Que fuissez digne de sa paiz, 708
A lui rendisez ses raisons, [f34v°]
Dimes, primices, oblacions :
Por ço porrez aver s'amor.
Tu nel faïs, or as iror. 712
Deux est verais : qui a lui sert
Tres bien l'emplie, pas nel pert.

Chaim :
Trop as parolé. Sempres morras !

Abel :
Frere, que dis, tu me minas, 716
Jo vinc ça fors en ta creance !

Chaim :
Ja ne t'avra mestier fiance.
Jo toi oscirai ! Jo toi defi !

Abel :
A Deu pri qu'il ait de moi merci[1]. 720

Tunc Abel flectet genua ad orientem, et habebit ollam coopertam pannis suis, quam[2] percusciet eam quasi ipsam Abel occideret. Abel autem jacebit prostratus quasi mortuus.

Chorus cantabit : « **Ubi est Abel frater tuus ?** Dixit Dominus ad Cain. Nescio, Domine, numquid custos fratris mei sum ego ? Et dixit ad eum : Quid fecisti ? Ecce vox sanguinis fratris tui Abel clamat ad me de terra. *Versus :* Maledictus eris super terram, quae aperuit os suum, et suscepit sanguinem fratris tui de manu tua. Ecce vox sanguinis fratris tui Abel clamat ad me de terra. »[3]

---

[1] Anisométrie — ennéasyllabe.

[2] Nous proposons une lecture *quam* de l'abréviation *q* (comme un relatif de liaison), plutôt que *quod*, car ce mot a été abrégé sous la forme qd ap. 275. *Quam ipsam* (corrigé en *ipsum*, Aebischer, Noomen) : c'est la marmite même qu'il frappe comme s'il s'agissait d'Abel.

[3] CAO n° 7804, *versus* avec variante note 1.

de quoi t'assurer ses faveurs, 708
en lui offrant, selon ses droits,
dîme, primeurs, belles offrandes :
tu aurais gagné son amour.
Tu n'as rien fait, et tu t'emportes ! 712
Dieu est sans fard : qui le sert bien
se voit très bien récompensé.

Caïn :
Assez parlé, tu vas mourir !

Abel :
Comment peux-tu me menacer ? 716
Je t'ai suivi avec confiance !

Caïn :
Cela n'aura servi à rien.
Je vais te tuer, je te défie !

Abel :
Je supplie Dieu d'avoir pitié de moi. 720

Abel s'agenouille vers l'est. Sous ses vêtements, un pot ouvert est caché, que Caïn frappera comme s'il tuait Abel. Abel s'effondre comme s'il était mort, et le chœur chante le répons : « Ubi est Abel, frater tuus ? »

Interim ab ecclesia veniet Figura ad Chaym et postquam chorus finierit R) quasi iratus dicet ei :
Chaim, u[1] est ton frere Abel,
es tu ja entrez en revel ?
Tu as comencié vers moi estrif.
Or me mostre ton frere vif ! 724

Chaim :
Que sai jo sire, o est alez,
S'est a maison ou a ses blez ?
Jo por quoi le dei trover ?
Ja nel devoie jo pas garder. 728

Figura :
Que n'as tu fet[2], ou l'as tu mis ?
Jo sai bien, tu l'as occis[3]. [f35r°]
Son sanc en fait a moi clamor
Al ciel me vint ja la rumor[4], 732
Mult en faïs grant felonie :
Maleit en serras tote ta vie[5].
Tot jorz avras malaieçon :
A tel mesfait, tel gueredon ! 736
Mais ne voil que hom te tue,
Mais en dolor dorges ta vie.
Que onques Chaïm oscira
A set doble le penera ! 740
Ton frere as mort enz ma creance,
Griés en serra ta penitance. 742

---

[1] Certains écrivent *ubi est*, en considérant que le vers reprend le répons latin. Mais le manuscrit porte *u*. Or, lorsque le latin et le vernaculaire étaient précédemment mêlés dans un vers, le latin était donné en toutes lettres.

[2] Autre lecture possible (Luzarche, Grass 1, Aebischer) : *qu'en* as tu fet ? Mais le manuscrit sépare très nettement *que* de *nas*.

[3] Anisométrie – heptasyllabe.

[4] Pour la lecture *rumor* et non *nimor* (Noomen), voir Marichal, p. 385.

[5] Syncope de « s(e)rras » ou anisométrie.

Pendant ce temps, la Figure sort du groupe des chrétiens et s'approche de Caïn. À la fin du répons, elle s'adresse à lui comme si elle était en colère :
Caïn, où est ton frère Abel ?
T'es-tu rebellé contre moi ?
Tu t'es mis à me chercher noise !
Montre-moi donc ton frère en vie ! 724

Caïn :
Sais-je, seigneur, où il peut être,
à la maison, ou dans ses champs ?
Pourquoi devrais-je le trouver ?
Je ne suis pas son gardien[1] ! 728

Figura :
Qu'as-tu donc fait, où l'as-tu mis ?
Je sais bien que tu l'as tué.
C'est son sang qui me l'a crié,
le bruit en est monté au ciel. 732
Pour cette immense félonie,
Maudit sois-tu, toute ta vie !
La malédiction soit sur toi :
Tel est le salaire de ton crime ! 736
Mais que personne ne te tue :
que ta vie ne soit que douleur !
Celui qui tuera Caïn,
il le paiera sept fois plus cher. 740
Tu as tué ton frère, mon fidèle[2] :
tu seras durement puni. 742

---

[1] Caïn s'est émancipé de la condition servile que le Diable reprochait à Adam, v. 179-183.

[2] Double sens de *creance* dans toute la section consacrée à Abel et Caïn. Auparavant, le terme signifie « promesse », « parole qui scelle un pacte entre les hommes » ; mais dans cette dernière occurrence, « pacte entre Dieu et son fidèle », « foi ».

Tunc Figura ibit ad ecclesiam, venientes autem diaboli[1] *ducetur Chaim sepius pulsantes ad infernum, Abel vero ducent micius. Tunc erant parati prophete in loco secreto singuli sicut eis convenit. Legatur in choro lectio :*
« Vos, inquam, convenio, o Judei ».
Et vocat eum per nomen[2] *prophete, et cum processerit*[3] *honeste veniant et prophecias suas aperte et distincte pronuncient. Veniet itaque primo Abraham, senex cum barba prolixa, largis vestibus indutus, et cum sederit in scamno aliquantulum alta voce incipiat propheciam suam :*

« Possidebit semen tuum portas inimi[f35v°]corum tuorum et in semine benedicentur omnes gentes »

Abraham sui e issi a non.
Or entendez tuit ma raison ! 744
Qui en Deu ad bone sperance
Tienge sa fai e sa creance.
Chi en Deu avra ferme foi
Deus ert od lui, jol sai par moi. 748
Il me tempta, jo fis son gré,
Bien acompli sa volenté.
Occire volei por lui mon filz,
Mais par lui en fui contreditz. 752
Jol voleie offrir por sacrefise[4],
Deu le m'a torné a justise.
Deu m'a pramis, e bien iert veirs,
Ancore istra de moi tel eirs 756

---

[1] Pour la conservation de *ducetur*, avec v*enientes diaboli* comme nominatif absolu, voir Noomen, p. 92, note à 1279 ; pour la « tendance endémique » de cette forme en latin médiéval, voir Bourgain, p. 86. Le passif pour Caïn souligne qu'il est malmené, et le même verbe à la voix active, un comportement plus respectueux d'Abel.

[2] Mis pour *per nomine*. Voir Breuer, 1931, p. 648.

[3] *Vocat* et *processerit* sont sans hésitation possible des singuliers. Pour une lecture justifiant leur conservation, voir Introduction, p. 76-77.

[4] Anisométrie — possible décasyllabe en contexte d'octosyllabes.

La Figure se dirige vers le groupe des chrétiens, tandis qu'arrivent les démons. Caïn est conduit en enfer à coups de poing, et Abel, plus doucement.
Les prophètes se sont préparés dans un lieu retiré, chacun comme il convient à son personnage. La Figure lit alors la leçon «Vos inquam, convenio, o Judei». *Elle appelle chacun des prophètes par son nom, et quand elle passe devant eux, ceux-ci s'avancent avec dignité pour prononcer clairement et distinctement leurs prophéties.*
Abraham s'avance le premier. C'est un vieillard à la barbe fournie, somptueusement vêtu. Il prend place sur un banc de bonne taille[1]*, et il commence sa prophétie d'une voix forte :*

Possidebit semen tuum portas inimicorum tuorum et in semine benedicentur omnes gentes

Je suis Abraham, tel est mon nom[2].
Ecoutez donc tous mon discours ! 744
Qui place en Dieu son espérance,
Que sa foi dure, et sa croyance !
Celui qui aura foi en Dieu,
Dieu le protège, je le sais. 748
J'ai consenti à ses épreuves
et accompli sa volonté.
Pour lui j'ai voulu tuer mon fils,
mais par lui j'en fus empêché. 752
J'ai voulu le lui sacrifier,
ce dont il m'a rendu justice.
Dieu m'a promis qu'un jour viendra
où descendra de ma lignée 756

[1] Voir Glossaire. Au moins cinq autres prophètes doivent pouvoir s'asseoir à côté de lui.

[2] Sur les sens de ce vers en relation avec la mise en scène, voir Introduction, «Des pancartes pour noms ?», p. 89-90 et «Le cas du Défilé», p. 144.

Chi veintra tot ses enemis,
Ensi serra fort e poëtifs,
Lor portes tendra en ses mains
E lor chastels, n'iert pas vilains. 760
Tel homme istra de ma semence
Qui changera nostre senten[c]e[1],
Par qui serra li mond salvez,
Adam serra de peine delivrez[2] ; 764
les genz de tote nascion
Avront par lui beneïçon.

His dictis modico facto intervallo venient diaboli et ducent Abraham ad [f36r°] *infernum. Tunc veniet Moyses ferens in dextram*[3] *virgam et in sinistra tabulas. Postquam sederit dicat propheciam suam :*

« Prophetam suscitabit Deus de fratribus vestris, tamquam me ipsum audietis »

Ço que vos di, par Deu le voi.
De vos freres, de vostre[4] loi 768
Voldra Deus susciter home.
Il iert prophete, ce iert la somme,
del ciel savra toit le secroi.
Celui devez croire plus que moi. 772

De hinc ducetur a diabolo in infernum, similiter omnes prophete. Tunc veniet Aaron episcopali ornatu, ferens in manibus suis virgam cum floribus et fructu. Sedens dicat :

Hec est virga gignens florem
Qui salutis dat odorem.

---

[1] *Sentente* dans le manuscrit.

[2] Anisométrie – décasyllabe en contexte d'octosyllabes.

[3] *Dextra* en latin classique – orthographe de proximité, voir note 1 p. 182 ; ou abréviation de *in dextra manum*.

[4] Hésitation sur la lecture *nostre* ou *vostre* (Lecoy) ; pour le choix de *vostre*, conforme à la traduction de la prophétie, voir Noomen, p. 92, note à 1341.

le vainqueur de ses ennemis.
Il sera très fort, très puissant.
En seigneur, il dominera
leurs portes et leurs forteresses[1] ! 760
De moi, il naîtra l'homme qui
notre peine allègera,
celui qui sauvera le monde.
Il mettra Adam hors de peine, 764
et les gens de tous les pays
recevront sa bénédiction.

Après cette réplique et une courte pause, les démons viennent chercher Abraham et le conduisent en enfer. Moïse s'avance alors. Il tient un bâton de la main droite et les tables de la Loi de la main gauche. Une fois assis, il dit sa prophétie :

Prophetam suscitabit Deus de fratribus vestris, tamquam me ipsum audietis

Dieu me fait voir ce que je dis.
Parmi vos frères, sous votre loi, 768
C'est là que Dieu fera son choix.
Et ce prophète, le meilleur,
connaîtra les secrets du ciel.
Vous devrez le croire plus que moi ! 772

Il est emmené par un démon en enfer, de même que tous les prophètes après lui.
Alors Aaron s'avance, en tenue d'évêque. Il tient une branche couverte de fruits et de fleurs. Il s'assoit, et dit :

Hec est virga gignens florem
qui salutis dat odorem.

[1] Nous inversons les vers 759 et 760.

Huius virge dulcis fructus
Nostre mortis terget luctus.

Iceste verge senz planter
poet faire flors e froit porter.
Tel verge istra de mon lignage
Qui a satan fra damage, 776
Chi sanz charnal engendreüre
de home portera la natura[1].
Iço est fruit de salvacion
Cui Adam trarra de prison. 780

Post hunc accedat David regis insigniis [f36v°] *et diademate ornatus et dicat :*

« Veritas de terra orta est et iustitia de celo prospexit. Etenim Dominus dabit benignitatem, et terra nostra dabit fructum suum ».

De terra[2] istra la verité
e justice de majesté :
Deus durra benignité,
nostre terre dorra son blé, 784
de son furment dorra son pain
Qui salvera le filz Evain,
Cil iert sire de tote terre,
Cil fera pais, destruira guere. 788

Procedat postea Salomon, eo ornatu quod[3] *David processit, tamen ut videatur junior, et sedens dicat :*

[1] Terme latin, ou « provençalisme ».

[2] « Provençalisme ».

[3] *Quo* en latin classique. Sur *quod* remplaçant de nombreux relatifs, véritable « conjonction universelle », Norberg, p. 25, Bourgain, p. 96.

Huius virge dulcis fructus
Nostre mortis terget luctus

Sans être plantée, cette branche
peut porter des fleurs et des fruits.
Il m'en naîtra une pareille,
qui nuira beaucoup à Satan. 776
Sans avoir été engendrée,
elle sera de nature humaine.
Ce sera le fruit du salut,
qui viendra libérer Adam. 780

Puis vient David, couronné et en habit de roi, et il dit :

Veritas de terra orta est et iustitia de celo prospexit. Etenim Dominus dabit benignitatem, et terra nostra dabit fructum suum.

La vérité viendra de terre,
Et de majesté[1], la justice.
Dieu donnera sa bienveillance,
notre terre donnera son blé ; 784
de son froment viendra le pain
qui le fils d'Ève[2] sauvera !
Puissant seigneur, il portera
la paix, et détruira la guerre. 788

Salomon s'avance ensuite, vêtu comme l'était David, mais avec un air plus jeune. En s'asseyant, il dit :

---

[1] David désigne-t-il la Figure, que celle-ci soit parmi le groupe des chrétiens ou en majesté au paradis ? Tout dépend de la façon de considérer les trois sections – jouées ensemble, ou séparément, avec des décors et une mise en scène continus ou distincts. Voir Introduction, « Entre poésie et référence, l'invention des folios 20 à 46v° », p. 95-96.

[2] On peut considérer *le filz Evain* comme une expression générique désignant la descendance de la première pécheresse. Mais dans le cadre d'une représentation globale des trois parties, le singulier peut aussi désigner précisément celui des fils d'Ève qui est digne du salut : Abel, que les diables ont conduit il y a peu en enfer.

Cum essetis ministri regni Dei non recte judicastis neque custodistis legem justicie neque secundum voluntatem Dei ambulastis. Et cito apparebit vobis quoniam iudicium durissimum in his qui presunt fiet, exiguo enim conceditur misericordia.

Judeu, a vus dona Deus loi
Mais vus ne li portastes foi.
De son regne vus fist baillis,
char mult estïez bien asis. 792
Vos ne jujastes par justise :
Encontre Deu iert vostre asise,
Ne faïstes sa volenté :
Mult fu grant vostre iniquité. 796
Ço que faïstes tut parra,
Char mult dor vengement serra [f37r°]
En cels qui furent li plus halt :
Il prendront toit un malvais salt ; 800
del petit avra Deus pité,
mult les rendra esleecié.
La prophecie averera,
Quant le filz Deu por nos morra. 804
Cil que sunt maistre de la loi
Occirunt lui par male foi ;
Contre justise, encontre raison
Mettrunt le en cruiz cume laron[1]. 808
Por ço perdrunt lor seignorie,
che il averunt de lui emvie ;
de grant haltor vendront em bas,
Mult se porrunt tenir por las. 812
Del povre Adam avra piété,
deliverat lui de pecché.

---

[1] Anisométrie v. 807-808 — ou élision de « le » devant « en » ?

Cum essetis ministri regni Dei non recte judicastis neque custodistis legem justicie neque secundum voluntatem Dei ambulastis. Et cito apparebit vobis quoniam iudicium durissimum in his qui presunt fiet, exiguo enim conceditur misericordia.

Juifs, c'est à vous que Dieu donna
la loi, mais vous l'avez bafouée.
Vous étiez baillis de son fief,
puissante et douce position ! 792
Mais vous fûtes de mauvais juges
en vous prononçant contre Dieu.
Ne pas faire sa volonté :
ce fut là votre iniquité. 796
Votre crime sera connu :
durement, il sera vengé
sur ceux qui étaient au plus haut :
de leur hauteur, ils tomberont. 800
Dieu aura pitié des plus humbles,
et il leur donnera la joie.
Ma prophétie adviendra quand
le fils de Dieu pour nous mourra. 804
Ceux qui sont maîtres de la Loi
ces mécréants, ils le tueront,
et sans justice, et sans raison,
comme un voleur, sur une croix ! 808
Pour s'être attaqués à lui,
ils perdront toute seigneurie.
C'est de très haut qu'ils tomberont,
ils auront tout lieu de se plaindre. 812
Mais d'Adam, Dieu aura pitié :
il rachètera son péché.

Post hunc veniet Balaam, senex largis vestibus indutus, sedens super asinam ; et veniet in medium et eques dicet propheciam suam :

« Orietur stella ex Jacob et consurget virga de Israel, et percusciet duces Moab vastabitque omnes filios Seth. »

De Jacob istra une steille,
del feu del ciel serra vermeille ; 816
E u[n]s[1] ducs del pople Israel
Qui a Moab fera revel
E lor grouil[2] abaissera
Char de Israel Cristus istera [f37v°] 820
Qui ert estoille de clarté,
Tot ert de lui enluminé,
les son feël bien conduira,
ses enemis toit confundera. 824

Dehinc accedat Daniel, etate juvenis, habitu vero senex, et cum sederit dicat propheciam suam, manum extendens contra eos a[3] *quos loquitur :*

Cum venerit sanctus sanctorum cessabit unctio vestra.

A vus Judei di ma raison,
Qui envers Deu estes trop felon[4] :
des sainz quant vendra toit li maires,
dont sentirez vos granz contraires, 828
donc [5]cessera vostre oncïon.
N'i poëz pas clamer raison,

[1] Le « v » et le « s » sont exponctués dans le manuscrit. « Uns ducs » est la traduction de la citation précédente.

[2] Mot difficile à interpréter (voir glossaire). Nous choisissons le sème de « servanter », et conservons la notion collective de « lor ».

[3] Mis pour *ad*.

[4] Anisométrie — ennéasyllabe.

[5] Ici, « sentirez » est cancellé —pour éviter la répétition par rapport au vers précédent ?

C'est au tour de Balaam, un vieil homme richement vêtu, monté sur une ânesse. Il s'avance au centre, et il dit sa prophétie depuis sa monture[1] *:*

Orietur stella ex Jacob et consurget virga de Israel, et percusciet duces Moab vastabitque omnes filios Seth.

Une étoile naîtra de Jacob,
toute rougie de feu céleste, 816
et d'Israël viendra un chef
qui, s'élevant contre Moab,
les fera taire, lui et les siens.
Car le Christ naîtra d'Israël, 820
la belle étoile de clarté !
Par lui, tout deviendra lumière :
ses fidèles, il les guidera,
et confondra ses ennemis. 824

Vient alors Daniel. Il est jeune, mais il est vêtu comme un homme âgé. Après s'être assis, il dit sa prophétie en tendant la main vers ceux auxquels il s'adresse :

Cum venerit sanctus sanctorum cessabit unctio vestra.

Ecoutez, Juifs, car je m'adresse
aux félons de Dieu que vous êtes.
Quand le plus grand des saints viendra,
le malheur s'abattra sur vous : 828
vous ne serez plus les élus,
d'ailleurs, vous n'y pourrez prétendre !

---

[1] Sur le retour du sens de *eques* « qui va à cheval » au XIIe siècle, voir Pascale Bourgain, *Le Latin médiéval*, p. 102. Ce sens permet de ne pas avoir nécessairement recours à la complication technique ou au comique de l'ânesse qui parle. Voir Introduction, « Le cas du Défilé », p. 143.

Ço est Crist que li saint signifie
Tuz cels qui[1] par lui avront vie. 832
Por son pople vendra en terre
Vostre gent li frunt grant guere.
Il le mettront a passion :
Por ce perdrunt lor oncïon 836
Evesque n'averont pois ne roi,
Ainz perira par els lor lei.

Post hunc veniet Abacuc senex. Et sedens, cum incipiet propheciam suam, eriget manus contra ecclesiam ; admiracionem simula[n]s et timorem, dicat :
« Domine, audivi auditum tuum et timui, consideravi opera tua et expavi ; in [f38r°] medio duum animalium cognosceris. »

De Deu ai oï novele,
Tot en ai truble la cervele. 840
Tant ai esgardé cest ovre
Que grant poür li cuer m'en ovre.
Entre dous bestes iert coneüz,
Par tot le mond iert cremuz. 844
Cil de cui ai si grant merveille
Iert demostré par une esteille ;
Pastor le troverunt en cresche
Qui iert trenchie en piere secche 848
Ou mangerunt les bestes fain.
Pois s'i fra as rais certain
la steille i amerrat les rois
[2]offrende aporterunt tot trais. 852

Tunc ingredietur Jheremias ferens rotulum carte in manu, et dicat :
Audite verbum Domini, omnis Juda, qui ingredimini per portas has, ut adoretis Deum !

---

[1] Ici, « vold » est cancellé.

[2] Ici, « iloec » est cancellé.

Ce saint des saints, c'est Jésus-Christ,
par qui tous les croyants vivront. 832
Pour son peuple, il viendra sur terre.
Les vôtres lui feront la guerre,
lui feront souffrir la Passion.
Ils en perdront leur beau statut 836
et n'auront ni roi ni évêque.
Leur loi mourra donc par leur faute.

Puis c'est le vieil Habbacuc qui s'avance. Il s'assoit, lève la main vers le groupe des chrétiens et en mimant l'étonnement et la crainte, il dit sa prophétie :

Domine, audivi auditum tuum et timui, consideravi opera tua et expavi ; in medio duum animalium cognosceris.

J'ai eu des nouvelles de Dieu,
elles m'ont troublé la cervelle ! 840
À y penser si longuement,
la peur a envahi mon cœur.
Entre deux bêtes on le verra,
et le monde entier le craindra ! 844
Celui qui frappe mon esprit,
une étoile l'annoncera !
C'est dans la crèche en pierre creusée
où les bêtes viennent manger, 848
que des bergers le trouveront[1].
Là, il sera connu des rois,
l'étoile les y conduira :
tous trois lui feront des offrandes. 852

Jérémie s'avance, un rouleau en papier à la main, et il dit :

Audite verbum Domini, omnis Juda, qui ingredimini per portas has ut adoretis Deum !

---

[1] Nous inversons les v. 847-9 dans la traduction.

Et manu monstrabit portas ecclesie :
Domine, audivi auditum tuum et timui, consideravi opera tua et expavi ; in medio duum animalium cognosceris.
Hec dicit Dominus Deus exercituum, Deus Israel : “Bonas facite vias vestras et studia vestra, et habitabo vobiscum in loco isto” ».

Oëz de Deu sainte parole,
tot vus qui estes de sa scole !
Del bon Judé la grant lignee.
Vus chi estes de sa maisnee 856
Par ceste porte volez entrer,
Por nostre seignor aourer. [f38v°]
Li sires del host vus somont,
Deu de Israel del ciel lamont : 860
Faites bones les vos voies[1],
Soient droites cumme raies[2].
Soient netz les voz curages
Que vus n'en vienge nuls damages. 864
Vostre studie soient en bien
de felonie n'i ait rien.
Si ensi le faites Deus vendra,
Ensemble ovec vus habitera[3] : 868
li filz de Deu li glorius
En terre descendra a vos.
Ovec vus serra cum homme mortals[4],
li sires, le celestials. 872
Adam trara de prison[5],
Son cors dorra por rançon.

[1] Ces deux mots sont inversés dans le manuscrit, on a les « voies vos » ; mais « voies » est encadrée de deux séries de traits obliques — destinés à les rétablir dans l'ordre ?

[2] Anisométrie v. 861-3 — heptasyllabes ?

[3] Anisométrie : ennéasyllabe — ou « ovec » mis pour « o » ?

[4] Même hypothèse qu'au vers 868.

[5] Anisométrie — heptasyllabe.

Et, en montrant les portes de l'église :

Domine, audivi auditum tuum et timui, consideravi opera tua et expavi ; in medio duum animalium cognosceris.
Hec dicit Dominus Deus exercituum, Deus Israel.
"Bonas facite vias vestras et studia vestra, et habitabo vobiscum in loco isto."

Ecoutez la sainte parole,
vous tous, les guerriers de Dieu,
le grand lignage de Judée !
Vous qui êtes sa maisonnée, 856
vous voulez franchir cette porte
pour adorer notre seigneur ?
Voici les ordres de votre maître,
Dieu d'Israël, depuis le ciel. 860
Préparez bien votre chemin,
qu'il soit tout droit, comme une épée !
Que vos cœurs, dans la pureté,
ne soient pas souillés par le mal. 864
Ne cherchez jamais que le bien,
et rejetez la félonie.
Si vous le faites, Dieu viendra,
Il habitera près de vous, 868
le fils de Dieu, le très glorieux,
descendra avec vous sur terre !
Il vivra comme un être humain,
avec vous, le Seigneur céleste ! 872
Il tirera Adam de prison,
donnant son corps comme rançon.

Post hunc veniet Ysaiam[1] *ferens librum in manu, magno indutus pallio. Et dicat propheciam suam :*

Egredietur virga de radice Jesse et flos de radice ejus ascendet, et requiescet super eum spiritus Domini.

Ore vus dirrai merveillus diz
Jessé fera de sa raïz[2], 876
Verge en istra qui fra flor[3]
Qui ert digne de grant unor.
Saint esspirit l'avra si clos
Sor iceste flor iert sun repos[4]. [f39r°] 880

Tunc exurget quidam de sinagoga, disputans cum Ysaiam, et dicit ei :

Ore me respon, sire Ysaias,
est ço fable ou prophecie ?
Que est iço que tu as dit,
Truvas le tu ou est escrit ? 884
Tu as dormi, tu le sonjas !
Est ço a certes ou a gas ?

Ysaias :
Ço n'est pas fable, ainz est tut voir.

[Judei][5] *:*
Ore le nus faites donches veer ! 888

---

[1] À corriger en *Ysaias* ?

[2] Sur ce mot, voir note au vers 481.

[3] « Fruit » a été cancellé et « flor » est écrit au-dessus.

[4] Anisométrie — ou « iceste » pour « ceste » ?

[5] Entre les v. 888 et 892, nous rétablissons des didascalies probablement impliquées par la lecture médiévale de ce texte comme *disputatio*. Mais nous pensons qu'elles n'étaient peut-être pas nécessaires au lecteur médiéval, et qu'elles n'ont peut-être jamais existé dans le manuscrit. Voir Introduction, p. 99-100.

C'est au tour d'Isaïe. Il tient un livre à la main, il est vêtu d'un grand manteau. Il dit sa prophétie :

Egredietur virga de radice Jesse et flos de radice ejus ascendet, et requiescet super eum spiritus Domini.

Voici une étonnante histoire,
celle de l'arbre de Jessé : 876
il en sortira une branche
digne du plus grand des honneurs.
Le Saint Esprit, qu'elle contiendra,
sur sa fleur se reposera. 880

À ce moment, quelqu'un sort du groupe des Juifs, pour une disputatio *avec Isaïe* :

Seigneur Isaïe, réponds-moi,
est-ce prophétie ou mensonge ?
Que viens-tu donc de raconter ?
L'as-tu inventé ? Est-ce écrit ? 884
Tu devais dormir, c'est un rêve !
Est-ce vrai, ou te moques-tu ?

Ysaïe
Je ne mens pas, cela est vrai.

Les Juifs :
Alors montre-le nous vraiment ! 888

[Ysaias] :
Ço que ai dit est prophecie.

[Judei] :
En livre est escrit ?

Ysaias :
Oïl, de vie !
Nel sonjai pas, ainz l'ai veü.

[Judei] :
E tu comment ?

[Ysaias] :
Par Deu vertu. 892

Judei :
Tu me sembles viel redoté,
Tu as le sens tot trublé.
Tu me sembles viel meür[1],
Tu[2] sés bien garder al miror : 896
Or me gardez en ceste main,

Tunc ostendet ei manum suam

Si j'ai le cor malade ou sain.

Isaias :
Tu as le mal de felonie
dont ne garras ja en ta vie. 900

Judei :
Sui jo donc malades ?

---

[1] Heptasyllabes aux vers 894 et 895.

[2] Ce « tu », ajouté dans la marge évite, l'hypométrie des deux vers précédents – ou la contrarie ? Voir Introduction, « Heptasyllabes en contexte d'octosyllabes », p. 125.

Ysaïe :
Ces mots sont une prophétie.

Les Juifs :
Elle vient d'un livre ?

Isaïe :
Le Livre de vie.
Je n'ai pas rêvé, je l'ai vue !

Les Juifs :
Ah oui, et comment ?

Isaïe :
Grâce à Dieu ! 892

Les Juifs :
Tu m'as l'air d'un vieillard sénile,
à l'esprit sens dessus dessous.
Mon pauvre vieux, tu es fini !
Comme ça, tu lis dans les miroirs ? 896
Alors, regarde cette main,

Celui qui s'est avancé lui tend la main

et dis-moi si je suis malade.

Isaïe :
La félonie ! Tel est ton mal,
et tu n'en guériras jamais. 900

Les Juifs :
Suis-je malade ?

Isaias :
Oïl, d'errur. [f39v°]

Judei :
Quant en garrai ?

Isaias :
Jamés a nul jor.

Judei :
Ore comence de ta devinaille[1] !

Isaias :
Ço que jo di n'iert pas faille.[2] 904

Judei :
Or nus redi ta vision,
Si ço est verge ou baston
e de sa flor que porra nestre.
Nos te tendrom puis por maistre, 908
e ceste generacion
Es[c]uter[a][3] puis ta leccon.

Ysaias :
Or escutetz la grant merveille,
Si grant n'oï mais oreille[4], 912
Si grant nen fu onc mais oïe
dés quant comenza ceste vie.

---

[1] Sur l'acceptation de la lecture, chrétienne, de la correspondance entre les *res* et les *signa*, que représente cette demande d'une reformulation de la prophétie, voir Christopher Lee, « Jewish-Christian Debate and the Didactism of Drama in the *Jeu d'Adam* », *Comitatus* 38, 2007, p. 19-41. Nous pensons aussi à un jeu de scène, induit par la possible anisométrie du v. 904.

[2] « Faille » est écrit après le mot « fable » cancellé.

[3] « Estuterai » dans le manuscrit. Sur la confusion de la graphie finale « ai » / « a », voir *supra* note 46 ; sur sa réduction sonore également possible en [a], voir Pope, § 1157.

[4] Hypométrie – heptasyllabe.

Isaïe :

Oui, plein d'erreur.

Les Juifs :
Quand guérirai-je ?

Isaïe :

J'ai dit : jamais.

Les Juifs :
Mets-toi donc à vaticiner !

Isaïe :
Je ne dis que la vérité. 904

Les Juifs :
Eh bien, redis-nous ta vision.
Est-ce un rameau ou un bâton ?
Quels pourront être ses bourgeons ?
Alors tu seras notre maître, 908
et tous les gens de notre race
voudront écouter ton sermon.

Isaïe :
Ecoutez donc ce grand prodige !
Au grand jamais, chose pareille 912
ne fut entendue nulle part
depuis les débuts de la vie.

Ecce virgo concipiet in utero et pariet filium et vocabitur nomen ejus Emmanuel.

Prés est li tens, n'est pas lointeins
Ne tarzera, ja est sor mains 916
Que une virge concevera
Et virge un filz emfantera.
Il avra non Emanuhel
Message en iert saint Gabriel ; 920
la pucele iert virge Marie,
si portera le fruit de vie,
Jhesu le nostre salvaor
Qui Adam trarra de grant dolor 924
Et remetra en paraïs.
Iço que vus di de Deu l'ai apris, [f40°]
e ço iert tot acompli par veir.
En ce devez tenir espeir ! 928

Tunc veniet Nabugodonosor ornatus sicut regem.
Nonne misimus tres pueros in fornace ligatos ?

R) ministri :
Vere, rex.

[1]Ecce video quattuor viros solutos deambulantes in medio ignis, et corrupcio nulla est in eis, et aspectus quarti similis est filio Dei.

Oez vertu, [2]merveille grant,
Ne l'oït homme qui soit en vivant,
Ço que jo vi des trais emfanz
Chi fis mettre en foc ardant. 932

---

[1] Comme *supra* pour l'échange entre les *Judei* et *Ysaias*, la tradition, le verbe au singulier en latin, et la structure dramatique répétée de l'*Ordo prophetarum*, où chaque protagoniste dit une prophétie très connue avant de la traduire en vers, ont rendu inutile l'ajout de la didascalie *Nabugodosor* avant cette prophétie. Voir Introduction, « Mise en place d'un *habitus* », p. 98-99.

[2] « De grand » cancellé avant « vertu ».

Ecce virgo concipiet in utero et pariet filium et vocabitur nomen ejus Emmanuel.

Le temps s'approche, il n'est pas loin,
et il ne tardera pas plus ! 916
Une vierge va concevoir :
vierge, elle enfantera un fils.
Son nom, ce sera Emmanuel,
Et son héraut, saint Gabriel. 920
La vierge, ce sera Marie,
elle portera le fruit de vie :
Jésus, qui est notre sauveur,
et tirera Adam de peine, 924
pour le remettre au paradis.
Tout cela, je le sais de Dieu,
et que cela s'accomplira :
telle doit être votre espérance ! 928

Alors Nabuchodonosor arrive, habillé comme un roi.

Nonne misimus tres pueros in fornace ligatos ?

Et ses serviteurs répondent :

Vere, rex.

Ecce video quattuor viros solutos deambulantes in medio ignis, et corrupcio nulla est in eis, et aspectus quarti similis est filio Deiu.

Ecoutez bien ce grand prodige,
que jamais homme n'entendit.
C'est au sujet des trois enfants
que je fis jeter dans le feu. 932

Le fouc estoit mult fier e grant
e la flambe cler e bruiant;
les trois emfanz fasoient joie grant,
la ou il furent al fouc ardant. 936

Chantouent un vers[1] si bel
Sembloit li angle fuissent del ciel.

Cum jo men regart, si vi le quartz
Chi lor fasoit mult grant solaz: 940

les chieres avoient tant resplendisant
Sembloient le filz de Deu puissant[2]. 942

[*Sibylla*][3]

Oiez, seignor, communement [f°40v] 943
Dunt nostre seignor nus reprent 944
De ço que tote creature
Cahescon solonc sa nature
Reconuit mielz nostre seignor
Que home ne fet, c'est grant dolor. 948
Més home de lui servir se feint
De quei nostre sire se pleint,
Que[4] nus aime[5] tant bonement.

---

[1] « Dit, vers, merveille » : avec le retour de l'écriture « par personnages », le lexique signale une envolée vers le lyrisme qui sera confirmée par le *Dit des Quinze signes*.

[2] Pour les six derniers vers, nous proposons cette disposition comme alternative à l'hypothèse de l'interpolation des v. 937-8 et du quatrain corrompu v. 939-42. Voir Introduction, « Strophes en question », p. 113-114.

[3] Le *Dit* commence en haut du folio 40v°. Conforme à notre interprétation du *Dit* comme suite possible de la performance, lue ou jouée, de l'*Ordo Ade*, la didascalie *Sibylla* ne manque pas au manuscrit, et pouvait être déduite de la tradition. Sur cette pratique, voir Introduction, p. 98-99.

[4] Comme Aebischer, nous développons l'abréviation q en *que* (et non en *qui*, comme Luzarche et Grass), ici comme dans l'ensemble du manuscrit lorsque le mot est abrégé en tête de vers ; voir 1146 ; 1236.

[5] Variante de l'édition d'Erich Von Kraemer (désormais indiquée VK) et 5 manuscrits : « ama ». Les variantes de manuscrits différents du sien sont indiquées « variantes ».

C'était un grand feu, effrayant,
aux flammes hautes et crépitantes :
mais les trois enfants s'amusaient,
au beau milieu du feu ardent. 936

Tous trois chantaient un air si beau
qu'on l'aurait cru venu du ciel.

Jetant un œil, je l'aperçus !
Un quatrième les consolait. 940

Et leurs visages si brillants
ressemblaient au Fils tout-Puissant. 942

[La Sibylle] [f40v°]

Seigneurs, seigneurs, écoutez tous 943
ce que le Seigneur nous reproche. 944
Voir que toutes ses créatures,
chacune selon sa nature,
lui est bien plus reconnaissante
que l'homme même : quelle douleur ! 948
Oui, l'homme feint de le servir :
de cela, le Seigneur se plaint,
car il nous aime tendrement !

De quant qu'a desoz le firmament 952
Nos ad doné la seignorie,
Més chescuns de nus le guerrie.
Mues bestes, [1]cas, orz, lions,
Oiseals, serpenz, mers e pessons, 956
Font quanqu'il deivent sanz tristor,
Et gracient tuit lor criator.
Ciel e terre, soleil e lune,
Nés des esteilles n'i a une 960
Que ne face quanque ele deit.
Home que fet, que tote rien veit ?
Mult par est plain de covertié
Que de Deu n'a nule pitié[2]. 964
Plus volentiers orreit chanter[3]
Come Rollant ala juster
E[4] Oliver son compainnon
Qu'il ne ferrait la passion 968
Que suffri Crist[5] a grant hahan
Por le pecchié que fist Adam.
Por quei sumes nos orguillus ? [f° 41]
E las, chaitifs ! Ja morrum nus. 972
Qui ert qui por nos bien fra[6]
Quant l'alme del cors partira ?
Oscire anceis nus devriom
Que damne deu coriscesom[7]. 976

---

[1] Cette énumération est précédée de « oisalz lions » biffé — pour éviter les répétitions ? Luzarche avait lu « casorz, lions », corrigé dès Palustre.

[2] VK pour 964-66 : Et hons que feit qui tot ce voit ? / Tant par est plains de convoitise/ qu'il n'a cure dou Dieu servise » ; « glotenie » et « iniquité », variantes pour *covoitise*.

[3] VK : « conte ».

[4] VK : « a Olivier son compaignon » ; autre variante possible « ou d'Olivier ». Sur le sens, voir note de la traduction.

[5] VK : « Diex ».

[6] Variante : « O est l'ami que bien vous fra ».

[7] VK et tous les autres manuscrits : « A escient nous ocions/ quant nos Damedieu guerroions », seulement une variante de plus pour le v. 976, « Comme felon trestous faison ».

Ce qu'abrite le firmament, 952
il nous l'a donné comme fief,
mais nous lui faisons tous la guerre.
Bêtes sans voix, chats, ours, lions,
oiseaux, serpents, mers et poissons, 956
font ce qu'ils doivent sans gémir :
ils remercient leur créateur !
Ciel et terre, soleil et lune,
et les étoiles sans exception, 960
ces choses suivent leur nature.
Et que fait l'homme, à ce spectacle ?
Il est bien trop plein de malice
pour avoir pitié de Dieu ! 964
Il préférerait qu'on lui chante
comment Roland alla se battre
avec[1] Olivier, son ami
plutôt qu'écouter la passion 968
que le Christ eut à endurer
en raison du péché d'Adam.
Pourquoi sommes-nous pleins d'orgueil ?
Pauvres de nous, nous en mourrons ! 972
Qui agira pour notre bien
quand l'âme quittera le corps ?
Nous aurions dû mourir avant
d'avoir courroucé le Seigneur ! 976

[1] Pour la traduction de ce « e » par « avec », au sens de « contre », voir la bataille pour rire entre les deux héros proposée comme source à ce passage par Paul Aebischer, dans « Une allusion des *Quinze signes du Jugement* à l'épisode du Jeu de la Quintaine du *Girart de Viane* primitif », *Mélanges Delbouille*, Gembloux, Duculot, 1964, tome II, p. 1-19, 8-9.

Nos fesom trestoit que dolent,
Mult en avrom grief jugement[1] !

Si vos ne cremisse[2] ennuier,
Ou destorber d'aucon mestier, 980
Des quinze signes vos deïsse,
Einz que remuer me quesise,
Tote la pure verité.
Seignors, vendreit il vus a gré 984
A oïr la fin de cest mond ?[3]
Kar totes choses finirunt !
N'a solz ciel home tant felon,
Si vers Deu a entencion, 988
Si un poi m'escote a parler
Qu'il n'i estuce ja a plorer[4].
Car quant cest siecle finira,
Nostre sire signe[5] fra. 992
Ço nos reconte Jheremie,
Zorobabel e Ysaie,
E Aaron et Moysés,
Et toit li altre prophete après. 996
De Babiloine Daniel,
Si l'aferme Jezechiel[6],
Que un poi devant le jugement, [f°41v°]
Toit li felon serront dolent. 1000
Mostera Deus sa poesté
En terre de sa majesté[7].

---

[1] VK et 19 manuscrits ajoutent : « Quant icist siecle fenira / Et Diex aus nons joie donra ».

[2] VK : « cuidoie ».

[3] Variante : les v. 984-7 donnent saint Jérôme comme *auctoritas*.

[4] Trois manuscrits interpolent ici quatre vers pour demander « repentance » à Dieu.

[5] VK : « signes ».

[6] Dans deux manuscrits, Aaron et Moïse sont absents ; dans cinq, ils sont absents ainsi que Daniel et Ezéchiel. Sur la variation des *auctoritates*, voir Introduction, p.

[7] VK : « Mousterra Diex sa poestei/ Ou siege de sa maatei ».

Nous ne commettons que des crimes :
ils seront durement jugés.

Seigneurs, je crains de vous déplaire,
de vous arracher à vos tâches. 980
Sinon, avant de vous quitter,
je vous dirais des quinze signes
la pure et simple vérité.
Seigneurs, cela vous plairait-il 984
qu'on vous conte la fin du monde ?
Vous le savez, tout finira !
Il n'y a pas un criminel
qui pourrait retenir ses larmes 988
s'il se met à penser à Dieu
et qu'il m'écoute, fût-ce un moment !
Car quand viendra la fin du monde,
le Seigneur en fera le signe. 992
C'est ce que disent Jérémie,
Zorobabel et Ysaïe,
mais aussi Aaron, Moïse,
et, après eux, tous les prophètes ! 996
Daniel l'a dit à Babylone,
et Ezéchiel l'a affirmé :
un peu avant le jugement,
tous les félons seront punis. 1000
Depuis le ciel, Dieu montrera
toute sa puissance ici-bas.

Qui ore voelt oïr la merveille
Envers qui [rien][1] ne s'apareille, 1004
Si dresce sun chief e si m'esgard[2] :
Jo li dirrai ja de quel pard
Vendra la grant mesaventure
Qui passera tote mesure. 1008
Or escotez de la jornee
Qui tant doit estre redotee.
Del ciel cherra pluie sanglante,
Ne quidez pas que jo vus[3] mente, 1012
Tote terre en iert coloree,
Mult avra ci aspre rosee[4].
Li emfant qui nez ne serront
Dedenz les ventres crieront 1016
Od clere voiz mult haltement :
« Merci, rois[5] Deu omnipotent !
Ja, sire, ne querrom nestre
Mielz voldrions nus nïent estre, 1020
Que nasquisum a icel jor
Que tote rien soeffre dolor. »
Li emfant crieront tot issi[6],
Et dirront toit : « Jhesu, merci ! » 1024

---

[1] Le manuscrit donne peut-être « nen » plutôt que « rien ». Nous avons relevé une autre occurrence (v. 1128), où il semble impossible de départager « nen » de « rien ». Comme Grass et Aebischer, nous choisissons « rien », en vertu de la tradition ultérieure de ce vers dans des poèmes où la rime « merveille/apareille » figure aussi (VK, Introduction p. 95-6).

[2] VK : « Ovre son cuer et si m'esguart » ; nombreuses variantes avec « oevre ses iex ».

[3] Résolution de l'abréviation par Aebischer, les autres choisissent *vos*.

[4] Seize manuscrits donnent une leçon moins imagée : « pesme » ou « dolente jornee ».

[5] VK : « vrais diex », aussi fréquent que rois ; variantes « biaus diex », « Mere diex ».

[6] Ce vers manque dans l'édition Aebischer. Il est par ailleurs omis dans six manuscrits. Trois manuscrits ajoutent de un à trois vers, sur la rime *i*, qui prolongent le cri des enfants au ventre de leur mère.

Qui veut tout savoir au sujet
de la merveille sans pareille[1], 1004
qu'il lève la tête et me regarde !
Je vais lui dire de quel côté
viendront les immenses malheurs
qui passeront toute mesure. 1008
Voici ce qui se passera,
en ce jour qu'on doit redouter.
Du ciel viendra une pluie de sang,
ne croyez pas que je vous mente ! 1012
La terre en sera colorée,
et couverte d'âpre rosée.
Avant de naître, les enfants
depuis les ventres crieront 1016
d'une voix claire et haut perchée :
« Miséricorde, roi tout-puissant !
Seigneur, nous ne voulons pas naître
Nous préférerions ne pas être 1020
plutôt que de naître aujourd'hui,
jour de souffrance pour l'univers ».
C'est ce que les enfants crieront,
ils diront tous : « Pitié, Jésus ! » 1024

[1] Pour une lecture de cette expression comme auto-désignation de la Sibylle, voir Introduction, « La Sibylle, clou de la performance », p. 144-145.

Li premiers jors iert tot reals[1],
Li secund serra plus mals,
Car del ciel cherront les estoiles: [f° 42]
Ço iert une de ses merveilles. 1028
Nule n'i ert tant bien fichïe
Qui a cel jor del ciel ne chïe;
Et corront si tost desor terre,
Come foldre, quant ele deserre. 1032
Desus ces monz irront corant
Come grant[2] lermes espandant,
E nequedent mot ne dirront[3]
Josque abissme descenderont. 1036
Pardu averont lor grant clarté,
Par quoi luisent la noit d'esté:
Naires serront come charbon.
E Deux Pere! Nos que from 1040
Qui tot somes envolupé
Des grant pecchiez emvenimé[4]?

Li tiers signes iert merveillos,
Plein de dolor et plein de plors, 1044
Que le soleiel[5] que vus veez,
Qui tant est bien enluminez
E enlumine tote rien,
Çolui veez vous chescon jor bien, 1048
Car il done lumiere al monde,
– Que Deus nus face de pecché monde –
Serra plus nair que nole haire[6]!
Iço ne vos fet pas a taire 1052

---

[1] Manuscrit fautif selon Lecoy, qui propose «itaus», comme dans le BnF, fr 837 f°112. Pour la conservation de «reals», voir Introduction, p. 53.

[2] VK: «come janz l. e.»

[3] Variante dans trois manuscrits: «m. soneront».

[4] Inversion, et variante, de «envelimé/enveloupé» dans VK; variante «qui somes tretuit avuglé» pour 1041; et «Dou vil serpent envenimé» pour 1042.

[5] Deux variantes «li thrones».

[6] Deux variantes «pois noire».

Dieu, en roi, répond de ce jour.
Le second, ce sera bien pire.
Du ciel tomberont les étoiles
– encore une de ses merveilles ! 1028
Aucune n'y sera fixée
assez fort pour ne pas tomber.
Et toutes courront sur la terre
semblables aux éclats de la foudre. 1032
Sur les montagnes elles courront,
répandant une pluie de larmes,
et sans produire le moindre son,
elles descendront aux abîmes. 1036
Elles auront perdu leur clarté
qui resplendit, les nuits d'été,
et seront noires comme le charbon.
Ah, Dieu le Père, que ferons-nous, 1040
nous qui sommes tout envoûtés,
et infectés par le péché ?

Le troisième signe est un prodige
Rempli de douleurs et de larmes. 1044
Le soleil que vous voyez là,
qui resplendit si fortement
et éclaire tout l'univers,
qui chaque jour vous éblouit 1048
en donnant sa lumière au monde ;
que Dieu nous lave du péché
il sera plus noir que le crin[1],
il ne faut pas vous le cacher ! 1052

---

[1] Métaphore apocalyptique « Et sol factus est nigger tamquam saccus cilicinus », *Apocalypse de saint Jean* VI, 12, au sens propre : « plus noir qu'un sac de crin », « saccus cilicinus » ayant pour équivalent le « sac de heire », « chemise de pénitent ». Voir Tobler-Lommatsch, à « haire », et Von Kraemer, p. 19.

Car le soleil en droit middi
Verra le pople[1] tant nerci
E que[2] ja gote ne verront [f°42v°]
Icil qui a cel jor serront[3]. 1056
E Deux ! que ferront donc icil
Que des orz pecchez ont fet mil
E Deux est a eaus corocié[4] ?
A icel jor serront iré[5]. 1060
Por nient merci li crieront
Quant tant pecchié fet ont.
Penitence covendroit fere
Celui qui a Deux voldra plaire 1064
E as povres doner del lor
E Jhesum preer chescon jor
Que a la mort ussent paraïs :
Iço fet bien preer tot dis[6]. 1068

Li quart signes ert mult dotables
Et un des plus espuntables ;
Car la lune, que tant est bele
Al chief del mois quant est novele, 1072
Serra müe en vermeil sanc
E en color semblable a fanc[7].
Mult pres de terre descendra
Més mult poi i demorera : 1076
Corant vendra droit a la mer,

---

[1] VK : « li pueples ».

[2] VK : « si que ».

[3] 1055-6 omis dans deux manuscrits.

[4] VK : « et a Dieu se sont courrecié ».

[5] Variante avec « iré » dans deux autres manuscrits, mais VK leçon la plus fréquente : « ja puis ce jor ne seront lié ».

[6] Les v. 1061-68 sont un ajout propre à BM Tours 927. Sur son sens et ses enjeux, voir Introduction, p. 53-54.

[7] Image évitée par tous les manuscrits sauf K, qui proposent soit une expression redondante (la lune devient couleur de sang), soit « et de dolor sera semblant » (2), soit des variations sur la couleur, soit deux vers supplémentaires. Voir Introduction, p. 52.

Car on verra, en plein midi,
le brillant soleil assombri,
et ils ne verront plus grand-chose,
ceux qui connaîtront ce jour-là. 1056
Mon Dieu, mais que feront donc ceux
qui ont fait mille affreux péchés,
s'attirant la colère de Dieu ?
Alors, ils seront malmenés, 1060
et c'est en vain qu'ils crieront grâce,
ils auront beaucoup trop péché !
Celui qui voudra plaire à Dieu,
il devra faire pénitence, 1064
donner aux pauvres de ses biens,
et prier Jésus chaque jour
pour aller, mort, au paradis.
Pour cela, prions tous les jours ! 1068

Le quatrième signe est redoutable,
et l'un des plus épouvantables.
Car la lune, qui est si belle,
quand au début, elle est nouvelle, 1072
sera changée en sang vermeil,
et deviendra couleur de boue.
Elle descendra près de la terre
mais y restera peu de temps. 1076
Elle se jettera dans la mer,

Par force voldra enz entrer
Por eschiver le jor de ire
Que nos jugera[1] nostre sire. 1080
Ausi le criendront tote gent,
Car ço ert le jor del jogement.
E las ! Tant serront malbailli [f° 43]
Cil de qui Deux n'avra merci 1084
Qui peccheor avront esté
Trestoz les jors del lor eé[2] !

Li quint serra le plus oribles[3]
De toz icés le plus fernicles[4] 1088
Car trestotes les mues bestes
Vers le ciel torneront lor testes.
A Deu voldront merci crier
Més eles ne porront parler. 1092
Droit a ces grant fossez irront,
Por grant poür[5] s'i ficherunt.
L'une[6] gittera graignor brait
Que ore ne feroient dis et set[7] ; 1096
Molt criemdront auguisusement
Del jugeor l'avenement[8].
Adonc n'i avra ja leesce
Tote rien serra en tristesce[9]. 1100

---

[1] VK et 6 autres : « musterra ».

[2] Les v. 1085-6 sont un ajout de BM Tours 927. Voir Introduction, p. 54.

[3] Pour un rapprochement avec le *Debate between Body and Soul*, voir VK, p. 20.

[4] VK : « freniques ». Variantes : « oribles », « dotables », « formibles ».

[5] VK et un autre : « povoir ». Variantes « ayr » et « yre ».

[6] Lecoy lit « l'ane ».

[7] Variantes : « sis ou set, xxvii, xxxvii… », « c'ore ne font xi entresait », « c'un horribles toneire fait ».

[8] Deux variantes « jugeor » ; sinon, variantes « jugement », « juïse ».

[9] Deux manuscrits omettent les v. 1099 et 1100. Deux autres leur ajoutent une interpolation de six vers, qui évoque une bataille entre des oiseaux.

et voudra y entrer de force,
pour éviter le *Dies Irae*
choisi par Dieu pour nous juger ! 1080
Et en ce jour du jugement,
tous seront saisis par la crainte.
Ah, ils seront bien mal lotis,
ceux dont Dieu n'aura pas pitié 1084
car ils seront restés pécheurs
tous les jours de leur existence !

Le cinquième signe sera horrible,
et de tous le plus terrifiant. 1088
Toutes les bêtes, qui sont muettes,
vers le ciel tourneront la tête,
pour implorer la grâce de Dieu,
sans pouvoir rien articuler. 1092
Elles iront vers de grandes fosses
et terrassées, s'y jetteront.
L'une d'entre elles criera plus fort
que ne pourraient le faire dix-sept, 1096
Et dans l'angoisse, elles attendront
l'arrivée du terrible juge.
C'en sera fait de toute joie :
tout sera triste, à jamais ! 1100

Li siste jor ne larrai pas,
Que tot li mond serra en bas,
E encontre crestront li val
Tant que as monz serront egal. 1104
A icel tens[1] que jo vus di,
Por voir, seignor, le vos afi,
Serra le païs mué[2] en guerre
E tant fort croslera la terre 1108
Qu'il n'a soz ciel si haute tor
Que jus ne chie a icel jor.
Et donc cherront trestuit li arbre [f°43v°]
E li palais qui sunt de marbre[3]. 1112

Le settime serra mult cruel :
Devant cestui n'en fu nul tel.
Li arbre que chaü serrunt
Se drescerunt contremont : 1116
A mont tornerunt lor racines,
Contre terre serrunt les cymes[4].
Tant crolleront par grant aïr
Tote la terre ferront fremir. 1120
Nule foille n'i remaindra,
E le gros par mi partira.
Que devendront lors vos[5] maisons,
Vos belles habitacions ? 1124
Totes les estovera faillir,

---

[1] VK : « a icest jor ».

[2] Grass en 1891 lit « la païs müe » ; VK et treize autres manuscrits : la « paix sera müee en guerre », et VK donne les contextes irlandais possibles pour cette variante, p. 22. Mais dans les quatorze variantes avec « la », on a « muée ». Ici, ni « le » ni « mue » ne font de doute : la tache porte sur le m et non sur la terminaison, simple, de « mue » ! Voir l'interprétation de ce vers comme écho aux parties précédents de l'*Ordo*, dans l'Introduction, p. 59.

[3] Variantes : « et les palais, et les maisons ». Deux manuscrits omettent les v. 1111-1112. Les v. 1111-1114 sont très effacés dans le BM Tours 927.

[4] V. 1117-1118 omis dans quatre manuscrits.

[5] 13 variantes « nos » pour « vos » aux v. 1123 et 1124.

Pourquoi taire le sixième jour ?
Les montagnes s'aplaniront,
et les vallées s'élèveront
jusqu'à atteindre leur niveau. 1104
À ce moment, je vous le dis,
seigneurs, je vous le certifie,
dans le monde, on fera la guerre,
et la terre tremblera si fort, 1108
que sous le ciel, pas une tour,
fût-elle haute, ne restera.
Les arbres seront renversés,
et aussi, les palais de marbre. 1112

Le septième jour sera très sombre,
encore bien plus que ceux d'avant.
Les arbres, qui seront tombés,
se redresseront à l'envers : 1116
ils mettront leurs racines en l'air,
leurs cimes viendront toucher terre,
et, s'écroulant avec violence,
elles feront trembler la terre. 1120
Ils n'auront plus aucune feuille,
et leur tronc se fendra en deux.
Que deviendront donc vos maisons,
vos belles habitations ? 1124
Elles seront toutes renversées !

Tote rien covendra morir[1]
E donc covendra tote gent
Morir a merveillos torment. 1128

Li octimes serra mult dotos,
Sor toz icés mult anguisos[2].
De son chanel[3] la mer istera,
Voldra fuïr, més ne porra. 1132
Mult par s'en istra firement,
Tot neïra[4] comunaument.
Se cil nos falt que nos dit,
C'est Moysés qui cest escrit[5]. 1136
De ci qu'a ciel irra la mer,
Par forc[e][6] voldra enz entrer.
Li pesson qui denz sunt enclos[7], [f° 44]
Dunt nus fesum sovent grant los, 1140
Dedenz terre feront lor voie,
Et quideront que Dex nes voie.
Lors revendra la mer ariere
Come chose que mult est fiere 1144
Entrera en sun estage,
Totes eves en lor rivage.

Li novimes serra mult divers
E de toz signes mult dispers, 1148
Car toz les fluves parleront
E voiz d'ome parler[8] averont.

---

[1] «Rien» unique. VK: «pres sera li monz de fenir», plus général. Onze variantes: «li jorz de morir».

[2] Variantes: «perrilleus/perrillos».

[3] Variantes: «estaige», «leu».

[4] Trois variantes «tote neire».

[5] VK: «se cil ne mant qui ce nos dist/ ce fu moÿsés qui l'escrit».

[6] «Forco» dans le BM 927.

[7] Vers illisible depuis que le haut du manuscrit a été coupé.

[8] VK: «plaingnant» — «parler» unique.

Toutes les créatures mourront !
Quant aux humains, ils périront
dans des tourments épouvantables. 1128

Le huitième jour est redoutable,
et le plus angoissant de tous.
La mer sortira de son lit,
cherchant à s'enfuir, mais en vain. 1132
Furieuse, elle déferlera
et noiera tout, sans exception,
si la prophétie s'accomplit,
comme Moïse l'a écrit. 1136
La mer montera jusqu'au ciel,
et cherchera à y entrer.
Et les poissons qu'elle contient,
dont nous faisons souvent l'éloge, 1140
ils voudront s'enfouir sous la terre,
afin que Dieu ne les voie pas.
Alors, la mer retombera,
et, avec la même furie, 1144
elle reviendra prendre sa place,
ses eaux baignant chaque rivage.

Le neuvième signe est effrayant,
il est distinct de tous les autres. 1148
Car tous les fleuves parleront,
et ils auront des voix humaines.

Jo en trai en garant Augustin,
Qui de ces sygnes[1] dist la fin. 1152
E dirront toit au criator:
« Sire, merci, por ta dolçor !
Deus, qui as pardurableté
E nos donas juvableté[2], 1156
Tu es Deus et serras tot jors.
Sire, aiez merci de nos[3] !
Par ta merci nos deignas fere,
Mult par avum fieble repaire[4] ». 1160

Li dismes serra tant fier
Qu'il n'est nul saint qui tant soit chier[5]
El ciel, emprés son criator,
Que de cest signe n'ait poür: 1164
Co nos aferme saint Grigoire
Et li nobles clers saint Yerome[6].
Idonc croslera Cherubin [f° 44v°]
E si tremblera Seraphin 1168
E del ciel totes les vertuz[7].
Cel jor serra saint Piere muz,
Ja un sol mot ne sonnera
De la poür qu'il avra, 1172
Car il verra le ciel partir,
E si porra la terr[e][8] oïr
Braire molt anguisosement,

---

[1] VK: « de cest siegle ». Variantes: « de ce monde »; « de ce signe ».

[2] VK et quatre variantes: « müableté »; « muvableté »; autres: « humanité », « humilité », « joiableté », « vivableté ».

[3] Vers propre au BM Tours 927 (omis dans Aebischer).

[4] VK inverse les v. 1161 et 1162; variante « cruel repaire »; variante: interpolation de deux vers.

[5] Variante VK, « qui tant soit fiers ».

[6] V. 1165-6 omis dans 6 manuscrits. La rime n'est pas respectée, ce qui peut être le cas avec les noms propres.

[7] Voir *infra* note 1 p. 335.

[8] *Terra* dans le manuscrit.

C'est d'Augustin que je le tiens,
qui en donna aussi le sens. 1152
Ils diront tous au créateur :
« Pitié, pitié, tendre Seigneur !
Toi qui possèdes l'éternité
et qui nous portas assistance, 1156
toi qui es Dieu, et pour toujours,
cher Seigneur, prends pitié de nous !
C'est par pitié que tu nous fis,
mais notre lit est si fragile ! » 1160

Le dixième signe est si violent,
qu'aucun des saints, même très proche,
du Créateur, là-bas, au ciel,
ne résistera à la peur. 1164
C'est ce qu'affirme saint Grégoire,
et le très noble saint Jérôme.
Chérubin ? Il s'écroulera,
Et Séraphin, il tremblera, 1168
comme, au ciel, toutes les vertus.
Ce jour-là, saint Pierre sera muet,
incapable de dire un mot,
tout chaviré par la terreur. 1172
Car il verra le ciel s'ouvrir,
et puis il entendra la terre
se lamenter péniblement,

E criera : « Rois Deus, jo fent ! »[1] 1176
Lors avront cil d'emfer clarté,
E serront toit[2] esponté.
Toit s'en istrunt fors li diable.
Saint Pol[3] le dist : n'est pas fable ! 1180
Or escutez qu'il dirront
De la paor qu'il avront :
[4] « Sire Pere, qui nos feïs[5]
el ciel, e puis le nos tolis, 1184
Nos le perdimes par folie[6],
A grant bosoin merci te crie[7]
Ceste dolente creatore
Qui l'anguisse del fuc[8] endure ! 1188
Chaitive est mult e plus se deut :
De toi merci aver ne puet[9] !
Rent nos nostre hebergerie :
Ne sai quel vertu l'ad saisie[10] ». 1192

Li onzimes ert mult despars[11].
Li venz vendront de totes pars
E suffleront tant dorement

---

[1] V. 1173-6 omis dans deux manuscrits.

[2] VK : « mais mont seront ».

[3] Variante « Saint Johans ».

[4] Les v. 1179-1187 sont partiellement ou totalement effacés. Nous reprenons la transcription de Luzarche, sans conserver la virgule ajoutée par Aebischer après « fors » au v. 1179.

[5] VK : « qui nos meïs ». Variante « feis » dans 15 autres manuscrits.

[6] Variantes dans deux manuscrits : « envie » ; « folie » est la *lectio* de 20 manuscrits.

[7] Trois manuscrits ajoutent ici « d'emfer tote la compaignie » ou « Enfern et tote la compaignie ».

[8] VK : « qui l'angouisse d'enfer andure ».

[9] VK : « quë en enfer feire ne siaut ; variante ke cele peine deservoit ».

[10] Vers répété dans un manuscrit ; variante : « ne savons que riens l'ait saisie ! » Interpolation de deux vers avec trois variantes : « Moult voulantiers la ravissiens / Se nos ravoir la pouissiens ; Mont volentiers recourisons / A ce que nos perdu avons ; Mult volentiers regrissiun/ A aver la si puissium ».

[11] VK : « L'onzimes dire ne vos tart ».

criant : « Dieu, mon roi, je me fends ! » 1176
La lumière atteindra l'enfer,
terrifiant tous ses habitants,
et tous les diables en sortiront.
Saint Paul le dit, il faut le croire ! 1180
Ecoutez bien ce qu'ils diront,
tout agités par la terreur :
« Notre Père, qui nous créas
d'abord au ciel, puis nous chassas 1184
(nous le perdîmes par folie),
dans la douleur, ta créature
qui le supplice du feu endure,
te demande miséricorde ! 1188
La malheureuse, elle souffre tant
sans pouvoir obtenir ta grâce !
Rends-nous notre premier séjour !
Je ne sais quelle vertu l'habite[1]. 1192

Le onzième jour est agité.
Les vents viendront de toutes parts,
et souffleront si violemment,

[1] Pour une lecture des « vertus » et des « démons », v. 1207, comme personnages dans le cadre de la performance, voir Introduction, p. 94.

L'un contre l'autre, fierement, 1196
Que de la terre depeccherunt.
De son siege la giteront[1],
Les novels morz giteront fors,
Par l'eir em porteront les cors, 1200
Tot les ferront ferir ensemble.
Lors descendra del ciel la cengle[2]
Que nos apelum arc del ciel.
Color avra semblable a fiel. 1204
Entre les venz se meslera,
Aval enz emfer les merra,
Deables botera dedenz[3],
Ou il suffrerunt les tormenz 1208
Des chauz, des froiz e des dolors[4],
Estreinement de denz e plors.
Pois lor dirra : « Ici vos estez !
Desus terre més ne venez[5]. 1212
La terme[6] vient que vus avrez
Plenté de gens en vos destrez ».
Lors comencerunt toit a rire[7] :
« E, Deus Pere, tu qui es sire, 1216
De cele joie nos defent !
Car cil serront toit dolent
Qui parçonier serrunt del ris
Dont li dïable est postis[8] ». 1220

---

[1] VK : « la leveront ».

[2] Variantes : « la flamle » (3 manuscrits) ; « la cendre » (1) ; « li angle » (1). Pour la rime « ensemble/cengle », voir VK, p. 102. Sur l'association entre arc-en-ciel et Jugement Dernier, voir VK, p. 27-9.

[3] VK : « Les deables enbatra ens ». Trois variantes : « rebatera, rebutra, rebutra ».

[4] V. 1210-12 omis dans deux manuscrits.

[5] Vers 1211-12 omis dans deux manuscrits. En revanche, VK et 4 manuscrits : « montez ».

[6] VK : « li termes » ; variante : « li finement » (1).

[7] Ajout dans deux manuscrits : « Li deables qui sunt plain d'ire ».

[8] VK : « Dont deables ert poteïs ».

en sens contraires, tout déchaînés, 1196
que la terre en sera remuée.
Ils la feront voler en éclats,
et des tout jeunes macchabées,
ils feront s'envoler les corps 1200
et les feront s'entrechoquer.
Alors du ciel viendra la boucle
que nous appelons arc-en-ciel,
mais elle sera de couleur fauve. 1204
Elle se mélangera aux vents
et les plongera en enfer,
où elle remettra les démons.
Là, ceux-ci devront endurer 1208
le chaud, le froid, et les douleurs,
en grinçant des dents, tout en pleurs.
Elle leur dira : « Restez ici !
Ne venez plus jamais sur terre ! 1212
Le temps est proche où vous aurez
toute une foule à vos côtés. »
Alors ils se mettront à rire :
« Hé, Dieu le Père, toi qui es seigneur, 1216
protège-nous de cette joie !
Car ils seront bien malheureux,
ceux qui prendront part à la liesse
propre à l'engeance diabolique ! » 1220

Li doscime ert d'altre maniere.
N'a creature al mond tant fiere,
[1]Se bien n'en sait la verité, [f°45v°]
N'en doie avoir le cuer trublé[2] 1224
E devroit amender sa vie[3]
E servir Deu, le filz Marie.
Le ciel serra reclos ariere,
Dont n'i avra nuls qui ne quiere 1228
L'un vers l'autre sovent conseil.
Chescons dirra: «Mult me merveil
Com nos poüm ici ester
Qant tote rien venra finer»[4]. 1232
E crierunt merci au roi,
Que tote mesure ad en soi[5].
[6]Quant li angle poür avront,
Li peccheor, las, que ferunt? 1236

Li XIIIe iert trop salvalges,
Car cil que sorent les langages,
Ço fu Jafed, le filz Tharé,
E Abraham, le filz Choré, 1240
Nen puissent la meitié dire
Des grantz dolors, del grant ire
Que nostre sire mustrera
Quant icist signe avendra. 1244
Car totes les pieres que sunt
Desos terre par tot le mond,
E desus terre e desuz
E de ci qu'a abisme es fonz, 1248

---

[1] Vers 1223-5 illisibles.

[2] VK: «le cuer dontei»; variantes «iré/yrié», échos au v. 1062.

[3] Vers omis dans trois manuscrits.

[4] VK et dix-sept manuscrits intercalent ici: «Li enge qui ou ciel seront / Devant Jhesus se flechiront».

[5] VK: «Qui tout mesura a son doi».

[6] Dans seize manuscrits, interpolation ici des vers cités note 88. VK: «Car mont criendront la desverie / Qui par le mont ert establie».

Le douzième signe, c'est autre chose.
S'il est conduit à le connaître,
pas un de nous n'est si hardi
qu'il ne soit envahi de trouble 1224
au point de modifier sa vie
pour servir Dieu, fils de Marie.
Le ciel se sera refermé.
Aussi, chacun demandera 1228
sans cesse aux autres un conseil,
et il dira : « Je m'interroge :
pourrons-nous demeurer ici,
une fois que tout sera fini ? » 1232

Tous crieront miséricorde
au roi qui est maître de tout.
Si les anges sont terrifiés,
que feront les pauvres pécheurs ? 1236

Le treizième signe sera violent.
Les gens capables de prédire
comme Jafed, fils de Tharé,
et Abraham, fils de Nachor, 1240
ne pourraient dire la moitié
du chagrin et de la colère
que notre Seigneur montrera
lorsque ce signe arrivera. 1244
Voici les faits : toutes les pierres
qui sont sur terre dans le monde,
mais aussi celles qui sont dessous,
depuis le sol jusqu'à l'abîme, 1248

Comenceront une bataille
(Ne quidez pas que jo vus faille),
E s'entreferront mult forment [f° 46]
Come foldre quant ele descent. 1252
Mult se ferront a grant prooche[1],
Bien serra semblant de tristesce,
Si durera tot un jor,
Ço iert semblant de grant dolor[2]. 1256

Li XIIIIe iert mult mals
A tot le mond comonals,
De nois, de gresliz e d'orez,
De merveillos tempestez, 1260
Lors vendront foldres e esclairs :
Trestot en troblera li eirs.
Les nues qui corent si tost
D'eles ferront une grant host 1264
Droit a la mer irront fuiant
E mult fort tempeste demenant.
Le jor doteront de juïse.
Plus tost irront que vent ne bise[3], 1268
Droit a la mer irront fuiant,
Terres, arbres[4] confundant.
Lors serra le vals[5] descovert,
A tote creature apert[6]. 1272

---

[1] VK : « Mult se ferront de grant asprece » ; variantes « a/par grant aïr ».

[2] Vingt autres manuscrits ajoutent ici quatre à six vers qui évoquent la fuite des hommes, souvent sur une montagne. VK : « De cestui dit Job en son livre/ Que ja ne s'an verroit delivre/ Qu'adonc a ce jor viveroit/ Se desouz terre ne fuioit », qui est la version du *Dit des Quinze signes* par Jacques de Voragine.

[3] VK : « Car ainz ne fu nus de tel guise ».

[4] Variante « arbres » unique. VK et *alia* : « et terre et mer tout confundant ».

[5] VK : « Lors sera li ciels descouverz ». Variantes : « li mond » ; « li arz » ; « le siècle ».

[6] Les v. 1273-4 sont omis dans trois manuscrits ; dans un manuscrit, interpolation de quatre vers : « Li or sera li ciel mués / Come vestimens usés / Li trone Diex sera overt / De totes pars clers et apert ».

commenceront une bataille
(ne croyez pas que j'affabule !),
et elles s'entrechoqueront
comme la foudre qui s'abat. 1252
Elles se frapperont à toute force,
et tout en sera endeuillé ;
cela durera tout le jour,
et tout ne sera que douleur. 1256

Le quatorzième est un malheur
qui touchera le monde entier,
avec la neige, la grêle, l'orage,
et des tempêtes épouvantables, 1260
suivies de la foudre et d'éclairs :
les airs en seront tout troublés.
Les nuages au pas rapide
se grouperont en une armée. 1264
Ils s'enfuiront droit vers la mer,
dans une terrible tempête.
Redoutant le jour du Jugement,
ils fileront comme la bise ; 1268
ils s'enfuiront droit vers la mer,
dévastant la terre et les arbres.
Les vallées seront mises à nu
devant toutes les créatures. 1272

Li XV signes vus dirrai,
Car[1] de la dolor asez sai
Que li sires del ciel fra,
Car[2] icest signe avendra! 1276
Le non qu'il avra vus dirrom:
Ço serra consumacion.
La terre e le ciel tot ardra, [f°46v°]
Nule chose ne remaindra[3]. 1280
La mer, que tot le mond[4] aclot,
E les eues e tot li flot
Repaireront tot a nient,
Si com fu al comencement. 1284
Lors serront les voiz oïes
A semblance de symphonies[5]
Qui dirront a vos, peccheors:
«Fuiez trestut, vez ci li jors 1288
Tot plein de grant mesaventore!»
Deus ne fist cele creature
Si se porpensoit de ces fais,
Que jamés en son cuer ait pais. 1292
Idonc soneront les bosines
Qui a dolor serront veisines
E recordrunt trestot li morz.
Chescun avra escrit son sort. 1296
Nostre sire donc refra
Ciel e terre que defet a,
Pois descendra au jugement,
Ço sachez vos, mult cruelment[6]. 1300

---

[1] VK: «que de la dolor».

[2] Variante «car» unique. VK et tous les autres manuscrits: «quant».

[3] VK: «et a noiant réparera».

[4] Variante dans 18 manuscrits: «toute(s) rien(s)»; vers 1283-5 omis dans deux manuscrits.

[5] VK: «chifonie».

[6] Variantes: «fermement», «asprement», «fierement».

Je vais vous dire le quinzième signe,
car je connais bien la douleur
que le Seigneur nous enverra,
car, c'est sûr, ce signe viendra ! 1276
Laissez-nous vous dire son nom,
ce sera : « consommation ».
La terre, le ciel, tout brûlera,
Et rien, plus rien ne restera ! 1280
La mer, qui encercle les terres,
avec ses eaux, et tous ses flots,
ils réduiront tout à néant,
comme ce fut au commencement. 1284
Alors, on entendra des voix
semblables à des symphonies
qui vous diront, à vous, pécheurs :
« Fuyez, vous tous, voici le jour 1288
de la pire mésaventure !
Jamais Dieu n'aurait créé l'homme
s'il avait pu imaginer
qu'il ne serait jamais en paix ! 1292
Alors sonneront les trompettes,
qui annoncent notre douleur.
Elles réveilleront tous les morts.
Le sort de chacun sera écrit. 1296
Alors le Seigneur refera
ciel et terre, qu'il avait détruits.
Puis il descendra nous juger,
sachez-le, avec dureté. 1300

Si nos i doinst il parvenir
Que nos seum al soen pleisir[1] ! 1302
Amen, amen, amen.

[1] Huit manuscrits s'achèvent soit par des vers proches de 1303-4, soit par une interpolation de quatre ou dix vers à cet endroit. Il s'agit alors d'un approfondissement de la prière qui demande l'adoucissement de la rigueur du jugement.

Quatorze manuscrits poursuivent le poème (VK, 77 vers), par une description du Jugement Dernier, où Dieu prend la parole, fait venir ses élus et rejette les damnés. Ces vers constituent une paraphrase de *Matthieu*, xxv, 31-46. Certains manuscrits décrivent aussi la joie des diables qui accueillent et tourmentent les damnés. Tous s'achèvent par une prière exprimant le souhait d'être placé à la droite du Seigneur le jour du jugement.

S'il nous est accordé d'en être,
puissions-nous, seigneurs, lui plaire ! 1302
Amen. Amen. Amen.

GLOSSAIRE

1) Latin

Les didascalies sont citées avant les répliques (av + numéro de la réplique qui suit). Les mots en bas latin et les néologismes sont précédés d'un astérisque.

Caldaria av 589, *chaudières*

Carte (charte) av 853, *papier couvert d'écriture* (voir *Forcellini*, *Lewis and Short*)

Aliquantulum av 386, av 518, av 534, av 589, av 743, *adv, un peu, quelque peu* ; *un emploi en ablatif absolu avec* aliquantula *adjectif*, facta aliquantula mora av 172, av 589

Attencius (adtentius) av 48, *comparatif* d'adtentus, *qui veut se faire entendre*

Circumponantur av 1, *sont disposés autour*

Compositus av 1, av 292, *maîtrisé, composé avec art*

Constituatur av 1, *est établi, désigné comme*

Coopertus, a, um av 721, *couvert de*

Cultura av 518, *terre cultivée*

Demisso (vultu,) av 204, *le visage baissé*, de demitto, ere : *baisser*

Diademate (ornatus) av 781, *ceint d'un diadème*

Dimissiori av 1, *comparatif de* *dimisso, pour dimitto, ere : abandonner, relâcher, *à l'abandon, non composé en fonction du jeu*

Discursum (facere) av 172, av 204, *circuler, se déplacer*

*Discucientes av 589, *mis pour, s'éparpillant, courant en tous sens* discursientes, *plutôt que pour le classique* discurrentes

Ecclesia av 112, av 518, av 721, av 743, av 839, *groupe des chrétiens, par opposition au groupe des Juifs (voir* sinagoga) ; portas ecclesie, av 853 : *les portes de l'église*

*Fatescentes av 518, *de* fateor, *avouer, faire comprendre*

Gestum av 1, av 112, av 518, *ensemble de gestes, attitude*; *dans le cadre de la performance, jeu*

Indutus + ablatif (de induviare) av 1, av 512, av 589, av 742, av 815, av 875, *revêtu de*

Intuebitur (intueor) av 259, *considérer attentivement*

Junctos ferreos av 589, *joug de fer à deux têtes*. Voir H. Breuer, 1931, p. 644

Lebetes suos av 589, *chaudrons*. Voir Bruno Laurioux, « Le Latin de la cuisine », dans *Les historiens et le théâtre médiéval*, Paris, Publications de la Sorbonne, 2001, p. 276

*Maniplum av 665, (de manipulus, i), *ce qui peut être contenu dans une main, poignée, gerbe, brassée*

Messis av 665, *récolte*

Ollam av 721, *pot, marmite de terre*, voir Bruno Laurioux, art. cit., p. 276

Pannus av 1, av 721, *étoffe, vêtement*

Peplo (peplum, i) av 1, *vêtement*

Plateam (plateas) av 112, av 172, av 589 *espace entre les groupes d'acteurs ou les éléments de décor*

Pomum av 292, av 302, av 314, *pomme*, *neutre pluriel* poma *pris pour féminin*

Populum (populo) av 204, av 314, *assemblée de fidèles*, *spéc. : partie du public qui ne joue pas de rôle*

Proprius av 1, av 48, av 292, *latin médiéval pour* propius, *comparatif de* prope, *plus près*

Rithmis av 1, de rhitmus, i, *vers*

Rostrum av 518, *pointe d'une serpette ou d'un râteau*

Rotulum av 853, *rouleau*

Scamnum av 743, *banquette à plusieurs places*, par opposition à stabellum, *banc à une place*

Sepius (pour saepius), av 518, av 743, *comparatif*, *assez souvent*

Serici, serico av 1, *adj.*, *de soie*

Servantur (de servare) av 1, *mis de côté, gardés pour l'occasion*

Sinagoga av 881, *assemblée de fidèles*; *groupe des Juifs, opposé au groupe des chrétiens* (ecclesia)

Stipitem av 292, *tronc*

*Subsannans — subsans av 609, *ironiquement*, *en se moquant*

*Talos av 518 (*au lieu du classique* calx), *talons*, *chevilles*

Tenus av 518, *proche de, avant, au-dessus de (+ ablatif)*, tenus solo, *près du sol*,

Tribulos av 518, (de tribulus, i) *chardons*

Tripudium av 589, *danse de joie,*

Triticum av 518, *blé*

2) LANGUE VERNACULAIRE

[Achater] *v. tr* 620, achat *P3 subj. prés., être payé pour, récolter le prix de*

Achaison *s. f.* 153, *cause, motif*

[Aclore] *v tr.* 1281, aclot *P3 ind. prés., encercler*

Acoveitise, *s. f.* 603, *convoitise, désir*. Si nos prent acoveitise: *s'il nous prenait de*

Adjutoire *s. f.* 38, *aide, secours*

[Afoloier, s'] *v. intr.* 59, s'afoloie *P3 cond. prés., s'emporter, s'égarer*

Ahan *voir* hahan

Ai *interjection* 356, 370, *indiquant la souffrance ou la colère*

[Aïdier] *v. tr.* 352, aït *P3 subj. prés., venir en aide*

Aïe *s. f.* 335, 380, 509, *aide*

Aïr *s. m.* 1119, *violence*

[Aïrier, s'] *v. intr.* 528, *se mettre en colère, s'affliger*

Allas *interjection* 314, 518, 321, *hélas*

Alme *s. f.* 507, 600, 974, *âme*

Angle *s. m.* 939, 1235, *ange*

Anguisos *adj* 1130, *suscitant l'angoisse, angoissant*

Anguisosement *adv.* 1175, *péniblement*

Anguisse *s. f.* 455, 1188, *douleur,* l'anguisse del fuc: *la brûlure*

[Apareiller, s'] v. *intr.* 1004, *être pareil à*

[Atendre] *v. tr., avec COD animé* 323, 324, 546, *affronter, faire face à*

[Atraire] *v. intr* 163, *attirer vers soi,* ie: *cueillir*; 185, 551, *faire pour, à destination de*

Aourer *v. tr.* 858 *adorer*, 520 *graphie* aüre, *P3 ind. sing.*

Aürté *s. f.* 498, *bonheur.*

Autrer, autrier (l') *adv.* 174, 394, *l'autre jour*

Aventure *s. f.* 253, 318, *destin*

Avis *s.m.* 80, *vision, projet,* or m'est avis 419, *il me semble que*

Bailli (mal) *adj.* 365, 467, *maltraité, malmené,* 1085 malbailli

Baillis *s. m* 791, *cas sujet plur. de* baillif, *gouverneurs*

Baillie *s. f.* 508, 514, *juridiction, empire, pouvoir*

Bandon (estre a) *s. m* 608, *être à la disposition de*

Benignité *s. f.* 72, 783, *bienveillance*

[Blastengier] *v. tr.* 557, *blâmer*

Bonté *s. f.* 27, 73, 245, 269, 391 : *meilleure part, qualité principale* ; 614 faire ta bonté, *donner ce que tu désires*

Bosines *s. f.*1293, *trompettes*

Bosoin *s. m.* 52, 122, 1186, *nécessité*

Cengle *s.f.* 1202, *ceinture, boucle*

Chaitif *adj.* 518, *misérable, malheureux,* 549, 564 chaitive, 972 chaitifs. *En contexte exclamatif: pauvre de + pr. personnel*

Chalengier *v. tr.* 49, *réclamer, revendiquer*

[Chaier] *v. intr.* tomber, 1115 chaü *part. passé,* 317 chaite *part. passé*

[Chalchier] *v. intr.* 481, *fouler aux pieds. Sur* sachera *mis pour* cachera *graphie pour* chalchera, *voir Willem Noomen, éd.1971, note 853, p. 82, et* sachier

[Chaloir] *v. impers.* 116, 154, chalt, *P3 prés. ind.*, 282 *graphie* chat

Chanel *s. m.* 1131, *canal, lit*

Chasement *s. m.* 106, 497, *fief*

Chastier *v. tr.* 626, *reprocher, critiquer,* chasti P1 *prés. de l'ind.*

Chalt *adj.*, 53, *chaud*, 1209, chauz, *pl.*

Cifonies, *s. f., voir* symphonies

Communement *adv.* 943, *ensemble*

Comonals *adj.* 1258, *entier*

[Confundre] *v. tr.* 489, 1270, *dévaster*

Conroi (prendre), *loc. adv.* 382, *prendre des mesures envers, prendre soin de,* 484 *graphie* conrei

Conseil *s. m.* 45, 67, 196, 321, 355, 373, 374, 661, 1229, *conseil donné (du* consilium *féodal)*; 67, 527, 539, 627, *dans l'expression* creire conseil : *avoir confiance en*; 209, 265, *secret*

[Cor((r)o)cier] *v. tr.*, *mettre en colère, fâcher*, 273 curcerai *P1 fut. ind*; 379 corocé l'ai *P1*, et 976 coriscesom *P4 passé composé*; 1059 corocié *part. passé*

[Cotiver] *v. tr.* 429, *cultiver*, cotiveras *P2 fut. ind.*

Covertié *s. f.* 963, bassesse, infamie

Creance *s. f.* 216, 717, *promesse, parole donnée*; 741, 746, *foi*

[Criembre] *v. tr.* 135, *craindre* criem *P1 prés. ind.*, 844 cremuz *part. passé*; 979 cremisse *P1 subj. impft*; 1081 criendront, 1097 criemdront *P6 fut. ind.*

Cumpainon *s. m.* 8, *comparse, ici : compagne*

Damage *s. m.* 98, 456, 461, 776, 864, *dommage, tort*

Dampné *part. passé pris comme adj.* 616, *condamné, perdu*

Dampne Deu 628, *le seigneur Dieu*

Deavee *adj.* 356, *folle, mis pour* devee, *graphie anglo-normande. Sur* ea *pour* e *ouvert, voir Noomen, éd. 1971, note 695 p. 88*

Deduit *s. m.* 55, 112, 169, 177, *plaisir*

[Dehaitier] *v. tr.* 563, *affliger, décourager*

Delit *s. m.* 89, *plaisir*

Delivre (a) *adj.* 538, *prompt à*

Delivre (de) *adj.* 329, *libéré de*

Delivrement *adv.* 411, *librement*

Deport *s. m.* 183, *distraction, occupation plaisante*, 100 par deport, *à souhait*; 505 senz deport, *sans répit*

Deporter *v. tr.* 666, *réjouir*

[De(s)serrer] *v. tr.* 1032, *éclater*

Deserte *s. f.* 449, *récompense*

Despars *adj.* 1193, *sans ordre, agité*

Destorber *v. tr.* 692, 980, *détourner*

[Deveer] *v. tr.* 151, *interdire*

Devé *s. m.* 402, *interdiction*

Devinaille *s. f.* 903, *action de deviner, prophétie*

Deviner *v. tr.* 443, *imaginer*

Dis (tut) *loc. adverbiale* 476, *pour toujours*

Discipline *s. f.* 35, 578, *règle, ordres donnés*

Dispers *adj.* 1148, *étrange*

Divers *adj.* 1147, *singulier*

Dit *s. m.* 875, *récit,* diz *cas régime plur.*

Doctrine *s. f.* 611, *leçon, enseignement*

Dur(e) *adj.* 78, 583, *inflexible, rigide*, 319 *graphie* dore

Durer *v. intr.* 85, *rester,* 738 dorges *P2 subj. présent*

Dorement *pour* durement *adv.* 1195, *rudement*

Doter *v. tr.* 86, 313, *redouter, craindre*, 296 duit, *P1 ind. prés.*

Dutance *s. f.* 274, *hésitation*

Dotos *adj.* 1129, *redoutable*

Dotables *adj.*1069, redoutable

Droit *s. m., droit, justice*, 473 reprendre [s]on droit, *exercer sa punition sur*; 344 il a droit, *la justice est de son côté*; droit est 528, 620, *il est juste que*

Duaire *s. f.* 550, *dot*

Duc(s) *s. m.* 817, *chef*

Eage *s. m* 97, *vie*

Eé *s. m.* 1086, *durée de la vie*

Eirs *s. m.* 757, *héritier, descendant*

Eir *s. m.* 1262, *graphie pour* air, *atmosphère*

Eissil *s. m.* 506, *lieu où l'on a été exilé*

Emvenimé *part. passé* 1042, *empoisonné*

Emvie *s. f.* 62, 606, 810, *jalousie*

Encline *adj.* 34, 63, 577, *obéissante*, 487 (le chief) enclin, *la tête baissée (en signe d'obéissance)*

Engendreore *s. f.* 582, *descendance*, 777 *graphie* engendreüre

Engin *s. f.* 242, *tromperie, tour*

Engingner *v. tr.* 441, *tromper, abuser*

Engruter *v. intr.* 87, *tomber malade*

Entencïon *s. f.* 988, *intérêt, égard pour*

[Envoluper] *v. tr., sens figuré, séduire, envoûter*; 1041 envolupé *part. passé*

[Errer] *v. intr.* 390, s'égarer

Errur *s. f.* 901, *faute*

Eschif *adj.*, *éloigné de, séparé de*, 570 eschive, *cas suj. sing. fém.*

[Eschiver] *v. tr.* 1079, *échapper à*

Escole *s. f.* 219, *apprentissage*

Esleecié *part. passé* 802, *mis en joie, heureux*

Espuntable *adj.* 1070, *qui suscite l'épouvante*

Esponté *part. passé cas suj. plur.* 1178, *terrifiés*

Estage *s. m.* 96, *lieu*, 1145 rentrer en son estage, *regagner son espace habituel*

Ester *v. intr.*, *séjourner, rester*, 57 estrat *P3 fut. ind.*, 113 estas *P2 prés. ind.*, 1211 estez *P5 impér. prés.*, 1232 ester *inf.*

Estoveir *v. impers. falloir (obligation)*, 331 m'estoet *prés. ind.*, 1125 estovera *fut. ind.*, 990 estuce *prés. subj.*

Estreinement *s. m.* 1210, *grincement de dents*

Estrif *s. m.* 723, querelle, noise

Fable *s. f.* 652, 882, 887,1180, *discours mensonger*

Faille *s. f.* 904, *mensonge*

Fain *s. m.* 849, *foin*

Faire (le) (bon) 158, 673, *faire cas de*, 164 bien fras, *agir pour son bien*, 861 faire bones les voies, *accomplir de façon soignée*

Faiture *s.f.* 77, *créature*

Falture *s. f.* 89, *manquement, absence de*

Fanc *s. f.* 1074, *fange*

Faudis *adj.* 513, *banni, hors-la-loi*

Feël *adj.* 44, 823, *fidèle*, 12 *graphie* fiel

Fel, felon *adj.* 573, 826, *traître pour la loi, féodale ou spirituelle*, 987 *méchant, criminel*, 1000 li felon *adj. substantivé, les traîtres, les criminels*

Felonie *s. f.* 733, 866, 899, 469 *graphie* folonie, *trahison*

Fernicle(s) *adj.* 1088, *violent, sauvage*

Fiance *s. f.* 217, 690, 718, *sentiment né d'un pacte, confiance ; vis-à-vis de Dieu, foi*

Fichïe *part. passé féminin* 1029, *fixée, attachée*

Fieble *adj.* 1160, *faible*

Foi *s. f.*, 203, 214, 287, 383,749, 792, 808, 187 *graphie* fei, *confiance, accordée à un pair ou à un supérieur ; quand celui-ci est Dieu, foi*

Folage *s. f.* 460, *légèreté, étourderie*

Folie *s. f.* 468, 1185, *folie, étourderie*

Folor *s. f.* 109, 325, 595, *folie*

Forzor *adj. compar.* 43, *plus fort, plus puissant*

Fo(u)rmer *v. tr.* 49, 74, 184, 406, *façonner, créer*

Fraiture *s. f.* 584, *brèche, faille*

Friczion *s.f.* 51, *fièvre, maladie*

Frait *adj.* 53, *froid*

Froit *s. m.* 471, 774, *fruit, profit*

Feu *s. m.* 816, *feu, graphies* 932 foc, 936 fouc, 1188 fuc, 360 fu

Furor *s. f.* 659, *délire, folie*

Gabber *v. intr.* 415, se moquer

Gas (a) *loc. adverbiale* 886, *pour rire, par plaisanterie*

Gardein *s. m.* 182, *gardien*

Gardin *s. m.* 143, *jardin*

[Garir] *v. intr.* 900, 902, *guérir*

Germain *adj.* 589, *de mêmes père et mère*

[Gerpir] *v. tr.*, *abandonner, fuir* ; 70 gerpisez *P5 impér.*, 108 gerpis *P1 prés. ind.*, 320, 325 ai guerpi *P1 passé composé,* 531 guerpi *P1 passé simple,*

Gloire *s. f.* 39, 139, *gloire*, 347 et 531, 523 (roi de), *roi de gloire, immortel installé au ciel*, *graphie* glorie 523

Glorius *adj.* 869, *qui est en gloire*

[Gracïer] *v. tr.* 958, *remercier, rendre grâce à*

Grainior *adj. compar.* 546, *plus grand*

Grouil ? 819, *s. m. soit de la famille de* se groyer, *se vanter* (*Godefroy* iv, col 370), *soit de la famille de* grundiller, *se plaindre, en anglais to grumble, complaint, to grunt, to groan* (*Anglo-Norman Dictionary*, vol. 1 A-L, 1977, p. 344). *Voir note au vers 819.*

Guenchir *v. intr.* 693, *protéger de*

Guerreer *v. tr.* 439, *faire la guerre à*, 954 guerrie *P3 prés. ind*

Guivre *s. f.* 539, 573, *serpent*

Gwai (torner a) *s. m.* 419, *malheur. Viendrait de* woe *ou* vae, *interjection et substantif. Voir note au v. 419.*

Hahan *s. f.* 434, 456, 969, *peine, difficulté*

Haïne *s. f.* 478, *haine*

Haire *s. f.* 1051, *haire, cilice*

Halt *adj.* 155, 179 haut, 241 parlez en halt, *parle tout haut*

Haltement *adv.* 1017, *à voix forte, très haut*

Haltor *s. f.* 811, *hauteur (physique)*

Haltesce *s. f.* 375, *grandeur (morale)*

Halzor *adj. compar., plus haut, supérieur,* 289 le Des halzor : *utilisé seul avec valeur de superlatif, le Dieu Très-Haut*

Hascee *s. f.* 554, *peine, souffrance*, 559 *graphie* haschee

Hebergerie *s. f.* 1191, *logement, habitation*

Honor *s. m.*185, 206, 278, 878, *honneur*, 878 *graphie* unor

Honorer *v. tr.* 28, *honorer*, honor *P2 impér.*

Honte *s. f.* 392, 400, *honte, déshonneur*

Host *s. f.* 859, 1264, *armée*

Imagene[1] *s. f.* 408, *image, (*imago *théologique : forme, tour donné à la matière humaine, et dont le modèle est Dieu),* 4 *graphie* ymage.

Ire *s. f.* 387, 1079, 1242, *colère*

Iré *part. passé* 1060, *accablé, abattu*

Iror *s. f.* 713, *colère, emportement,* 92 *graphie* irur

Issir *v. intr.* 35, *sortir, aller dehors*, istront *P6 fut. ind.,* 381, 458, 488, 553, 756, 775, 781, 815, 877, et 820 *graphie* istera *P3 fut. ind.*, 490 issé *P5 impér.*, 495 isterez *P5 fut. ind.* ; 665 issum *P4 impér.*

Joïr *v. intr.* 124, 526, *bien user de, jouir de*

[Joïr (se)] (mal), *v. pronominal* 397, *mal user de*

Jornal *s. m.* 137, *journée, événements qui la constituent*

---

[1] Imagene *viendrait-il de* imagena, *forme fréquente en provençal ? Voir S. J. Honnorat, Dictionnaire Provençal-Français, tome 2, p. 427 col. 3.*

Jugement *s. m.* 978, 999, 1299 (le jor del), *jour du Jugement dernier*, 1082 *graphie* jogement

Jugeor *s. m.* 1098, *le Juge (Dieu)*

Juïse *s. m.* 1267, *Jugement dernier (jour du)*

Juvableté *s. f.* 1156, *secours, assistance*

[Laier] *v. trans.* 296, *abandonner, mettre de côté*, lai *P2 impér.*

Lasseté *s. f.* 499, *peine*

Leal *adj.* 67, *loyal*

Leccon *s. f.* 910, *sermon, traduction du latin* lectio, av 1 et av 743

Leegier *adj.* 670, *insouciant*

Lignage *s. m.* 457, 462, 775, *descendance*

Lignee *s. f.* 553, 855, *parenté, descendance*

Loi *s. f.* 110, 768, loi féodale, 23, *graphie* lei, 789, 805, loi spirituelle

Lüer *s. m.* 658, *salaire*

Mail *s. m.* 482, *arme, coups donnés avec cette arme*

Maindre *v. intr.* 83, 84, *demeurer*

Maisnee *s. f.* 856, *famille, descendance*

Maisons *s. f.* 1123, *habitations*

Maistre *soit s. f.*, 257, 309, *souveraine, maîtresse*, soit *s. m.* 805, 908, *maître*

Maistrie *s. f.* 444, *maîtrise, domination*

Maleïcon *s. f.* 425, 543, *malédiction*

Malait *adj.* 425, 428, 433, 472, 734, *graphies* maleit, maleeit, *maudit*

Manage *s. m.* 23, 99, *logis*

Manantie *s. f.* 61, *territoire, ensemble formé par des terres*

Maner *s. m.* 522, *séjour, demeure*

Marchié *s. m.* 326, *affaire, transaction*

Memorie *s. f.* 346, 530, *mémoire, souvenir, graphie anglo-normande* (I. Short, § 13.4 p. 82-3)

Merci *s. f.* 720, 1018, 1024, 1061, 1084, 1154, 1158, 1159, 1186, 1190, 1223, *pitié, miséricorde*

Merveille *s. f.* 464, 845, 911, 929, 1003, 1028, *sujet d'étonnement, prodige, merveille*

Merveillos *adj.* 1043, 1128, 1260, *qui suscite l'étonnement, prodigieux*, 875 *graphie merveillus*

Mesaventure *s. f.* 581, 1007, 1289 *graphie* mesaventore

Mescine *s. f.* 580, *remède*

[Mesfaire] *v. intr., mal agir, se rendre coupable,* 338, 464, 559, 705, 338 mesfis *P1 passé simple*, 578 mesfesis *P2 passé simple*; 421 jo ai mesfait *P1 passé composé avec l'auxiliaire avoir, et* 342, 348, 461, 679 *P1 passé composé avec l'auxiliaire être,* 347 *graphie* mesfet, 561 *graphie* mesfeite

Mesfait *s. m.* 581, 586, 616, 736, *crime, faute*

[Mesler] (o, vers) *v. intr.* 198, 706, *monter contre, brouiller avec*

Meslee *s. f.* 361, *querelle*

Mestier (avoir) *loc. verbale*, 691, 718, *être utile*

Mesure *s. f.* 91,1008, 1234, *mesure, ordre*

Moiller *s. f.* 421, 422, *épouse*, 33 *graphie* mullier, 276, 438 *graphie* muillier

Mols *adj.* 221, *mou*

Mond *s. m.* 63, 90, 254, 330, 763, 844, *monde*

Müe *part. passé* 1073, *changée*

Mues *part. passé* 955, 1089, *muettes*

Mustrance *s. f.* 587, *apparition, présence*

[Mostrer], *v. tr.*, *donner le signe de, témoigner de*, 610 *graphie* mustrer, 724 or me mostre *P2 impér.*, 1001 mostera *P3 futur de l'ind.,* 1243 mustrera *P3 fut. de l'ind.*

Nair *adj.* 1051, *noir*, 1039 naires *fém. pl.*

[Naistre] *v. intr.* 1021 *naître*, nasquisum *P4 passé composé*

Nois *s. f.* 1259, *neige*

Noit *s. f.* 437, 636, 1038, *nuit*

O *prépos.* 516, *graphie* od 39, 193, 393, 434, 436, 748, *avec*

O *adv.* 725, *où*

Ovec *prép.* 671, 868, 871, *avec*

Oëille *s. f.* 466, *brebis*

Oi *interjection* 522, 534, *hélas*

Oi *adv.* 702, *aujourd'hui*

Oncïon *s. f.* 829, 836, *choix, élection*

Oncore *adv.* 479, *désormais*

Orguil *s. m.* 625, *orgueil*

Orguillus *adj.* 971, *orgueilleux*

Oribles *adj.* 1087, *terrifiant*

Ort *s. m.* 182, *jardin*

Ostel *s. m.* 643, *lieu — emploi métonymique : troupeau regroupé en ce lieu*

[Otreier] *v. intr.* 129, 664, *consentir à, être d'accord avec*

Ovre *s. f.* 841, *ensemble des faits, situation*

Pal *s. m.* 65, *pieu*

Paltonier *s. m.* 290, *vagabond, hors-la-loi*

Paraïs *s. m.* 209, 925, 1067, *paradis*

Parçonier *adj.* 1219, *qui partage, partenaire*

Pardurableté *s. f.* 1155, *éternité, durée éternelle*

Pareil, pareille *adj. masc ou fém., égal à, au plan de l'apparence ou du droit*, 44 *graphie* paraille, 372 *graphie* parail, 10, 354, *adj. subst.*

Parfont *s. m.* 255, *abîme*

[Pener] *v. intr.* 740, *payer pour*

Per (mon, ma), *adj. substantivé m. ou f.* 166, 189, 312, 414, 442 *mon égal* (e)

Peril *s. m.* 507, 572, *difficultés rencontrées, danger*

Piété *s. f.* 813, miséricorde divine, 511, 801 *graphie* pité, 964 *graphie* pitié

[Plaindre (se)] *v. intr.* 620, *réclamer justice*, *graphie* pleingne *P3 subj prés*

Plait *s. m.* 343, 345, 351, *procès*

Plasmer *v. tr.* 18, 77, 408, *former*, *créer*

Poëste *s. f.* 249, 359, *domination*

Poësté *s. f.* 74, 193, 1001, *pouvoir*

Poëtifs *adj.* 760, *puissant*

Pople *s. m.* 1054, *les gens — on*

Porpens *s. m.* 30, 173, 646, *projet, intention*

[Porpenser (se)] *v. intr.* 1291, *imaginer*

Postis *adj.* 1222, *qui règne sur*

Poür *s. f.* 207, 600, 842, 1094, 1164, 1172, 1235, peur, *graphie caractéristique de l'anglo-normand* (*Ian Short, p. 56 § 6.1*), 1184 *graphie* paor

Primices *s. f.* 602, 710, *premiers fruits, primeurs*

Privé *adj.* 697, *ami, proche*
Priveement *adv.* 126, *en privé, exclusivement*
Prooche (a grant) *loc. adverbiale* 1253, *puissamment*
Provence *s. f.* 689, *preuve*
Provender *s. m.* 175, *vassal qui reçoit sa subsistance du seigneur, assisté*
Pru *s. m.* 129, 206, 623, *intérêt, avantage, moral ou financier*
Pussance *s. f.* 588, *graphie anglo-normande pour* puissance

Quartz *adj.* 939, *quatrième*

Raies *s. f. plur.* 862, *rayons*
Raison *s. f.* 493, 709, 830, droit(s)
Raïz *s. f.* 488, 876, *souche, arbre originel*
Raz, ras *s. m.* 481, *dard, tête. Voir note au vers 481.*
Reclos *part. passé* 1229, *refermé*
Recoi (estre en) *loc. verbale* 273, *être calme, serein*
Recoverer inf. substantivé 495, *retour,* 525 *graphie* recovrer
Redoté *adj.* 893, *sénile, gâteux*
Redotee *part. passé* 1012, *redoutée*
Regard (avoir) *loc. verbale* 270, *avoir peur, redouter*
Regarder *v. tr.* 634, *prendre en compte, prendre en considération*
Regne *s. m.* 791, *domaine, fief*
Relais (a grant) *locution adverbiale* 677, *doucement, en marquant des pauses*
Repaire *s. m.* 1160, *habitation, lieu*
Repondre (se), *v. pronominal, se cacher*, 387 repost me sui 387 *P1 passé composé*
[Rescorre] *v. tr.*, sauver, délivrer, 510 rescos *part. passé*
Rescus *s. m.* 316, *secours*
[Retraire] *v. tr.*, *reprocher*, 558 avés ma vilenie retraite *P5 passé composé*
Retrait *s. m.* 291, *retour*, 315 sanz nul retrait, *sans espoir*
Retraite *s. f.* 562, *reproche*
Revel *s. m.* 624, 722, 818, *rébellion*
Rote *s. f.* 239, *petit groupe*
Rumor *s. f.* 732, *bruit*

Sablon *s. m.* 702, *sable*

[Sachier] *v. tr.* 481 *arracher*, sachera *P3 futur* ; *voir aussi* chalchier

Saver *inf. substantivé* 283, *pensées, avis*

[Savoir] *savoir, maîtriser* 1238, sorent *P6 passé simple*

Scole *s. f.* 854, *école, parti*

Secroi *s. m.* 773, *secret*

Sempres *adv.* 102, 160, 263, 267, 715, *aussitôt*

Sens *s. m.* 31, 109, 172, 233, 530, 536, 894, *intelligence, esprit*

Sanz *prép.* 203, 268, 315, 423, 505, 777, 958, 143, *sans*, *graphie* sens, 188, 316, 341, 773 *graphie* senz

Sentence *s. f.* 433, 762, *décision de justice, jugement*

Sermon *s. m.* 638, 639, *discours, sermon*, 50 tenir mon sermon, *tenir votre parole envers moi*

Sermoner *v. intr.* 609, *faire un discours*

Seürement *adv.* 127, 301, *de façon certaine, indubitable – employé comme réponse : « Tope là, à la bonne heure »*

Sevals *adv.* 225, *au moins*

Siege *s. m.* 1200, *position, situation*

Solaz *s. m.* 940, *consolation*

Sore *adv.* 371, *dessus*

Sorfait *s. m.* 554, *excès, abus criminel*

[Socorre] *v. tr.*, secourir, 333 *graphie* socore *P3 prés. subj.*, 521 *graphie* sucure *P3 prés. subj.*

Socors *s. m.* 336, *secours*

Sort *s. f.* 103, 317, chance, bonne fortune

Souverain *adj. substantivé* 255, *hauteurs, ciel*

Studie *s. f.* 865, *application*

Suduiant *part. présent pris comme adj.* 465, trompeur, menteur

Suffraite *s. f.* 564, *manque*

Somme *s. f.* 772, *la chose essentielle*, 192 *graphie* summe

Symphonies *s. f.* 1286, mélodies. *Avec la graphie* cifonie, *instruments dont on accompagnait la récitation de poèmes (Godefroy, II, 133, col.2)*

Talent *s. m.* 15, 115, *désir*

Tançon *s. f.* 21, *querelle*, 607 *graphie* tençon

[Targ(i)er] *v. intr.*, *tarder, se faire attendre,* 556 tazera, 916 tarzera *P3 fut. ind.*

Tenir (el) *infinitif substantivé* 598, 603, *fait de garder pour soi, de se réserver quelque chose*

Terme *s. f.* 1213, *moment*

Tolir *v. tr.* 199, *ôter de, priver de*, 536 tolis *P2 passé simple*, 391 qui t'a toleit *P3 passé composé*

Tor (al chief de) *loc. adverbiale* 503, *finalement*

Traïn *s. m.* 486, *mode de vie, façon d'agir*

Traïr *v. tr.* 288, trahir, 111 traïst *P3 prés. ind.*, 353 m'a traït *P3 passé composé*, 465 traï moi part. passé

Traire *v. tr.* 234, *venir vers*, 351 traï *P3 subj. prés.*, 376 serrai trait voix *passive fut.*, 376, 337, 873 trara, 780, 924 trarra *P3 fut. ind.*

Trais *adj. numéral* 852, 931, *trois*

Traüage *s. m.* 463, *tribut*

[Travailler (se)] *v. pronominal* 532, *se désoler*

Tristesce *s. f.* 1100, 1254, *tristesse*

Tristor *s. f.* 631, 957, *tristesse*

Unor *s. m.* 878, *honneur*, *voir aussi* honor

Uxor *s. f.* 321, *femme*

Veer *v. tr.*167, *interdire*

Verais *adj.* 713, *vrai, conforme aux attentes*

Veir (par) *loc. adverbiale* 134, 927, voir (por) 1106, *en vérité,* 755 bien iert veirs

Vergoine *s. f.* 398, pudeur, 93 *graphie* verguine

Vergunder *v. intr.* 395, éprouver de la pudeur

Vers *s. m.* 939, *poème*

Vertu *s. f. sing.* 247, 892, qualité, puissance, 929 oez vertu, *écoutez la merveille*

Vertuz *s. f. plur.* 489, 1169, 1192, *habitant du paradis céleste*

Viaire *s. m.* 549, *opinion, sentiment*

Viande *s. f.* 476, *nourriture*

Vilain *adj.* 592, 760, *ignoble, infâme*

Vilainnie *s. f.* 558, *infamie*

INDEX DES NOMS

TABLE DES MATIÈRES

Imprimé en UE